DE LA PATIENCE

SOURCES CHRÉTIENNES
Directeurs-fondateurs : H. de Lubac, s.j. et † J. Daniélou, s.j.

Directeur : C. Mondésert, s.j.

N° 310

TERTULLIEN

DE LA PATIENCE

INTRODUCTION, TEXTE CRITIQUE
TRADUCTION ET COMMENTAIRE

PAR

Jean-Claude FREDOUILLE
Professeur de langue et littérature latines
à l'Université de Lyon

Ouvrage publié avec le concours
du Centre National de la Recherche Scientifique

LES ÉDITIONS DU CERF, 29, bd de Latour-Maubourg,
PARIS
1984

*Cette publication a été préparée
avec le concours de l'Institut des Sources Chrétiennes
(E.R.A. 645 du C.N.R.S.)*

ISBN : 2-204-02176-8
ISSN : 0750-1978

INTRODUCTION

I. LA DATE

Le *De patientia* ne contient aucune allusion historique[1], aucun renvoi sûr à d'autres traités de l'auteur, qui ne le mentionne pas non plus ailleurs. Dans ces conditions, les seuls critères de datation dont on dispose sont d'ordre doctrinal et, éventuellement, stylistique.

Critères d'ordre doctrinal...   Si l'on excepte, pour les sauver de l'oubli, quelques tentatives fort anciennes pour découvrir dans le *De patientia* des traces de montanisme[2], les critiques sont, depuis longtemps déjà, unanimes à reconnaître l'inspiration catholique de l'ouvrage et donc à le situer à l'intérieur de la « première période » de l'auteur, qui s'étend, selon la chronologie la plus généralement retenue aujourd'hui, entre 197 et 206[3]. En effet, dans son analyse des situa-

---

1. L'hypothèse d'E. NOELDECHEN, « Die Situation von Tertullian's Schrift ' Ueber die Geduld ' », *Zeitschrift für kirch. Wiss. und kirch. Leben*, 6 (1885) p. 577-580, reprise dans *Die Abfassungszeit der Schriften Tertullians*, Leipzig 1888, p. 63, selon laquelle *Pat.* 7, 12 contiendrait une allusion au bandit Bulla Felix, capturé en 203 (cf. DION CASS., 76, 10) a été rejetée par les critiques.

2. G. CENTNERVS, *Q.S.F. Tertulliani quae supersunt omnia in montanismo scripta uideri*, Vitembergae 1738, § x (ap. OEHLER III, p. 533) ; I.O. NOESSELT, *De uera aetate ac doctrina scriptorum... Tertulliani*, Halle 1757, § xxxviii (ap. OEHLER III, p. 599). Hypothèses déjà réfutées par G.N. BONWETSCH, *Die Schriften Tertullians nach der Zeit ihrer Abfassung untersucht*, Bonn 1878, p. 39. Cf. *infra*, n. 4.

3. Cf. R. BRAUN, *Deus Christianorum*, Paris 1977², p. 570 et 721.

tions personnelles qui, pour être vécues chrétiennement, mettent en œuvre la vertu de patience, Tertullien est conduit à aborder deux questions disciplinaires, la pénitence et la fuite en cas de persécutions[4], sur lesquelles son adhésion au montanisme lui fera modifier son enseignement. Or ses déclarations sur ces deux sujets, dans le *De patientia*, laissent entrevoir une doctrine modérée : ne distinguant pas encore entre péchés « rémissibles » et péchés « irrémissibles » comme il le fera dans le *De pudicitia*, Tertullien n'exclut pas l'adultère de la pénitence post-baptismale, celle qu'il appelle, dans le *De paenitentia*, la « seconde pénitence » ; d'autre part, encore éloigné du rigorisme qu'il manifestera dans le *Scorpiace* et, plus encore, dans le *De fuga,* il reconnaît ici, comme dans l'*Ad uxorem*, la licéité de la fuite devant les persécutions et ne considère donc pas le martyre dans ces circonstances comme une obligation pour les chrétiens. A ces faits, connus, nous voudrions joindre un troisième élément de convergence. En effet, la conception même de la patience qui est exposée dans le *De patientia* n'a guère été prise jusqu'ici en considération. Or il nous est apparu que le vocabulaire et surtout la spiritualité de la patience dans ce traité reflétaient un moment antérieur de la réflexion de Tertullien, qu'il a par la suite infléchie en un sens moins stoïcien et plus profondément chrétien. Comme en d'autres domaines, nous pouvons suivre, du *De patientia* au *De fuga*, une évolution de sa spiritualité de la patience[5].

... et stylistique   Cette datation est naturellement confirmée par l'analyse stylistique de l'ouvrage : il y a en effet de nombreuses simili-

---

4. *Pat.* 12, 5 et 13, 6. Ces deux passages sont considérés comme étant d'inspiration montaniste par Centnerus et Nösselt (cf. *supra*, n. 2) ; ce dernier voit aussi une allusion au Paraclet en *Pat.* 1, 2.

5. J.C. FREDOUILLE, *Tertullien et la conversion de la culture antique*, Paris 1972, p. 403 s.

tudes ou analogies d'expressions entre le *De patientia* et d'autres traités remontant aux premiers temps de l'activité littéraire de Tertullien, tels le *De cultu feminarum II* ou le *De oratione*, mais surtout, comme on l'a remarqué depuis long-temps, le *De paenitentia*[6]. Aussi bien la question qui vient aussitôt à l'esprit est-elle de savoir lequel du *De patientia* ou du *De paenitentia* est antérieur à l'autre. En fait, divisés sur ce point de chronologie relative en deux camps à peu près égaux, les critiques sont bien en peine de justifier leur choix et préfèrent généralement insister, à juste titre, sur la contemporanéité des deux traités, quel que soit l'ordre réel de leur succession. Il est clair en effet que les arguments d'ordre stylistique ne sont plus, en l'occurrence, utilisables.

Antérieur au *De paenitentia* (204) ? En revanche un indice doctrinal nous paraît militer pour l'antériorité du *De patientia* : par rapport à l'anthropologie qui est sous-jacente à ce traité[7], celle du *De paenitentia* marque, croyons-nous, un progrès assez net, qui la rapproche déjà sensiblement de l'anthropologie qui sera plus longuement développée dans le *De anima* et le *De resurrectione*. Il est d'ailleurs normal que, plus que sa méditation sur la vertu de patience, ce soit sa réflexion sur la notion de péché dans le *De paenitentia* qui ait conduit Tertullien à approfondir le problème difficile de l'unité substantielle de la personne humaine, en prenant davantage ses distances à l'égard de la philosophie païenne. Cette antériorité du *De patientia* par rapport au *De paenitentia* permettrait alors de réduire l'écart chronologique (197-206) à l'intérieur duquel, comme nous le

---

6. NOELDECHEN, *Abfassungszeit*, p. 62-64 ; G.N. BONWETSCH, *op. cit.*, p. 38-39 ; K. ADAM, « Die Chronologie der noch vorhandenen Schriften Tertullians », *Der Katholik*, 88 (1908) p. 369, G. SAEFLUND, *De Pallio und die stilistische Entwicklung Tertullians*, Lund 1955, p. 118 s.

7. *Pat.* 13, 1 s.

rappelions en commençant, il est généralement situé, en posant comme *terminus ante quem* l'année 204 : si, en effet, comme nous l'admettons avec plusieurs critiques, le *De paenitentia* contient bien une allusion à l'éruption du Vésuve en janvier 204[8] et si, comme l'allusion elle-même invite à le penser, ce traité n'a pas été écrit à une date trop éloignée du phénomène volcanique, notre hypothèse selon laquelle le *De patientia* ne serait pas postérieur à 204 n'aurait rien que de vraisemblable.

---

8. *Paen.* 12, 2-4 ; cf. Dion Cass., 76, 2. Cette hypothèse, due à E. Nöldechen, repoussée par A. Harnack, *Die Chronologie der alt. Litteratur bis Eusebius*, t. 2, Leipzig 1904, p. 272, est acceptée en particulier par K. Adam, *art. cit.*, p. 349 et J. Quasten, *Initiation aux Pères de l'Église*, t. 2, Paris 1958, p. 355, avec hésitation par R. Braun, *op. cit.*, p. 570.

II. LA COMPOSITION
ET LE GENRE LITTÉRAIRE

Se demander, comme on le fait parfois, si le *De patientia* est un « traité », une « méditation » ou un « sermon »[1], c'est sans doute poser une question légitime et féconde, car de la réponse qui lui est apportée peut dépendre une meilleure compréhension des intentions de Tertullien et une plus juste appréciation de l'ouvrage sous ses différents aspects. A condition toutefois de ne pas perdre de vue que, ainsi posée, la question est en partie anachronique, car elle ne tient pas assez compte des catégories rhétoriques anciennes dans lesquelles et par lesquelles était conduite cette réflexion sur la vertu de patience. Il ne sera donc pas inutile de les identifier, ce qui permettra de saisir d'autant mieux l'élaboration et la conception de l'ouvrage que Tertullien, avec ici peut-être plus d'insistance qu'ailleurs, souligne les temps forts de sa démarche. Mais, précisément, ceux-ci ne pourront être correctement interprétés que par référence au *genus causae* dont relève le *De patientia* et à la *dispositio* qu'il présente — en termes modernes : le genre littéraire et la composition.

Éloge et exhortation   Tertullien prévient d'emblée
en trois points   ses lecteurs que son ouvrage est
                                    un « éloge » de la patience et une
« exhortation » à pratiquer cette vertu[2]. Encore faut-il que le lecteur moderne ne se méprenne pas sur le sens de cet avertis-

---

1. Cf. par exemple J.A. KNAAKE, « Die Predigten des Tertullian und Cyprian », p. 630-631, *Theologische Studien und Kritiken*, 1903, p. 606-639.

2. *Pat.* 1, 1 ; 4, 6 ; cf. *infra*, p. 13, n. 5 et p. 118.

sement. Et d'abord qu'il ne soit pas surpris par le rapprochement de ces deux termes. Si Tertullien paraît « contaminer »
deux « genres », le « démonstratif » (*genus demonstratiuum*) et
le « délibératif » (*genus deliberatiuum*), ceux-ci ne sont dis-
tincts qu'en théorie seulement. La pratique les réunit commu-
nément. Comment en effet ne pas faire l'éloge d'une vertu que
l'on recommande de mettre en œuvre dans la vie quotidienne
ou, inversement, ne pas exhorter à l'exercice d'une vertu sans
montrer sa « beauté morale », sa force, son utilité ? Les
affinités qui existent ainsi naturellement entre l'« éloge » et
l'« exhortation » avaient d'ailleurs été soulignées, depuis longtemps, par les rhéteurs : « Dans son ensemble, écrit par
exemple, après d'autres, Quintilien, le genre démonstratif
offre des analogies avec les discours du genre délibératif, car
ce que l'on conseille dans les uns, on le loue ordinairement
dans les autres ». Ainsi, loin de nous étonner que Tertullien
ait mêlé les deux genres, devons-nous voir au contraire qu'il
s'accommodait, en cela, d'une longue tradition rhétorique[3].

Mais le lecteur moderne risque de commettre une seconde
erreur. Ce serait de donner à ces deux termes, « éloge » et
« exhortation », une signification étroitement rhétorique, en
méconnaissant leurs rapports avec la philosophie. Car, probablement, pour concevoir et écrire, le premier, un traité de
théologie morale, Tertullien n'eût pas choisi un tel cadre, si
ce cadre n'avait déjà, par le passé, servi d'autres desseins
moins futiles que ceux de la déclamation, voire de la doxo-
graphie[4]. De fait, la parénétique, en particulier, ne l'avait pas

---

3. QUINT., *Inst. or.*, 3, 7, 28 : « totum autem (laudatiuum genus) habet
aliquid simile suasoriis, quia plerumque eadem illic suaderi, hic laudari
solent » ; déjà ARIST., *Rhét.*, I, 1367 b 36 : « L'éloge (ὁ ἔπαινος) et les
conseils (αἱ συμβουλαί) sont d'une commune espèce ». Cf. FREDOUILLE,
p. 363 (pour d'autres traités, p. 110) ; R.D. SIDER, *Ancient Rhetoric and
the Art of Tertullian*, Oxford 1971, p. 119 s.

4. Sur la vogue des éloges paradoxaux sous l'Empire (éloges de la
mouche, de la fumée, etc.), cf. J. COUSIN, *Études sur Quintilien*, tome 1,
Paris 1935, p. 192-193.

négligé. Dès Chrysippe, en effet, et plus encore avec Posido-
nius et Sénèque, dont on sait par ailleurs le rôle d'« intercesseur » qu'il joua auprès de Tertullien, les stoïciens avaient su
tirer parti des diverses espèces du genre « délibératif » ou
« démonstratif », comme d'autant d'instruments possibles mis
par la rhétorique à la disposition de la philosophie, pour
enseigner la morale et guider les âmes avec efficacité[5].

En éclairant l'arrière-plan culturel des termes qu'utilise
Tertullien pour caractériser son *De patientia*, ces quelques
remarques mettent sans doute en situation de mieux saisir
l'intention ou l'ambition véritable, d'ordre littéraire mais
aussi doctrinal, qu'il nourrissait quand il écrivait cette
« louange » et cette « invitation » à la patience. Elles permettent par conséquent d'interpréter plus justement la mise en
œuvre du traité, sa composition et sa thématique.

Comme nous l'avons montré ailleurs, l'*argumentatio* du
De patientia se développe en trois points : 1) Tertullien
souligne d'abord (II, 2 - VI) ce fait, que la patience divine
donne à la patience humaine son fondement et sa finalité (ce
qu'il appelle la *ratio patientiae*). 2) Il décrit ensuite (VII-XIV)
l'exercice de la vertu de patience, tel qu'il est ou doit être pratiqué (c'est la *disciplina patientiae*). 3) Enfin (XV), il énumère
et peint ses effets heureux et bénéfiques dans le domaine de la
vie spirituelle et morale (ce sont les *opera patientiae*)[6]. Ce

---

5. Cf. SEN., *Luc.*, 94, 39 : « ... consolationes... dissuasionesque et adhortationes, obiurgationes et laudationes : omnia ista monitionum genera
sunt ; per ista ad perfectum animi statum peruenitur » ; H. THROM, *Die
Thesis*, Paderborn 1932, p. 149. Beatus Rhenanus présentait d'ailleurs
ainsi l'ouvrage dès 1521 : « Scribit Tertullianus quasi Encomium Patientiae... Adhortatur ad patientiam... Liber est paraenetici generis ». Les
mêmes termes sont repris dans la seconde (1528) et la troisième édition
(1539). Sur l'éloge des vertus chez Philon d'Alexandrie, cf. E. BRÉHIER,
Les idées philosophiques et religieuses de Philon d'Alexandrie, Paris
1925[2], p. 252-253.

6. FREDOUILLE, p. 364. Compléter, en particulier pour la 3e partie
(les *opera patientiae*), par nos remarques p. 34 et 274.

plan peut, certes, sembler d'une simplicité et d'une cohérence toutes naturelles : la réalité est sans doute différente.

Topique de l'éloge   Et d'abord, si nous nous reportons aux recommandations données par les rhéteurs à qui se proposait d'exalter un « être inanimé » — art, technique ou vertu —, que constatons-nous ? Quitte à adapter le schéma-type qui lui avait été enseigné au sujet qu'il avait à traiter, l'orateur devait en principe prévoir, dans l'éloge de cette technique ou de cette vertu, les trois divisions suivantes : 1) rappeler qui en était l'« inventeur » ou l'initiateur (*laudatur res ab inuentoribus*) ; 2) évoquer ceux à qui elle avait été enseignée et qui l'avaient pratiquée (*ab his qui ea usi sunt*) ; 3) décrire les bienfaits de cette pratique (*ex contemplatione eorum qui eas res affectant, quales sunt tam animis quam corporibus*)[7]. On ne peut manquer d'être frappé par l'étroit parallélisme qui apparaît ainsi entre ce schéma classique de l'éloge et l'« argumentation » du *De patientia*. Compte tenu des transpositions ou appropriations nécessaires et inévitables, on retrouve sans peine dans le *De patientia* l'homologue des développements fondamentaux de l'éloge : 1) Dieu et le Christ sont les garants de la vertu de patience et ses premiers modèles (II, 2 - VI) ; 2) les chrétiens sont les plus capables de la mettre en pratique (VII-XIV) ; 3) ses bienfaits sont nombreux, comme on peut en juger d'après le portrait de Patience (XV).

Thématique   Si donc la topique de l'éloge **de la suasoire**   lui fournit le cadre général et, dans une certaine mesure, la thématique du *De patientia*, Tertullien, comme il en a prévenu ses lecteurs, utilise également les « lieux » propres à la suasoire, c'est-à-dire essentiellement l'*honestum*, l'*utile* et le

7. Cf. PRISC., *Rhet.*, 7.

possibile[8], dont les liens entre eux sont évidents. Car s'il est juste d'exhorter à faire le bien, encore faut-il, pour persuader lecteurs ou auditeurs, leur montrer que le bien est utile et accessible. Ces « lieux » s'intégraient comme naturellement à la matière du traité de Tertullien. Si celui-ci ne consacre pas de développement spécifique au *possibile*[9], qu'il traite toutefois, en recourant à des *exempla* jalonnant son exposé[10], l'*honestum* et l'*utile* se trouvaient coïncider avec deux des divisions de la topique précédente, la première et la troisième : la patience de Dieu et du Christ confère sa « beauté morale » à la patience humaine (II, 2 - VI) ; la possession de cette vertu procure à son tour de nombreux fruits spirituels (XV). Surtout, ces « lieux » donnaient à l'ouvrage une autre orientation que celle de l'« éloge » proprement dit, plus conforme au dessein de l'auteur, par glissement d'un *status* à un autre, puisque, pour garder la terminologie antique, l'éloge a pour objet le *certum*, l'exhortation le *faciendum*.

Mais, à ne s'en tenir qu'à ces rapprochements, on donnerait de l'ouvrage une image déformée et, en tout cas, incomplète. Comme on le soulignait plus haut en effet, le *De patientia* entretient avec la rhétorique d'autres liens que de filiation directe. Entre eux existe une autre relation, indirecte, par l'intermédiaire du « dialogue » philosophique tel que, à Rome, Sénèque l'avait conçu et illustré, en dotant la parénétique des moyens de persuasion fournis par la rhétorique et en réussissant ainsi, de façon originale, l'interpénétration des deux disciplines. Par là s'explique, croyons-nous, cette double empreinte de la rhétorique et de la philosophie, que porte fortement tracée, et conjointement, le *De patientia*.

8. Cf. QUINT., *Inst. or.*, 3, 8, 22-25.
9. Cf. QUINT., *Inst. or.*, 3, 8, 26 : « Quas partes (= honestum, utile, possibile) non omnes in omnem cadere suasoriam manifestius est... ».
10. Cf. *infra*, n. 17.

**Influence
des « dialogues »
de Sénèque**

Nous avons eu l'occasion
d'indiquer[11] et nous souligne-
rons encore dans le commentaire tout ce que les analyses de
Tertullien, et jusqu'à la conception même qu'il se fait de la
patience, doivent au Portique et, plus particulièrement, à
Sénèque. Nous nous bornerons à faire apparaître ici sommairement comment la structure du traité trahit elle aussi, selon
toute vraisemblance, l'influence des « dialogues » de Sénèque.

On sait que celui-ci les construit volontiers selon un
schéma biparti, qui lui permet de traiter successivement, par
exemple, l'*utile* et l'*honestum*, comme dans le *De breuitate
uitae*, ou encore de développer le point de vue théorique, puis
le point de vue pratique : c'est le cas du *De constantia
sapientis* ou du *De uita beata*[12]. Ce simple rappel suggère
déjà, entre les traités du philosophe et celui du théologien, une
analogie, sinon une parenté, structurelle et thématique. Mais
la comparaison peut être poussée plus avant. Les liens qui
unissent le *De patientia* au *De constantia* sont nombreux et
étroits : communauté du sujet et conception de la vertu,
choix des arguments et des métaphores, autant d'indices qui
prouvent que Tertullien, quand il composait son traité,
connaissait le « dialogue » de Sénèque et gardait de sa lecture
un souvenir précis. Cependant, plus encore que de celle du
De constantia, encore que le principe en soit analogue, la
démarche du *De patientia* — du moins en ses deux premières
parties, à tous égards les plus importantes — se rapproche de
celle du *De uita beata*. Dans ce dialogue, en effet, Sénèque
définit d'abord, au cours d'un débat théorique, ce qu'est ce
bien suprême auquel aspirent les hommes, la nature de ce but
qu'ils se sont fixé, avant d'indiquer ensuite, sur le plan prati-

---

11. Cf. Fredouille, p. 368 s.

12. Cf. P. Grimal, *Sénèque ou la conscience de l'Empire*, Paris 1978,
p. 419 s.

que, les moyens d'y parvenir[13]. En procédant ainsi, il conciliait d'ailleurs, nous semble-t-il, partisans et adversaires d'Ariston, ceux pour qui la réflexion théorique sur les fondements de la morale suffit à former l'homme de bien et ceux pour qui seuls sont utiles les préceptes de la morale pratique[14]. De façon comparable, même si (faut-il le souligner ?) ses préoccupations n'avaient plus rien à voir avec les querelles qui avaient agité l'École, avant d'exposer en quoi consiste l'exercice de la patience et de donner des conseils relatifs à la pratique de cette vertu (ce qui est l'objet de la seconde partie du *De patientia*), Tertullien (dans la première partie) en précise la *ratio*, c'est-à-dire la patience divine, présentée, selon un schéma qui n'est pas non plus étranger au stoïcisme[15], à la fois comme fondement de la patience humaine, principe d'où procède celle-ci, et, d'autre part, comme perfec-

---

13. Sen., *De uita beata*, 1, 1-2 : « Proponendum est... primum quid sit quod appetamus ; tunc circumspiciendum qua contendere illo celerrime possimus... Decernatur... et quo tendamus et qua ». C'était déjà la division utilisée par Panétius dans sa lettre à Q. Tubéron *de dolore patiendo*, cf. Cic., *Fin.*, 4, 23 : « quid esset et quale, quantumque in eo inesset alieni, deinde quae ratio esset perferendi » ; de même, le *De amicitia* (16) de Cicéron comprend un développement théorique (lui-même biparti : « de amicitia... quid sentias, qualem existumes »), puis des considérations pratiques (« quae praecepta des ») (= Arist., *Eth. Eud.*, 7, 1234 b 18-21 : περὶ φιλίας, τί ἐστι καὶ ποῖόν τι..., ἔτι δὲ πῶς χρηστέον τῷ φίλῳ...).

14. Sen., *Luc.*, 94, 44-45 : « Illa (admonitio)... efficacior est et altius penetrat, quae adiuuat ratione quod praecipit, quae adicit quare quidque faciendum sit et quis facientem oboedientemque praeceptis fructus expectet... In duas partes uirtus diuiditur, in contemplatione ueri et actionem : contemplationem institutio tradit, actionem admonitio » ; 95, 34 : « His (decretis) si adiunxerimus praecepta, consolationes, adhortationes, poterunt ualere ; per se inefficaces sunt » ; 95, 55 : « Praecipiet aliquis ut prudentiam magni aestimemus, ut fortitudinem conplectamur... sed nihil agetur si ignoramus quid sit uirtus », etc. Cf. I. Hadot, *Seneca und die griechisch-römische Tradition der Seelenleitung*, Berlin 1969, p. 8 s.

15. Cf. *SVF* III § 227 (= Philon, *De uita Mosis*, 2, 181) : οὕτως ἔχει καὶ ἐπὶ τῶν ἀρετῶν· ἑκάστη γὰρ συμβέβηκεν εἶναι καὶ ἀρχὴν καὶ τέλος, ἀρχὴν μὲν ὅτι οὐκ ἐξ ἑτέρας δυνάμεως, ἀλλ' ἐξ ἑαυτῆς φύεται· τέλος δὲ ὅτι πρὸς αὐτὴν ὁ κατὰ φύσιν βίος σπεύδει.

tion ultime. La *ratio patientiae* donne sens et justification à la *disciplina patientiae*[16].

Au demeurant, cette division et cette succession de points de vue[17], comme parfois dans les « dialogues » de Sénèque encore, se trouvent recouper la distinction, usuelle dans la rhétorique, entre arguments « propres » (*propria*) et arguments « communs » (*communia*)[18]. Si, en effet, la *ratio patientiae* telle que la définit Tertullien apparaît propre au christianisme, en revanche il recourt largement aux analyses traditionnelles dans la parénétique et chez les moralistes pour décrire la *disciplina*[19], quitte à estomper, faute sans doute de l'avoir perçue, la spécificité chrétienne de l'attitude de patience vécue.

Seule donc, en définitive, n'aurait pas, d'un point de vue formel, son équivalent dans la structure-type bipartie des « dialogues » de Sénèque la troisième partie du *De patientia*, consacrée aux *opera patientiae*, dont nous avons montré qu'elle était susceptible de correspondre à la fois à l'une des divisions de l'éloge et à l'un des « lieux » de la suasoire. Pour autant elle n'est pas soustraite non plus à l'influence de la

---

16. Cf. SEN., *Luc.*, 94, 44 (*supra*, n. 14).

17. Naturellement, la partie théorique ou dogmatique, tout comme le développement consacré à la morale pratique, peut être illustrée d'exemples destinés à faire saisir, par la description d'un comportement idéal, les bienfaits de la morale enseignée ou, au contraire, à montrer, par la peinture de comportements dépravés, les méfaits qu'entraîne le non-respect de cet enseignement. Par là, l'auteur assure entre les deux parties une certaine unité et évite que la première, théorique, ne verse dans l'abstraction. Si ce souci apparaît clairement ici, on le retrouve tout aussi bien dans le *De constantia sapientis* ou le *De uita beata*. Cf. *supra*, p. 15. Sur l'importance des *exempla* en philosophie, cf. par ex. CIC., *Tusc.*, 4, 63 : « Est... utilis ad persuadendum ea quae acciderint ferri et posse et oportere, enumeratio eorum qui tulerunt ».

18. Cf. P. GRIMAL, *De constantia sapientis. Commentaire,* Paris 1953, p. 25 et 72-73 ; ID., *Sénèque ou la conscience de l'Empire,* p. 419-420.

19. Cf. FREDOUILLE, *Conversion,* p. 391 s.

tradition philosophique. Tertullien y transpose en effet deux
véritables « genres » de la littérature stoïcienne, dont le
second sert d'illustration au premier, la connexion des vertus
et le portrait du sage. Il le fait d'ailleurs avec talent et originalité[20].

Ainsi cette brève étude du genre littéraire et de la composition du *De patientia* nous permet-elle de voir comment se
superposent, coïncident ou se recoupent divisions, thèmes et
« lieux » de la rhétorique et de la philosophie, comme cela
avait été déjà le cas dans les « dialogues » de Sénèque. Peut-
être même cette double influence, exercée principalement par
l'intermédiaire du philosophe romain, est-elle plus sensible
que dans d'autres ouvrages de Tertullien. N'en soyons pas
surpris. Par le choix du sujet, Tertullien, en effet, ouvrait une
voie à la littérature morale et théologique du christianisme ;
mais, tout autant, il prolongeait lui-même une longue tradition de la littérature philosophique et parénétique, à laquelle,
assurément, il donnait une orientation nouvelle, mais dont il
se trouvait nécessairement tributaire, et de ce double caractère du *De patientia* notre commentaire apportera encore la
confirmation. Car ce traité se situe, historiquement, à la char-

---

20. *Ibid.*, p. 59 s. ; 381-382. Ces pages étaient rédigées quand M. René
Braun m'a très aimablement communiqué le manuscrit de l'article qu'il
venait d'écrire sur « Les règles de la parénèse et la composition du ' De
patientia ' de Tertullien » (publié, depuis, dans *RPh*, 55, 1981, p. 197-203).
Nous réservant de revenir plus longuement sur cette ingénieuse étude dans
une prochaine *Chronica Tertullianea*, nous n'en indiquerons ici, brève-
ment, que l'apport principal : la composition du *De patientia* serait inspirée de la tripartition du λόγος παραινετικός posidonien. Ainsi la première
partie du *De patientia* (chap. II-III : *ratio patientiae*) correspondrait à
l'*aitiologia*, la seconde partie (chap. IV-XIII : *disciplina patientiae*) à la
praeceptio, la troisième partie (chap. XIV-XV : *opera* ou *uires patientiae*) à
l'*ethologia*. Pour l'essentiel donc, cette étude confirme la structure ternaire
du *De patientia* (en dépit d'une légère divergence, par rapport au plan que
nous proposons, sur la place du chap. XIV) et l'empreinte du stoïcisme sur
le traité. Cf. maintenant *REAug*, 28 (1982), p. 294.

nière exacte de deux spiritualités. Le *De patientia* est donc, en un sens, d'un point de vue formel et par sa conception, une œuvre de transition ; mais il l'est aussi, et pour les mêmes raisons, par l'idée que Tertullien se faisait de la vertu dont il faisait l'éloge et à la pratique de laquelle il exhortait les chrétiens.

III. LA PATIENCE, « VERTU SOUVERAINE »

Premier théologien à conduire une réflexion systématique sur une vertu[1], Tertullien choisit donc pour ce faire la vertu de patience, et il lui accorde la primauté dans l'ordre des valeurs qui doivent inspirer et diriger la vie morale et spirituelle des chrétiens. A l'en croire, les païens eux-mêmes, surmontant pour une fois leurs divergences habituelles, seraient unanimes pour lui conférer la plus grande importance et voir en elle la *summa uirtus*[2].

La patience dans   Sous cette forme, cette derniè-
la mentalité antique   re affirmation de Tertullien risque de paraître excessive, et, de fait, il ne serait pas difficile d'en montrer l'exagération. Si, par exemple, on se réfère à cette constante de la mentalité religieuse des Anciens qu'est leur propension à vénérer les abstractions personnifiées (vertus, notions), on s'aperçoit que, en Grèce, Patience n'apparaît guère sur les listes de personnifications divinisées, pourtant impressionnantes, dressées par les historiens modernes d'après les sources littéraires, épigraphiques et archéologiques dont ils disposent[3]. A Rome

---

1. Cf. A. NEANDER, *Antignosticus. Geist des Tertullianus und Einleitung in dessen Schriften*, Berlin 1849², p. 135.

2. *Pat.*, 1, 7.

3. Ni ῾Υπομονή ni même Καρτερία ne figurent sur la liste établie par DEUBNER, art. « Personifikationen », *ALGRM*, col. 2127 s. Tout au plus peut-on signaler, avec HOEFER, s.u. « Karteria », *Ibid.*, col. 968-969, deux exemples d'allégories «littéraires» de Καρτερία : d'une part, dans la *Tabula Cebetis*, 16, 2 et 27, 3, d'autre part dans LUCIEN, *Timon*, 31. On

la situation est à peine plus favorable. En effet, à s'en tenir
toujours aux témoignages écrits ou figurés qui sont conservés, les Romains paraissent avoir longtemps attendu avant
d'être tentés d'élever la vertu de patience au rang de divinité,
et encore l'ont-ils fait avec une grande discrétion. Tout au
plus mentionne-t-on à Lambèse, datant d'Antonin et faisant
partie d'une triade, une *Patientia*, dont les deux associées,
Virtus et *Spes*, à la différence de celle-ci, possédaient, et
depuis longtemps, leurs temples et leur culte[4]. De même,

---

sait qu'H. Holbein le Jeune s'est inspiré de la *Tabula Cebetis* (que d'ailleurs Tertullien connaissait, cf. *Praes.*, 39, 4) pour orner et encadrer
précisément la première page du *De patientia* de l'*editio princeps* des
œuvres de Tertullien par B. Rhenanus, chez J. Froben, à Bâle, en 1521 (cf.
P.-E. SCHATZMANN, « Passage du manuscrit à la première édition imprimée de la patience de Tertullien », *Gutenberg-Jahrbuch* 39 (1964),
p. 151-154 ; W. BECKER, « Die Frobensche Tertullianusausgabe von 1521.
Zu den Bildgeschichten von Ambrosius und Hans Holbein d.J. », *Marginalien*, 52 (1973), p. 25-32, qui voit dans cette gravure un sommet de l'art
du livre de la Renaissance). Mais les deux apparitions de Καρτερία dans
la *Tabula Cebetis* sont si fugitives qu'H. Holbein le Jeune n'a pas songé à
représenter la Patience ! En réalité, le choix de l'imprimeur s'explique
moins par le rapport qui peut exister entre la *Tabula Cebetis* ou, plus
exactement, entre une illustration s'inspirant de la *Tabula Cebetis* et,
d'autre part, le *De patientia*, que par l'engouement de l'époque pour la
Tabula. Il est significatif, en effet, que cette même illustration du *De
patientia* a été reprise par J. Froben en 1522 et 1527 pour la 3e et la
4e édition des *Annotationes* d'Érasme, et que H. Holbein le Jeune en
dessina trois autres variantes, en 1521 (deux mois après le *De patientia*),
pour l'édition des *Cornucopiae, siue linguae Latinae commentarii* de
N. Perotti ; en 1522, pour l'édition de la *Cité de Dieu* ; et la même année,
pour l'édition des œuvres du géographe Strabon (cf. R. SCHLEIER, *Tabula
Cebetis, Studien zur Rezeption einer antiken Bildesschreibung im 16. und
17. Jahrhundert*, Berlin 1973, p. 32 s.).

4. Cf. *CIL* VIII, 2728 (il s'agit de la célèbre inscription relative à
l'aqueduc de Saldae [Bejaia, ex-Bougie] trouvée à Lambèse) ; cf.
G. CHARLES-PICARD, *La civilisation de l'Afrique romaine*, Paris 1959,
p. 205 ; P.-A. FÉVRIER, « L'armée romaine et la construction des aque-
ducs », *Dossiers de l'archéologie*, 38 (1979), p. 88-93. L'invocation à ces
trois vertus divinisées, représentées en buste, est probablement d'ailleurs,
une initiative personnelle de l'officier-ingénieur (*librator*) Nonius Datus.
Mais *Virtus* avait un temple, commun à *Honos*, au IIIe s. a.C. (cf.

parmi le chœur particulièrement nombreux des abstractions personnifiées qu'engendra la mystique impériale, la *Patientia Augusti* n'eut apparemment qu'une existence éphémère, sur un denier du règne d'Hadrien, émis entre 128 et 132[5]. Assurément rien n'empêchait que, à l'occasion, on rendît hommage à la patience dont avait fait preuve l'Empereur dans telle ou telle circonstance : il faut bien constater cependant que la *Patientia Augusti* n'eut pas le succès que connurent d'autres thèmes de propagande officiels[6].

Il est clair toutefois que, en écrivant ces premières lignes du *De patientia*, Tertullien ne songeait nullement aux manifestations extérieures de piété ou de reconnaissance que suscitaient ou inspiraient certaines croyances et formes diverses de religiosité : lui importaient uniquement — le traité tout entier le prouve — les réflexions des philosophes sur le sujet

---

W. EISENHUT, art. « Virtus », *RE* Suppl. Bd. XIV, col. 897) et *Spes* un sanctuaire dès 477 (cf. T. LIV., 2, 51, 2 ; OLGIVIE, Comm. *ad loc.* ; K. LATTE, art. « Spes », *RE* III A2, col. 1634) ; sur le culte de ces deux abstractions, cf. en dernier lieu J. RUFUS FEARS, « The Cult of Virtues and Roman Imperial Ideology », p. 835 (bibliographie, p. 844-845), *ANRW* II, 17, 2, p. 827-948. Comme épithète divine, *patiens* est, du reste, exceptionnel : deux attestations seulement selon I.B. CARTER, *Epitheta deorum... apud poetas Latinos*, Lipsiae 1902, p. 138 (SEN., *Thyest.*, 776 : Apollon ; CLAUD., 8, 191 : le Soleil — auxquels l'auteur joint également HOR., *Ep.*, 1, 7, 40 : Ulysse).

5. Cf. H. MATTINGLY, *Coins of the Roman Empire*, III, p. CXL-CXLI ; 306, n° 525 ; J. BEAUJEU, *La religion romaine à l'apogée de l'Empire*, Paris 1955, p. 424. En dehors de cette monnaie et de l'inscription de Lambèse (*supra*, n. 4), DEUBNER, *art. cit.*, col. 2082, 2126, 2158, ne mentionne aucune autre attestation de divinisation ou de personnification de *Patientia*. Aucun élément nouveau non plus dans J. RUFUS FEARS, *art. cit.* (*supra*, n. 4).

6. Cf. PLINE, *Ep. Trai.*, 106 : « cum scirem quantam soleres militum precibus patientiam humanitatemque praestare » ; *Paneg.*, 76, 1 : « exemplo patientiae tuae » ; 86, 5 : « haec cura principis, haec patientia... ». Mais dans la liste des qualificatifs et vertus le plus fréquemment attribués aux empereurs dressée, d'après les monnaies et les inscriptions, par L. WICKERT, art. « Princeps », *RE* XXII, 2, col. 2231, ne figurent ni *patiens* ni *patientia*.

et la considération qui s'attachait à cette vertu dans la
conscience morale commune, parmi les idéaux qui détermi-
nent la vie de tous les jours, et qui sont assumés le plus
souvent obscurément, parfois avec héroïsme. Or ni la philosophie ni la morale quotidienne n'ignoraient la grandeur de
l'attitude de patience[7].

Cependant, à l'intérieur des systèmes théoriques, la patience n'a joué, pendant longtemps, qu'un rôle secondaire, et le
Portique fut le premier à en faire état régulièrement[8]. Encore,
dans les débuts, n'occupe-t-elle qu'un rang « subordonné ».
Dans le système qu'il élabore, Chrysippe la fait dépendre,
avec la magnanimité, la constance, la fermeté et l'énergie, de
l'une des quatre vertus « cardinales », le courage, la définis-
sant, selon nos sources, comme « la science qui tient bon
dans les choses jugées selon la droite raison », ou encore
comme « la science des choses dans lesquelles il faut persévérer, de celles où il ne le faut pas et de celles où c'est indifférent »[9]. Ces classifications intellectualistes de Chrysippe
furent toutefois abandonnées par Panétius et ses disciples,
Hécaton et Posidonius, qui eurent tendance à substituer aux

---

7. Ainsi, CIC., *Tusc.* 4, 63 : « ... non sine causa, cum ' Orestem '
fabulam doceret Euripides, primos tris uersus reuocasse dicitur Socrates :
' Neque tam terribilis ulla fando oratio est / Nec fors nec ira caelitum
inuectum malum, / Quod non natura humana patiendo ecferat ' (= οὐκ ἂν
ἄραιτ᾽ ἄχθος ἀνθρώπου φύσις) », etc. Et VALÈRE MAXIME, *Memor.* 3, 3
(cf. *infra*, n. 19) consacre naturellement un chapitre à la patience (mais les
exempla patientiae cités sont tous des exemples de « résistance physique »).

8. Cf. A.J. FESTUGIÈRE, ῾Υπομονή dans la tradition grecque »,
RecSR, 21 (1931), p. 477-486 ; M. SPANNEUT, art. « Geduld », *RLAC* 9,
col. 247 s.

9. *SVF* III § 264 : καρτερίαν... ἐπιστήμην ἐμμενητικὴν τοῖς ὀρθῶς
κριθεῖσι ; § 265 : τὴν δὲ καρτερίαν ἐπιστήμην ἢ ἕξιν ὧν ἐμμενετέον καὶ
μὴ καὶ οὐδετέρων ; cf. aussi § 270. ῾Υπομονή n'appartient guère au vocabulaire de la morale stoïcienne, cf. CLÉM. ALEX., *Strom.*, II, 18, 79, 5
(= *SVF* III, § 275) : ὑπομονὴ ἣν καρτερίαν καλοῦσιν ; c'est d'ailleurs une
expérience différente qu'expriment les deux mots (cf. FREDOUILLE, p. 390-
391 ; *infra*, p. 30).

quatre vertus fondamentales (prudence, tempérance, courage et justice) la triade courage-patience-magnanimité : ce fut, jusqu'à Épictète, la position définitive du stoïcisme[10]. Il n'est donc pas douteux que, avec le moyen stoïcisme et le stoïcisme impérial, la patience cessa d'être considérée comme une vertu « secondaire » pour être placée au premier plan, en étroite association sans doute avec le courage et la magnanimité, mais au premier plan malgré tout[11].

Cette valorisation progressive de la patience que l'on constate dans l'histoire de la philosophie stoïcienne suffirait donc déjà à expliquer que Tertullien, en commençant son traité, ait pu, sans déformer les faits, rappeler l'importance que lui reconnaissaient les païens. Pour autant ceux-ci ont-ils jamais écrit que la patience était la *summa uirtus* ? Il serait imprudent de l'affirmer. Toutefois, dans une *Lettre à Lucilius*, que Tertullien, à en juger par sa grande familiarité avec l'œuvre du philosophe, avait peut-être en mémoire, Sénèque estimait que la patience, dans certaines circonstances de la vie, constituait un bien préférable aux autres. Certes, en écrivant cela, Sénèque ne dissimule pas qu'il professe une opinion un peu hardie. Cependant sa hardiesse, en l'occurrence, ne provenait pas de ce qu'il exhaussait un bien accessoire et négligeable : mais, dans une lettre où il développait et

---

10. Cf. R.-A. GAUTHIER, *Magnanimité. L'idéal de la grandeur dans la philosophie païenne et dans la théologie chrétienne*, Paris 1951, p. 160 s.

11. La nouvelle définition de la patience reflète d'ailleurs l'évolution d'une conception théorétique de la vertu (cf. *supra*, n. 9) à une conception plus intériorisée et « volontariste » (cf. M. POHLENZ, *La Stoa*, tr. ital. Firenze 1967, I, p. 564 s.) : cf. CIC., *De inu.*, 2, 163 (mais dans un contexte qui conserve les classifications de l'ancien stoïcisme) : « patientia est honestatis aut utilitatis causa rerum arduarum ac difficilium uoluntaria ac diuturna perpessio » ; *Part.*, 77 (passage considéré comme reproduisant l'enseignement de Panétius, et qui montre bien l'interconnexion des trois vertus : courage, patience et magnanimité) : « quae (uirtus) uenientibus malis obstat, fortitudo, quae, quod iam adsit tolerat et perfert, patientia nominatur. Quae autem haec uno genere complectitur, magnitudo animi dicitur » ; GAUTHIER, *Magnanimité*, p. 158 s.

26 INTRODUCTION

défendait le paradoxe de l'égalité des vertus, il vantait les
bienfaits de l'une d'elles, mieux : de l'une de celles que même
le sage préfère ne pas avoir l'occasion de mettre en œuvre[12].
De toute manière, qu'il se soit ou non souvenu de ce passage
de Sénèque, qu'il ait eu tendance ou non à surestimer ou étendre l'importance que les moralistes attachaient à la vertu de
patience, Tertullien respectait sinon la lettre, du moins
l'esprit de la doctrine stoïcienne. Il est fréquent en effet de
voir telle vertu, puis telle autre mise successivement au
premier rang par un même auteur et, parfois, dans un même
ouvrage[13]. Non pas par inconséquence. Mais la théorie de
l'égalité et de la connexion des vertus ne s'oppose pas à ce
que, compte tenu des individus et des circonstances, on privi-

---

12. SEN., *Luc.*, 66, 10.12.13.40.41.47.49 ; 67, 3.5-6.10 ; FREDOUILLE,
p. 370-371.

13. Ainsi CIC., *De off.*, 1, 20 : « iustitia in qua uirtutis splendor est
maximus » ; 3, 28 : « haec (iustitia) enim una uirtus omnium est domina et
regina uirtutum » ; mais 1, 42 : « de beneficentia ac de liberalitate... qua
quidem nihil est naturae hominis accommodatius », et 1, 88 : « nihil...
laudabilius, nihil magno et praeclaro uiro dignius placabilitate atque
clementia » ; PHILON ALEX., *De cherubim*, 78, dit de la patience précisément qu'elle est « la vertu la plus puissante » (τῇ... καρτερίᾳ καὶ ὑπομονῇ,
δυνατωτάταις ἀρεταῖς), mais accorde en réalité la plus grande importance à
l'ἐγκράτεια, l'ἀνδρεία, la δικαιοσυνή et la φιλανθρωπία (cf. E. BRÉHIER,
Les idées philosophiques et religieuses de Philon d'Alexandrie, Paris
1925², p. 252-253 : « chacune d'elles [les vertus]... est tour à tour considérée comme l'unique ou la maîtresse de toutes les autres » ; mais Bréhier
a sans doute tort d'attribuer ces fluctuations à l'influence quasi exclusive
des rhéteurs) ; SEN., *De const. sap.*, 11, 1 : « ...pulcherrimam uirtutem
omnium, animi magnitudinem » ; mais *De ben.*, 3, 7, 3 : « ... duas res,
quibus ... nihil pulchrius est, ... gratum hominem et beneficium » ; etc. De
même LACT., *Inst. diu.*, V, 22, 2 : « magna et praecipua uirtus est patientia » ; VI, 18, 30 : « (patientia) summa uirtus » (cf. *infra*, p. 35) ; mais *Epit.*,
38 : « ... misericordiam, quae summa est uirtus ». Symétriquement, la pire
des passions est l'intempérance (CIC., *Tusc.*, 4, 22), la colère (*Ibid.*, 4, 54 ;
SEN., *De ira*, 1, 1, 1), le chagrin (CIC., *Tusc.*, 4, 55), l'ingratitude (SEN., *De
ben.*, 1, 1, 2 ; 1, 10, 4 ; 7, 27, 3), le désir (PHIL. ALEX., *De decal.*,
142-143), le plaisir (ID., *Alleg. legum*, 3, 113), etc. Chez Tertullien, en
Marc., II, 16, 6, c'est la *bonitas* qui est présentée comme la *matrix* de la
lenitas, de la *patientia* et de la *misericordia* (cf. *Pat.*, 5, 18 comm. *ad loc.*).

légie telle vertu plutôt que telle autre. Plus clairement encore que dans le passage précédemment rappelé, Sénèque écrit dans le *De clementia* : « Quoique les vertus forment un chœur harmonieux et qu'aucune ne soit meilleure ni plus belle qu'une autre, il en est néanmoins qui vont mieux à certains personnages[14] ». Et c'est d'ailleurs très probablement de ce même principe que s'inspire Tertullien quand il fait de la patience la vertu chrétienne par excellence, en tout cas celle qui doit le mieux manifester la foi des chrétiens dans leur attitude devant la vie[15].

L'importance de cette vertu pour Tertullien Mais pourquoi, précisément, la patience ? En effet, tout en faisant à cette vertu la place qui lui revient très normalement, la morale chrétienne ne lui donnait pas la primauté. Il est à peine besoin de rappeler que c'est à la « charité » que le Nouveau Testament et particulièrement les *Épîtres* pauliniennes et le *corpus* johannique accordent la prééminence[16] ; les Pères apostoliques citent volontiers la vertu de patience et exhortent à la mettre en pratique, sans pour autant lui consacrer de développement particulier[17] ; le « cinquième précepte » du *Pasteur* d'Hermas a pour objet la patience, mais ce précepte n'est pas présenté comme le plus important. On peut donc s'interroger sur les raisons qui ont conduit Tertullien à privilégier, comme il l'a fait, la vertu de patience.

---

14. SEN., *De clem.*, 1, 5, 3 : « Cum autem uirtutibus inter se sit concordia nec ulla altera melior aut honestior sit, quaedam tamen quibusdam personis aptior est » ; cf. aussi *Luc.*, 66, 7 et 67, 10 ; *supra*, n. 12.

15. Inversement, il peut faire de l'impatience le pire des maux, cf. *supra*, n. 13 et *infra*, p. 29 et 147 s.

16. Cf. C. WIENER, art. « Amour », *Vocab. de Théol. biblique*, Paris 1962, col. 36 s.

17. Cf. M. SPANNEUT, art. « Geduld », *RLAC*, 9 (1976), col. 261.

Celles-ci, semble-t-il, sont de deux ordres. Tout d'abord, même si le résultat n'a que partiellement répondu à son dessein, Tertullien voulait montrer que dans un domaine où, d'un point de vue extérieur, morale païenne et morale chrétienne paraissaient fort proches l'une de l'autre[18], il y avait une spécificité, pour ne pas dire une supériorité, de l'attitude chrétienne de patience. La *patientia* si souvent exaltée du *miles Romanus*[19] est, ou doit être, plus encore une vertu du *miles Christianus*, dans la vie quotidienne comme dans les épreuves du martyre[20]. Face au héros et au sage, en qui s'incarne l'idéal païen, se dresse la figure plus rayonnante du chrétien « patient ». Tertullien était du reste d'autant plus fondé à dessiner

---

18. Cf. *Apol.*, 46, 2 : « Sed dum tamen unicuique manifestatur ueritas nostra, interim incredulitas, dum de bono sectae huius obducitur, quod usui iam et de commercio innotuit, non utique diuinum negotium existimat, sed magis philosophiae genus. Eadem, inquit, et philosophi monent atque profitentur, innocentiam, iustitiam, patientiam, sobrietatem, pudicitiam ».

19. Cf. H.J. KUNICK, *Der lateinische Begriff patientia bei Laktanz*, Inaug.-Dissert. (dactyl.), Freiburg i. Br. 1955, p. 4 s. : « Patientia als soldatische Römertugend » ; V. LOI, « I valori etici e politici della Romanità negli scritti di Lattanzio. Opposti atteggiamenti di polemica e di adesione », p. 112 s., *Salesianum*, 27 (1965), p. 65-132. Il n'est d'ailleurs pas toujours facile de distinguer la patience du courage, cf. VAL. MAX., *Memor.*, 3, 3, *in.* : « Egregiis uirorum pariter ac feminarum operibus fortitudo se oculis hominum subiecit patientiamque in medium procedere hortata est, non sane infirmioribus radicibus stabilitam aut minus generoso spiritu abundantem, sed ita similitudine iunctam ut cum ea uel ex ea nata uideri possit ».

20. La patience permet au chrétien d'affronter le martyre, cf. *infra*, 13, 6-8 ; 15, 2 ; FREDOUILLE, p. 399 s. (et pour la substitution de *tolerantia* à *patientia* dans les traités postérieurs, p. 406 s.) ; H.A.M. HOPPENBROU-WERS, *Recherches sur la terminologie du martyre de Tertullien à Lactance,* Nijmegen 1961, p. 71-73 ; elle fait partie de la « panoplie » du *miles Christianus* : cf. IGN. ANT., *Ad Polyc.*, 6, 2 (*SC* 10, p. 152-153) : « Que votre baptême demeure comme votre bouclier, la foi comme votre casque, la charité comme votre lance, la patience comme votre armure (ἡ ὑπομονὴ ὡς πανοπλία) ; *infra*, 14, 6 : « lorica clipeoque patientiae ». Compléter le petit livre classique de A. HARNACK, *Militia Christi*, Darmstadt 1963², par J. AUER, art. « Militia Christi », *Dict. Spir.*, 10 (1980), col. 1213-1214.

ce diptyque que, en partie à son insu, sa propre conception de la *patientia* était largement influencée par la notion philosophique d'*apatheia*[21]. Aussi bien, et l'on soupçonne de la part de Tertullien quelque arrière-pensée d'émulation littéraire autant que doctrinale, le *De patientia* apparaît-il comme la réplique chrétienne ou, pour employer le vocabulaire de l'exégèse, comme l'antitype du *De constantia sapientis*[22]. A cet égard aussi Tertullien fait figure de novateur dans l'histoire de la littérature chrétienne[23].

Mais une seconde raison a pu également l'inciter à ce choix. Plus qu'une autre vertu, la patience lui a peut-être semblé propre à constituer avec son contraire, l'impatience, et avec sa rivale païenne un couple (patience-impatience) ou une triade (patience chrétienne-patience païenne-impatience) susceptible de fournir un principe explicatif ou caractéristique des grandes étapes du « dessein de salut », un fil conducteur en quelque sorte contribuant, d'un point de vue particulier, à l'intelligibilité de « l'histoire sainte »[24]. Il y a, d'une part, la patience de Dieu, celle des grandes figures de l'Ancien Testa-

---

21. Cf. *infra*, p. 31 et 127. Cet idéal tendait d'ailleurs à s'« humaniser » depuis au moins Panétius (cf. AUL.-GEL., *Nuits*, 12, 5, 10 ; CIC., *Part.*, 81 : il ne faut pas confondre la *patientia* avec son « imitation », la *duritia immanis* ; SEN., *Luc.*, 9, 3).

22. D'autant que le *De constantia sapientis* est surtout un *De patientia* ou un *De aequanimitate sapientis* : cf. *De const. sap.* 3, 2 ; 5, 3 ; 9, 4 ; 9, 5 ; 8, 3 ; etc. Le terme même de *constantia* n'apparaît que dans le titre (cf. P. GRIMAL, *L. Ann. Senecae operum moralium concordantia*, t. II, Paris 1966, s. u.) : c'est par « fidélité à ses principes » (*constantia*) que le sage doit supporter « avec patience » et « égalité d'âme » injustices et insultes. En revanche, Tertullien utilise trois fois le mot (sous sa forme adverbiale) dans son traité, *infra*, p. 32 et 136 ; 181 ; 253.

23. Cf. le *Protreptique* de Clément d'Alexandrie, le *De officiis ministrorum* d'Ambroise, le *De beata uita* d'Augustin, etc.

24. Nous reprenons, en la développant, une idée, appliquée au seul aspect formel du traité, de C. LO CICERO, « Elementi strutturali e motivi neo-testamentari nel *De patientia* di Tertulliano », *Pan*, 3 (1976), p. 73-86 (cf. *REAug*, 23 (1977), p. 336).

ment, du Christ, celle enfin du peuple chrétien (*serui Dei*) ;
d'autre part, l'impatience du Démon, celle d'Adam et de Caïn,
les manifestations d'impatience d'Israël ; parallèlement, la patience des philosophes (et parfois, chez les païens, des exemples de pseudo-patience). Cette triade coïncidait donc avec la
tripartition de l'humanité, en *Christiani-Iudaei-nationes,* utilisée par les apologistes pour souligner la nouveauté et l'originalité du christianisme par rapport au judaïsme et par rapport
au paganisme[25]. Dépassant un point de vue qui aurait pu être
étroitement éthique, Tertullien conférait ainsi à son traité une
dimension et une ouverture théologiques et historiques, dans
le prolongement de certaines des préoccupations de l'*Ad nationes* et de l'*Apologeticum.*

Une conception   Il n'en est pas moins vrai que
plus stoïcienne   la vertu dont Tertullien fait
que chrétienne   l'éloge et à laquelle il exhorte est
                            une vertu plus stoïcienne que
proprement chrétienne.

La patience du sage est support impassible de la souffrance et de la douleur, absence de trouble et maîtrise de soi
dans l'adversité. Réglant sa conduite sur la raison et puisant
toutes ses forces dans sa volonté, le sage n'attend et n'espère
rien d'autre de la patience que l'exercice parfait d'une vertu
qui est à elle-même sa fin. A cette attitude « autarcique » du
sage, s'oppose l'expérience « théocentrique » ou « christocen-
trique » du chrétien dans la pratique de la patience.
Ὑπομονή plus que καρτερία, la patience chrétienne est
inséparable de la foi et de l'espérance. Elle est donc, dans ses
motivations et sa finalité, d'un autre ordre que la patience

---

25. Tripartition utilisée naturellement aussi par les païens dans leur
polémique antichrétienne, cf. A. SCHNEIDER, *Le premier livre* Ad nationes
de Tertullien, Rome 1967, p. 187 s.

philosophique[26]. Cette trop brève σύγκρισις entre ces deux types d'attitude « patientielle » est sans doute plus idéale qu'existentielle : les comportements individuels sont toujours plus complexes que les données de la morale théorique ; et il est tout aussi sûr que le paganisme a connu d'autres attitudes moins « mythiques » ou plus « humaines », soutenues sinon par l'espérance, vertu « théologale », du moins par l'espoir[27]. La fidélité de Tertullien au stoïcisme dans sa façon de concevoir la *patientia* n'en ressort que davantage.

Cela ne signifie pas, assurément, que Tertullien ait méconnu toutes les harmoniques d'une patience authentiquement chrétienne. Il rappelle les rapports que la patience entretient avec la foi, l'espérance et la charité[28] ; il la relie à une théologie de la vengeance divine et de la présence et de l'action de l'Esprit[29] ; il invite à « suivre » le Christ en suppor-

---

26. Cf. FREDOUILLE, *Tertullien et la conversion*, p. 389 s. ; M. SPANNEUT, *art. cit.*

27. Nous avons mentionné plus haut (p. 22) une triade Patience-Courage-Espoir, mais peut-être ne s'agit-il que d'une initiative individuelle (cf. G. CHARLES-PICARD, *La civilisation de l'Afrique romaine*, Paris 1959, p. 205) ; nous pourrions rappeler aussi l'état d'esprit du Lucius d'Apulée, le héros des *Métamorphoses*, vivant *sans impatience* dans *l'attente* du moment où se réaliseront ses *espérances* (cf. FREDOUILLE., *op. cit.*, p. 391, n. 95) ; mais la réflexion philosophique n'exclut pas non plus cette composante : Aristote oppose au lâche, sans espoir (δύσελπις) car il s'effraie de tout, l'homme courageux (ἀνδρεῖος), dont la bravoure est la marque d'une disposition tournée vers l'espoir (εὔελπις), (cf. *Nicom.*, 3, 11, 1116 a 2-4) ; et Sénèque lui-même, dans le *De constantia sapientis*, après avoir rappelé, conformément à l'orthodoxie stoïcienne, que le sage ne connaît ni l'espoir ni la crainte, deux passions incompatibles avec l'*apatheia* (9, 2), reconnaît que, dans sa quête de la vérité, l'aspirant à la sagesse (*affectator sapientiae*) doit nourrir son âme de l'espoir d'atteindre un jour la perfection (19, 5).

28. *Pat.*, 6 ; 9 ; 12, 8-10. Il est à noter que ces rapports sont envisagés séparément, et ne sont pas saisis globalement dans une attitude unique. D'autre part, pour la façon dont Tertullien les conçoit, cf. *infra*, commentaire *ad loc.*

29. *Pat.*, 8, 2 ; 10, 6 ; 15, 6-7.

tant comme lui les insultes[30] ; il médite plus longuement sur la patience dont, toute sa vie terrestre durant, il a fait preuve[31].

Mais ni ces réflexions, successivement énoncées plutôt que réunies en un développement organisé, et parfois rapides, ni le dossier scripturaire relativement pauvre retenu ici sur la patience[32] (contrastant avec l'abondance des réminiscences stoïcisantes ou sénéquisantes) ne sauraient effacer ni même compenser l'empreinte de la philosophie sur un traité dont la structure reproduit déjà un schéma rhétorico-philosophique et où l'exaltation de la patience (comme, inversement, la condamnation de l'impatience, source de tous les maux) repose, en fait, sur la théorie, légèrement transposée, de l'égalité et de la connexion des vertus (et des vices)[33]. En dépit du correctif qu'apporte, *in fine*, le portrait allégorique de Patience dessiné par Tertullien[34], sa patience porte le masque de l'*apatheia*. Elle a pour sœurs la *constantia* et l'*aequanimitas* stoïciennes, non l'ἐλπίς biblique, et pour compagne la *contemptio*[35]. Surtout, elle n'est pas l'occasion d'un approfondissement de la notion d'imitation du Christ, la *patientia martyrii* n'est pas présentée comme l'imitation par excellence de la *passio Christi*[36].

Tout se passe donc comme si, prisonnier de schémas et de cadres de pensée d'inspiration stoïcienne, et incapable de percevoir ou de faire percevoir la spécificité chrétienne de l'acte vécu de patience (même si, en effet, à un regard étranger, l'attitude apparente peut être proche du comportement stoïcien), Tertullien avait été conduit à juxtaposer des analyses

---

30. Une seule exhortation rapide en *Pat.*, 8, 3.
31. *Pat.*, 3, 1-11.
32. Cf. FREDOUILLE, *op. cit.*, p. 395-396.
33. Cf. *supra*, p. 26 ; *infra*, p. 265 ; 271.
34. *Pat.*, 15, 4-7.
35. FREDOUILLE, *op. cit.*, p. 396-399.
36. *Ibid.*, p. 399-402.

d'origine différente. Son évolution ultérieure confirme, au demeurant, par contraste et a posteriori, l'impression générale que laisse le *De patientia*. Ses relectures de la Bible, de nouvelles méditations, les persécutions l'inciteront en effet à approfondir la spiritualité de l'attitude « patientielle ». Ce n'est pas dans le *De patientia* mais dans le *Scorpiace* et le *De fuga* que l'on peut lire les réflexions de Tertullien les plus riches sur la patience chrétienne et l'imitation du Christ[37].

---

37. *Ibid.*, p. 403 s.

IV. LA SURVIE DU *DE PATIENTIA*

Bien qu'il ne soit ni cité ni mentionné par les Pères, le *De Patientia* de Tertullien a exercé, soit directement, soit indirectement, une influence certaine sur la littérature spirituelle postérieure.

Cyprien   Comme on s'en doute, et même si, selon son habitude, il se garde de toute imitation textuelle, Cyprien lui doit beaucoup dans son *De bono patientiae*. Et d'abord, semble-t-il, le titre même de son « homélie »[1]. Mais également, et surtout, comme cela ressort très clairement des tableaux comparatifs dressés par M.G.E. Conway, les grandes lignes de son développement et son noyau thématique[2]. Mais la spiritualité qui se dégage du *De bono patientiae* est beaucoup plus profondément « chrétienne » que celle de son modèle tertullianéen : la patience est désormais plus nettement associée à la douceur, à l'humilité, à l'espérance, à la foi, perdant par là même, de sa raideur et de son impassibilité ; elle est devenue,

---

1. Cf. TERT., *Pat.*, 1, 7 : « Bonum eius [*sc.* patientiae]... » ; 4, 6 : « ... de bono eius [*sc.* patientiae]... ».

2. M.G.E. CONWAY, *Th.C. Cypriani De bono patientiae, A Transl. with an Introd. and a Commentary,* Washington 1957, p. 17 s. ; 23 s. Voir aussi les parallèles avec Tertullien signalés par C. MORESCHINI dans son édit. du *De bono patientiae* (*CCL* 3A, 1976, p. 118-133). La suite des idées y est, à quelques détails près, fort proche de celle de son modèle : cela est évident pour l'introduction (1-3) et la conclusion (21-24), mais on l'observe également dans l'argumentation, où Cyprien examine successivement : l'origine et les manifestations divines de la patience, ainsi que l'exemple donné par les grandes figures de l'A.T. (3-10), puis la nécessité pour les hommes de se soumettre à la discipline de la patience (11-19), enfin les bienfaits spirituels de cette vertu (20). Cf. *infra*, p. 273 s. En dernier lieu, J. MOLAGER, *SC* 291, p. 140 s. ; 261.

aussi, l'une des composantes essentielles de l'imitation du Christ. D'autre part, la méditation de Cyprien s'appuie sur une base scripturaire élargie et rompt, corollairement, de façon assez nette avec la tradition stoïcienne. On mesure donc le progrès ainsi réalisé du *De patientia* au *De bono patientiae*.

Lactance   C'est au début du livre V des *Institutions divines*, où précisément il consacre à la vertu de patience le plus long développement qu'il ait écrit sur le sujet (chap. 22), que Lactance porte sur les qualités et les défauts littéraires de Tertullien un jugement demeuré célèbre[3]. On en déduira raisonnablement que Lactance avait lu le *De patientia* quand il rédigeait son propre chapitre. Il ne semble pas pourtant avoir été profondément influencé par cette lecture. Il y a toutefois un trait qui vient presque certainement de Tertullien (car il ne se retrouve pas chez Cyprien) : la définition de la patience comme vertu suprême et l'affirmation qu'elle est considérée comme telle par les païens unanimes[4]. Mais la conception du chapitre diverge profondément de celle du *De patientia* et du *De bono patientiae*, en particulier par l'absence de citation scripturaire et d'*exemplum*. Cette dernière différence s'explique, en partie, par le fait que Lactance a consacré précédemment un chapitre à la vie du Christ comme exemple de patience[5] ; mais les souffrances de Job, dont la figure tient une si grande place dans les ouvrages de Tertullien et de Cyprien, ne sont nulle

---

3. LACT., *Inst. diu.*, V, 1, 23 : « Septimius quoque Tertullianus fuit omni genere litterarum peritus, sed in eloquendo parum facilis et minus comptus et multum obscurus fuit. Ergo ne hic quidem satis celebritatis inuenit ».

4. *Ibid.*, V, 22, 2-3 : « magna et praecipua uirtus est patientia, quam pariter et uulgi publicae uoces et philosophi et oratores summis laudibus celebrant. Quodsi negari non potest quin summa sit uirtus... » (cf. TERT., *Pat.*, 1, 7). Cf. *supra*, p. 27 s.

5. *Ibid.*, IV, 16.

part évoquées par Lactance. Quant au *De ira Dei*, peut-être
contient-il quelques « réminiscences négatives » du *De patientia*, dans la mesure où Lactance paraît prendre le contre-pied
exact de thèses soutenues par son illustre devancier. Ainsi la
distinction établie par Lactance entre la véritable patience et
la fausse patience ne correspond plus à celle de Tertullien :
pour l'auteur du *De ira Dei* ne pas s'émouvoir dans certains
cas où l'on peut légitimement s'estimer victime d'une injustice n'est pas faire preuve de *patientia*, mais d'un *stupor*
condamnable[6].

Prudence   Prudence doit peut-être au *De
                      spectaculis* de Tertullien l'idée
de sa *Psychomachia*. Il est peu douteux en tout cas qu'il ne se
soit pas souvenu du *De patientia* quand il a décrit le combat
de la Patience contre la Colère (v. 109-177). Non pas que la
Patience peinte par le poète rappelle vraiment les traits de
celle du moraliste : l'intention et les perspectives sont trop
différentes ici et là[7] ; tout au plus l'attitude générale d'impassibilité est-elle commune aux deux allégories ; mais c'est
aussi un trait qui, de façon plus générale, caractérise toutes
les personnifications de cette vertu. En revanche, quelques

---

6. Cf. LACT., *De ira Dei*, 17, 8-12, où énumérant des situations analo-
gues à celles qu'analyse TERT., *Pat.*, 7 (*detrimentum rei familiaris*) ; 8
(*iniuriae*) ; 9 (*amissio nostrorum*), il estime, contrairement à Tertullien,
mais en suivant CIC., *Cat.*, 4, 16, 2 (qu'il cite), qu'elles justifient une colère
légitime ; en revanche le cas prévu par TERT., *Pat.*, 10 (*ultionis libido*)
donne lieu de la part de Lactance à la même analyse : car la colère provoquée par la vengeance est mauvaise. Pour la distinction entre patience
authentique et pseudo-patience chez Tertullien et Augustin, cf. *infra*, n. 10.
Pour la conception de la patience de Lactance, cf. H.J. KUNICH, *Der lateinische Begriff patientia bei Laktanz*, Inaug.-Diss., Freiburg in Br. 1955
(dactyl.) ; V. LOI, « I valori etici e politici della Romanità negli scritti di
Lattanzio. Opposti atteggiamenti di polemica e di adesione », *Salesianum*,
27 (1965), p. 65-132 ; C. INGREMEAU, Comm. au *De ira Dei*, 17, 8-12, *SC*
289, p. 328 s.

7. FREDOUILLE, p. 64 n. 123.

détails du combat et quelques précisions sur l'aide que Patience apporte aux autres vertus — et à Job — ont leur correspondant, et peut-être leur source, dans le traité de Tertullien[8].

Augustin   Le *De patientia* d'Augustin est, sans aucun doute, par le ton et la spiritualité, plus proche du *De bono patientiae* de Cyprien que du *De patientia* de Tertullien[9]. Il est clair néanmoins qu'Augustin trouvait dans le traité de Tertullien des analyses qui avaient été négligées par Cyprien : l'opposition entre la vraie patience et une fausse patience, celle qui souffre par ambition, convoitise ou passion[10] ; ou encore, la distinction entre patience de l'âme et patience du corps[11] ; enfin, le rôle de l'Esprit et de la grâce dans l'exercice de la vertu authentiquement chrétienne de patience[12]. Sans doute Augustin a-t-il repensé et approfondi ces analyses : il n'est pas moins douteux qu'elles ont donné à la réflexion d'Augustin son impulsion dogmatique.

---

8. Cf. C. GNILKA, *Studien zur Psychomachie des Prudentius*, Wiesbaden 1963, p. 57-58, qui considère *Psych.*, 131 et 160 s. comme un souvenir de *Pat.*, 8, 7, et *Psych.*, 124 comme un souvenir de *Pat.*, 14, 6. Mais il y a sans doute d'autres échos : *Psych.*, 166 = *Pat.*, 15,5 (*minax risus*) ; *Psych.*, 174-177 = *Pat.*, 15, 2-3.

9. Cf. les parallèles dressés par M.G.E. CONWAY, *op. laud.*, p. 45 s. ; G. GEYER, *Die Geduld. Vergleichende Untersuchung der Patientia-Schriften von Tertullian, Cyprian und Augustin*, Diss. Würzburg 1963 dactyl. (résumé dans *REAug* 12, 1966, p. 373).

10. AUG., *De pat.*, 2-3 (*BA* 2, p. 532-534) = TERT., *Pat.*, 16, 3, mais aussi 7, 12 où cette forme de patience n'est en réalité, pour Tert., pas autre chose que de l'impatience.

11. AUG., *De pat.*, 7-8 (*BA* 2, p. 538-540) = TERT., *Pat.*, 13, 1-2.

12. AUG., *De pat.*, 14 ; 17 (*BA* 2, p. 554-556 ; 560-564) = TERT., *Pat.*, 1, 3 ; 6, 3 ; 13, 1 ; 15, 2 ; 15, 6-7. Il conviendrait donc d'ajouter le *De patientia* à la liste, vraisemblablement trop prudente, des traités tertullianéens (*Nat., Apol., Carn., An.*) qu'aurait lus Augustin, établie par G. BARDY, « Saint Augustin et Tertullien », *L'année théol. augustinienne* 13, (1953), p. 145-150.

L'auteur de la *Psychomachia,* ces « théoriciens » de la
patience qu'ont été Cyprien, Lactance et Augustin, ne sont
certainement pas les seuls à avoir lu le traité de Tertullien.
Mais il est plus délicat de décrire l'accueil que lui ont réservé
les autres Pères latins qui ont eu l'occasion d'écrire sur la
vertu de patience. Sans doute certains rapprochements
paraissent-ils s'imposer. Telle formule de Zénon de Vérone
sur Abel « martyr quia iustus, ideo iustus quia patiens » (*PL*
11, col. 315 B) paraît imitée de celle qu'on peut lire sous la
plume de Tertullien, à propos d'Abraham « benedictus quia
et fidelis, merito fidelis quia et patiens » (*Pat.,* 6, 2). Ou
encore, le lien qu'établit Hilaire de Poitiers entre *patientia,
constantia* et *aequanimitas* fait songer à la conception que
Tertullien se fait de la patience. On pourrait sans doute mul-
tiplier les exemples. Mais une étude approfondie de la posté-
rité du *De patientia,* qui dépasserait largement le cadre de
cette introduction, exigerait qu'on fît — ou qu'on tentât de
faire — le départ entre ce que les successeurs de Tertullien lui
empruntent directement et ce qu'ils lui doivent par l'intermédiaire d'écrivains déjà tributaires de sa pensée, non sans
l'avoir infléchie et enrichie[13].

---

13. De nombreux éléments sont déjà fournis par M. SKIBBE, *Die
ethische Forderung der Patientia in der patristischen Literatur von Tertullian bis Pelagius,* Diss. Münster Westf. 1964 et M. SPANNEUT, art.
« Geduld », *RLAC* 9 (1976), col. 260 s. (compléter par J. DOIGNON,
Hilaire de Poitiers avant l'exil, Paris 1971 : références au *De patientia,*
p. 594). Les *testimonia* signalés dans les tableaux du *CCL* 1 ne sont guère
fondés, hormis Prudence. La référence à Pacianus est illusoire ; PRISCIL-
LIEN, *Tract.,* III, *PLS* 2, col. 1444 « Eseiam fuisse dissectum » ne provient
pas nécessairement de TERT., *Pat.,* 14, 1, le Carthaginois n'étant pas le
seul à citer ce détail (en particulier, l'*Ascension d'Isaïe* était largement ré-
pandue en Espagne et Lusitanie, et Potamius, évêque de Lisbonne, mort en
366, qui connaissait cet ouvrage apocryphe, a écrit un traité sur le martyre
d'Isaïe : cf. E. TISSERAND, *L'Ascension d'Isaïe,* Paris 1909, p. 62 s. ; *infra,*
p. 254) ; enfin FULGENCE, *Ad Trasamundum* I, 11, 1 *CCL* 91, p. 109 n'a
pas emprunté nécessairement à TERT., *Pat.,* 14 (qui d'ailleurs ne la présente
pas sous cette forme) l'expression « animae patientia ».

V. LE TEXTE DU *DE PATIENTIA*

Trois témoins nous ont transmis le texte du *De patientia*.

Le corpus dit « de Cluny »   Tout d'abord, le plus important, le corpus dit « de Cluny » (θ), d'origine sans doute espagnole (VIᵉ s.), et attesté au X-XIᵉ s. à l'abbaye de Cluny. Les représentants les plus proches de cet hyparchétype que nous possédions sont :

— D'une part, le *Montepessulanus* H 54 (*M*) et le *Selestatiensis 88 (P)*, tous deux du XIᵉ s. et dépendants d'un intermédiaire α par ailleurs inconnu. Mais le premier feuillet du *De patientia* dans le *Montepessulanus* a subi un accident qui affecte partiellement les paragraphes 1, 4 à 2, 3 : pour reconstituer les mots ou les lettres qui manquent, nous disposons donc, outre le *Selestatiensis,* du *Florentinus Magliabechianus,* conv. soppr. I, VI, 9 saec XV (*N*) et du *Diuionensis* (*D*), qui en sont, croyons-nous, des copies indirectes. Mais l'appui que nous apporte ces deux manuscrits reste très limité[1].

_____

1. Le premier feuillet de *M* est coupé aux ciseaux dans le sens de la hauteur à peu près au tiers de la seconde colonne à partir de la droite : manquent donc le dernier tiers de la col. 2 du fol. 1ʳ et le premier tiers de la col. 3 du fol. 1ᵛ, soit depuis 1, 4 sanita[te] jusqu'à 2, 3 [ut sua] sibi (un accident exactement comparable affecte dans le même codex les col. 182-183 du *De resurrectione*). L'aide fournie par *N* et *D* est réduite du fait que le premier est pratiquement illisible depuis 2, 2 jusqu'à 3, 4, et que du second nous ne possédons que quelques leçons éparses (cf. *infra*). Sur la dépendance indirecte de ces deux manuscrits par rapport à *M*, cf. *SC* 280, p. 54 s.

— D'autre part, le *Florentinus Magliabechianus*, conv. soppr. I, VI, 10 (*F*) et le *Luxemburgensis* 75 (*X*), qui sont l'un et l'autre du xve s. et dérivent indirectement du codex *Hirsaugiensis* (β), copié au plus tard au XIIe s. Mais, de cet *Hirsaugiensis* nous connaissons aussi, directement, un certain nombre de leçons (une trentaine pour le *De patientia*) grâce à Beatus Rhenanus : en effet, le savant humaniste, ayant collationné ce manuscrit, en même temps que le *Selestatiensis*, en vue de son *editio princeps* des œuvres de Tertullien (1521), les a relevées, de sa main, sur *P* ou les a fait imprimer dans les marges de ses éditions successives à titre de variantes[2].

Le *uetustissimus codex* de l'édition Mesnart

Notre second témoin du *De patientia*, plus mystérieux quant à ses origines, est constitué pour nous par l'édition Mesnart (*B*) de 1545. Son principal mérite est de restituer, pour le *De patientia*, les cinq lacunes que comporte le *Corpus Cluniacense* : la plus importante (une page dans le *CCL*) et la plus souvent mentionnée est celle de

---

2. Dans le détail, les choses ne vont pas sans quelques difficultés : d'abord, parce que les relevés de Beatus Rhenanus sont loin d'être systématiques, que tous ne sont pas imprimés et que, inversement, certains sont imprimés (pas nécessairement dans ses trois éditions), mais ne figurent pas de sa main sur *P* (pour ne rien dire des annotations manuscrites de Beatus Rhenanus sur ses éditions personnelles). Mais surtout : on ne peut pas toujours décider avec certitude si telle leçon provient bien de l'*Hirsaugiensis* (que celui-ci soit désigné nommément, ou anonymement, par la mention *alias* souvent ; ou même qu'aucune indication d'origine ne soit donnée) ou si nous avons affaire à une conjecture de Beatus Rhenanus ; il faut donc savoir que le sigle β peut être, dans certains cas, sujet à caution. D'autre part, Beatus Rhenanus ayant préparé lui-même *P* à l'intention de son imprimeur, il est parfois malaisé de faire le départ entre les corrections, dans le texte lui-même, susceptibles d'être attribuées au copiste ou à une main ancienne, et celles qui sont imputables à Beatus Rhenanus, et parmi ces dernières, entre celles qui sont une correction personnelle et celles qui proviennent de β. Cf. P. PETITMENGIN, « A propos du ‘ Tertullien ’ de Beatus Rhenanus (1521). Comment on imprimait à Bâle au début du seizième siècle », *Annuaire Soc. Amis Bibl. Sélestat*, 1980, p. 93-106.

13, 1-8 ; mais il convient de signaler aussi l'omission d'un mot en 4, 1 et 8, 6, de deux mots en 7, 8 et d'une ligne en 16, 4. Le texte de ces cinq lieux nous est donc connu exclusivement (ou presque[3]) par l'édition Mesnart.

Celle-ci est fondée sur la troisième édition de Beatus Rhenanus (1539), publiée, comme les deux précédentes, à Bâle (R^3). Elle comprend deux séries de traités : d'abord, les vingt et un déjà édités par Beatus Rhenanus (dont le *De patientia*)[4] ; ensuite, onze autres traités de (ou attribués à) Tertullien[5], dont c'est l'*editio princeps*, établie d'après « un très ancien manuscrit » (*ex uetustissimo codice*), comme l'indique la « table des matières » qui figure au verso de la page de titre. L'identification de ce *uetustissimus codex* demeure incertaine. On a pensé qu'il s'agissait du célèbre *Agobardinus*. Mais sous cette forme l'hypothèse se heurte à une objection : l'édition Mesnart comprend des traités qui n'ont jamais été copiés dans l'*Agobardinus*. Peut-être l'expression *uetustissimus codex* recouvre-t-elle en réalité une opération plus complexe, l'éditeur ayant recouru à plusieurs manuscrits, dont l'*Agobardinus*[6] ?

La base textuelle du *De patientia* est certainement trop étroite pour permettre à elle seule de résoudre cette délicate

---

3. Cf. *infra*, p. 44 n. 10.

4. Vingt et un, ou vingt-deux, si comme la plupart des éditeurs anciens (et parmi eux Rhenanus et Mesnart) on voit dans les deux livres du *De cultu* deux traités différents. Ce sont, dans l'ordre : *De patientia, De carne, De resurrectione, De praescriptionibus, Aduersus Iudaeos, Aduersus Marcionem, Aduersus Hermogenem, Aduersus Valentinianos, Aduersus Praxean, De corona, Ad martyras, De paenitentia, De uirginibus, De habitu, De cultu, Ad uxorem, De fuga, Ad Scapulam, De exhortatione castitatis, De monogamia, De pallio, Apologeticum.*

5. Dans l'ordre : *De trinitate, De testimonio, De anima, De spectaculis, De baptismo, Scorpiace, De idololatria, De pudicitia, De ieiunio, De cibis Iudaicis, De oratione.*

6. C'est la conclusion d'E. DEKKERS, « Note sur les fragments récemment découverts de Tertullien », *SE* 4 (1952), p. 372-383.

énigme, qui ne pourrait l'être que par la comparaison avec la tradition connue par d'autres corpus et qui, en l'occurrence, fait défaut. Du moins n'est-il pas inutile de tenter de préciser comment Mesnart a conçu son travail d'éditeur du *De patientia* : on peut distinguer, à cet égard, trois séries de cas, révélant une pratique au demeurant assez peu cohérente :

— Tout d'abord, en ce qui concerne les cinq omissions que comporte R^3 (et remontant à θ) : pour deux d'entre elles (7, 8 *aut ui* et 8, 6 *arcet*, aucun signe critique n'attire l'attention du lecteur sur ces « additions » introduites dans la nouvelle édition. Les trois autres, en revanche (4, 1 *dominum* ; 13, 1-8 *in corporis — quae apostoli*[7] ; 16, 4 *riualium — inpatientes*) sont signalées dans le texte par des crochets (⌞...⌟) entre lesquels elles sont insérées. L'addition la plus importante (13, 1-8) est même précédée, pour sa part, d'un renvoi (*) dans la marge, où l'on peut lire : « Haec sunt inserta ex uetusto codice ». Cette note marginale invite naturellement à poser aussitôt deux questions : les quatre autres additions (4, 6 ; 7, 8 ; 8, 16 ; 16, 4) incorporées au texte par Mesnart sont-elles également empruntées à ce *uetustus codex*, ou bien seules lui sont empruntées les deux autres (4, 6 ; 16, 4) qu'il a pris soin d'insérer, de la même façon, entre crochets ? d'autre part, ce *uetustus codex* est-il le *uetustissimus codex* de la page de titre, même si ce dernier n'est pas explicitement présenté, on l'a vu, comme contenant le *De patientia* ?

— Le cas des variantes marginales : en sept passages, tout en reproduisant le texte de R^3, Mesnart indique en marge une variante qu'il n'a pas retenue (3, 9 *subigendae* ; 5, 4 *editum* ; 5, 22 *excetra* ; 7, 12 *inmemores* ; 8, 5 *maledicto* ; 11, 1 *aspidum* ; 12, 4 *patientiae*) et la fait précéder de l'abréviation

---

7. Légère inexactitude de Mesnart sur l'étendue de cette lacune, qu'il accroît d'un mot au début et à la fin. En réalité, Beatus Rhenanus a non pas : ... *domino sustinendo*..., mais : ... *domino in apostolis sustinendo*... (d'où la faute *apostolis*, entraînée par la proximité de *in*).

« a*l* » (= *alias*). Une seule de ces variantes se rencontrant déjà comme variante marginale dans R^3 (5, 22 *excetra*), la question se pose inévitablement : ces variantes ou à tout le moins les cinq (3, 9 *subigendae* ; 5, 4 *editum* ; 8, 5 *maledicto* ; 11, 1 *aspidum* ; 12, 4 *patientiae*) que n'a pas connues Beatus Rhenanus sont-elles tirées, comme on peut le penser, du *uetustus codex* ?

— Inversement, en onze passages, Mesnart s'écarte du texte de R^3. Mais une seule de ces divergences est clairement indiquée par Mesnart : non pas, d'ailleurs, dans la marge de son texte, mais dans la marge des « Annotationes » au *De patientia* rédigées par Beatus Rhenanus pour sa troisième édition et reproduites par Mesnart. En 14, 4, en effet, à propos de *ad omnem aceruum nunciorum* (texte de R^3), Mesnart note dans la marge : « Nostrum [*sc. exemplar*] legit acerbum nuncium », qui est, de fait, le texte qu'il fait imprimer (et la bonne leçon)[8]. En revanche, dans les dix autres passages, il ne signale d'aucune façon l'introduction de leçons nouvelles (4, 6 *constituta* ; 5, 18 *mirum. Nam* ; 10, 1 *loco maxime, cum ab alterius malitia* ; 10, 2 *omnem* ; 12, 2 *quis ad iudicem* ; 12, 5 *exhortatur* ; 12, 9 *proteruit* ; 12, 10 *hominis patientia expectat* ; 13, 8 *uicerunt* ; 14, 4 *de diabolo*). Mais s'il est peu douteux que 13, 8 *uicerunt* (*uicerit* R^3) provienne aussi du *uetustus codex*, puisque le mot suit presque immédiatement le long passage de 13, 1-8 lu par Mesnart dans ce manuscrit, il serait sans doute imprudent d'affirmer que les neuf autres leçons (dont cinq fournissent, semble-t-il, le texte authentique) appartenaient également à ce *codex uetustus*. On ne peut exclure, en effet, que certaines d'entre elles représentent des conjectures ou des corrections personnelles de l'éditeur.

---

8. Il est probable que ce « nostrum [exemplar] » doit être identifié au « uetustus codex ».

L'*Ottobonianus* Nous disposons, enfin, depuis quelques décennies seulement, d'un troisième témoin[9]. En 1946, G. Claësson découvrit, en effet, à la Bibliothèque Vaticane, un *codex miscellaneus* contenant entre autres, des extraits de quatre traités de Tertullien (*De pudicitia*, *De paenitentia*, *De patientia*, *De spectaculis*). Ce *Vaticanus Ottobonianus* lat. 25, copié en France au XVIᵉ siècle (*O*) est, jusqu'à présent, l'unique codex groupant ces quatre ouvrages de Tertullien. Il n'est pas impossible d'ailleurs, comme J.W.Ph. Borleffs en a émis l'hypothèse, qu'il dérive d'un recueil dans lequel ceux-ci se trouvaient in extenso, et qui serait un corpus indépendant de ceux que nous connaissions jusqu'alors. Il est clair toutefois, pour s'en tenir au *De patientia*, que le modèle de cet *Ottobonianus*, dans la mesure où il devait contenir le texte de la lacune de 13, 1-8, était plus apparenté au *codex uetustus* de Mesnart qu'au *corpus Cluniacense*[10].

---

9. Cf. J.W.Ph. BORLEFFS, « Un nouveau manuscrit de Tertullien », *VChr* 5 (1951), p. 65-79 ; ID., « Praefatio II », *CSEL* 76 (1957), p. 129-137.

10. L'*Ottobonianus* ne conserve qu'une partie du texte de la lacune de 13, 1-8 (environ 5 lignes, correspondant au § 5 et au début du § 6) : mais si bref soit-il, cet extrait prouve qu'il a été tiré d'un modèle qui, selon toute probabilité, comportait le chap. 13 dans son intégralité. D'autre part, il faut noter que, dans ce court passage donné par *B* et *O*, trois mots posent un problème : dans un cas, *O* donne la bonne leçon (*digeramus*) contre *B* (*degeramus*) — est-ce toutefois une divergence réellement pertinente ? —, mais dans les deux autres cas (*praecurat* au lieu de *procurat*, *continentiam* pour *continentia*), on peut considérer, avec Borleffs, que *B* et *O* ont ces deux fautes en commun. Dans le même ordre d'idées, signalons encore une faute commune à *O* et, cette fois, *Bmg*, et qui leur appartient en propre : en 3, 9 *subigendae* (pour *subiendae*). La nature particulière de *O* et de *B* ne permet pas de procéder pour le *De patientia* à d'autres rapprochements significatifs. A cet égard, la situation du *De spectaculis* est plus favorable : E. CASTORINA, *Q.S.F. Tertulliani De spectaculis*, Firenze 1961, p. XXIX s., est très sensible aux convergences qui rapprochent *O* de *B* (et, dans une moindre mesure, de l'*Agobardinus*).

C'est un manuscrit au demeurant délicat à utiliser. Ses qualités sont certaines : en plusieurs passages on a de bonnes raisons de penser qu'il fournit le texte original, soit en donnant de nouvelles leçons, soit en confirmant des conjectures d'éditeurs, anciens ou récents. Mais les défauts de cet *Ottobonianus* sont tout aussi manifestes : moins parce que les extraits qu'il a conservés ne sont pas eux-mêmes exempts d'omissions, que parce que l'excepteur a sciemment modifié le texte de Tertullien, pour assurer le lien entre les extraits retenus, ou encore pour faciliter la compréhension de sa langue.

Dans l'état actuel de notre connaissance de la tradition manuscrite du *De patientia*, l'édition de ce traité doit donc être basée sur les cinq témoins du *corpus Cluniacense* : *M* (éventuellement suppléé par *N* et *D*), *P*, *F*, *X*, *R*[1], ainsi que sur *O* et *B*. Tous ces témoins seront donc pris en considération dans l'apparat critique et indiqués sous une présentation positive. D'autre part, bien qu'elles ne soient pas, en principe, indispensables pour l'éditeur, nous signalerons aussi, de façon systématique[11], à titre de variantes, les leçons connues du *codex Gorziensis*[12] et du *codex Diuionensis*[13].

En revanche, pour les conjectures, sauf difficultés particulières et autres cas d'espèce, nous signalerons seulement celles qui ont été retenues pour l'établissement de la présente édition, et sans nous astreindre à énumérer les éditeurs qui les ont successivement adoptées. Une exception toutefois, justi-

---

11. Justification de ce parti pris dans *SC* 280, p. 61.

12. Nous en connaissons sept pour le *De patientia* par les notes de Beatus Rhenanus dans sa 3ᵉ édition.

13. Grâce à l'exemplaire de l'édition Gelenius qui a appartenu à P. Pithou, nous possédons, pour le *De patientia*, environ quatre-vingt leçons de *D* (cf. *SC* 280, p. 49). Rigault n'en signale qu'une seule (3, 3 *absolutam*).

fiée par la place qu'occupent Kroymann et Borleffs dans l'histoire de l'édition critique du *De patientia* : nous mentionnerons toujours les choix qu'ils ont faits[14].

---

14. Notre intention, au départ, était de reprendre le texte de l'édition Borleffs. Chemin faisant, les difficultés de traduction et d'interprétation que nous avons dû affronter nous ont convaincu de revoir notre position initiale et conduit finalement à proposer en plusieurs passages un texte différent de celui de notre prédécesseur. Nous avons donc procédé à la collation des principaux témoins manuscrits, soit directement (*M, P*), soit sur photographie (*O*), soit sur micro-fiches (*F, X, N*), ainsi qu'à celle de *R*[1], *R*[2], *R*[3], *B*, Gelenius, Rigault, et, naturellement, Kroymann. Nous avons relu également toutes les *emendationes* de F. Orsini (cf. P. PETITMENGIN, « Le Tertullien de Fulvio Orsini », *Eranos*, 59, 1962, p. 116-135). Pour les autres corrections d'éditeurs, partant des apparats critiques de Kroymann et de Borleffs, nous avons contrôlé chaque fois les leçons signalées en nous reportant au texte des éditions elles-mêmes.

— Cette fois encore, je dois à MM. René BRAUN, Professeur à l'Université de Nice, et Pierre PETITMENGIN, Bibliothécaire de l'École Normale Supérieure, d'avoir évité des erreurs et comblé des lacunes. Par leurs questions ou leurs suggestions, mes auditeurs de l'Université de Heidelberg m'ont également permis de préciser certains points du commentaire. A tous, j'exprime ici mes bien sincères remerciements.

ABRÉVIATIONS

Les périodiques sont désignés par les abréviations en usage dans l'*Année Philologique* ou, à défaut, dans la *Bibliographia Patristica*.

D'autre part, pour les usuels et collections, les œuvres de Tertullien et les études fréquemment citées dans l'Introduction et le commentaire, nous adoptons les sigles et abréviations suivants :

USUELS ET COLLECTIONS

ALGRM	W.H. ROSCHER, Ausführliches Lexikon der griechischen und römischen Mythologie.
ANRW	Aufstieg und Niedergang der römischen Welt.
BA	Bibliothèque Augustinienne.
CCL	Corpus Christianorum, series Latina.
CIL	Corpus Inscriptionum Latinarum.
CSEL	Corpus Scriptorum Ecclesiasticorum Latinorum.
GCS	Griechischen Christlichen Schrifsteller.
LHS	Leumann-Hofmann-Szantyr, Lateinische Grammatik, II Bd.
PG	Patrologia Graeca.
PL	Patrologia Latina
RE	Real-Encyclopädie der klassischen Altertumswissenschaft.
RLAC	Reallexikon für Antike und Christentum.
SC	Sources Chrétiennes.
SVF	Stoicorum Veterum Fragmenta.
TLL	Thesaurus Linguae Latinae.
TU	Texte und Untersuchungen zur Geschichte der altchristlichen Literatur.
TWNT	Theologisches Wörterbuch zum Neuen Testament.

ŒUVRES DE TERTULLIEN

An.	:	De anima.
Apol.	:	Apologeticum.

Bapt.   :   De baptismo.
Carn.   :   De carne Christi.
Cast.   :   De exhortatione castitatis.
Cor.   :   De corona.
Cult.   :   De cultu feminarum.
Fug.   :   De fuga in persecutione.
Herm.   :   Aduersus Hermogenem.
Idol.   :   De idololatria.
Iei.   :   De ieiunio aduersus psychicos.
Iud.   :   Aduersus Iudaeos.
Marc.   :   Aduersus Marcionem.
Mart.   :   Ad martyras.
Mon.   :   De monogamia.
Nat.   :   Ad nationes.
Orat.   :   De oratione.
Paen.   :   De paenitentia.
Pal.   :   De pallio.
Pat.   :   De patientia.
Praes. :   De praescriptionibus aduersus haereses omnes.
Prax.   :   Aduersus Praxean.
Pud.   :   De pudicitia.
Res.   :   De resurrectione mortuorum.
Scap.   :   Ad Scapulam.
Scorp. :   Scorpiace.
Spect. :   De spectaculis.
Test.   :   De testimonio animae.
Val.   :   Aduersus Valentinianos.
Virg.   :   De uirginibus uelandis.
Vx.   :   Ad uxorem.

ÉTUDES

BLAISE, *Manuel*   : A. BLAISE, *Manuel du latin chrétien*, Stras-
                            bourg 1955.
BRAUN   : R. BRAUN, *Deus Christianorum. Recherches
                            sur le vocabulaire doctrinal de Tertullien*,
                            Paris 1977[2].
BULHART, *Praef.*   : V. BULHART, « Praefatio : De sermone Ter-
                            tulliani », *CSEL* 76, p. IX-LVI.
BULHART, *Tert. St.*   : V. BULHART, « Tertullian-Studien », *SAWW*
                            231 (1957).

FREDOUILLE	: J.C. FREDOUILLE, *Tertullien et la conversion de la culture antique,* Paris 1972.
HOPPE, *Beitr.*	: H. HOPPE, *Beiträge zur Sprache und Kritik Tertullians,* Lund 1922.
HOPPE, *Synt.*	: H. HOPPE, *Syntax und Stil des Tertullians,* Leipzig 1903.
LOEFSTEDT, *Kr. Bemerk.*	: E. LOEFSTEDT, *Kritische Bemerkungen zu Tertullians Apologeticum,* Lund-Leipzig 1918.
LOEFSTEDT, *Spr. Tert.*	: E. LOEFSTEDT, *Zur Sprache Tertullians,* Lund 1920.
OEHLER	: F. OEHLER, *Q.S.F. Tertulliani quae supersunt onmia,* 3 vol., Lipsiae 1853.
SCHNEIDER	: A. SCHNEIDER, *Le premier livre Ad nationes de Tertullien.* Introd., Texte, Trad. et Comm., Rome 1968.
THOERNELL, *Stud. Tert.*	: G. THOERNELL, *Studia Tertullianea,* I-IV (UUÅ), Uppsala 1918-26.
WALTZING	: J.-P. WALTZING, *Tertullien, Apologétique.* Commentaire analytique, grammatical et historique, Paris 1931.
WASZINK	: J.H. WASZINK, *Q.S.F. Tertulliani De anima.* Edited with Introd. and Comm., Amsterdam 1947.

BIBLIOGRAPHIE

essentiel de la bibliographie sur la *De spectaculis* et la *vertu de speach* ...

BRAUN R.W., « Die Frühchristliche Tertulliantexegese », ...
Bildausschnitten von Amboasia, und al., Bioben 42, « Marane
ren 32 (1973), p. 24-32.

RÖSSENBECK J.W.Ph., « Die oberste handschrift der Tertullien », ...
(1951), p. 19

BRAUN R., « Les règles de la paradoxe et la composition de ...
Tertullien », *RPh* 55 (1981), p. ...

CONWAY M.D.E., *Tanci Caeci Cypriani De spectaculis*, ...
with an Introd. and a Commentary », Minneapolis 1959

CROUZEL H., « L'imitation et la 'suite' de Dieu et du Christ dans les
premiers siècles chrétiens ainsi que leurs sources gréco-romaines et
hébraïques », *JbAC* 21 (1978), p. 7-41.

DANIÉLOU J., *Les origines du Christianisme Latin*, Paris 1978.

EFROYMSON D.P., *Tertullian's Anti-Judaism and its Role in his Theology*,
Univ. Microfilm Intern., Ann Arbor London 1976

FREDOUILLE J.-C., Recension de l'article de C. Rambaux cité infra, dans
« Chronica Tertullianea 1979 », *REAug* 26 (1980), p. 315
Recension de l'article de R. Braun cité supra, dans « Chronica
Tertullianea 1981 », *REAug* 28 (1982), p. 294

KRETSCHMAR G. A., « Illegories of the virtues and Vices in mediaeval
Art from early Christian Times to the thirteenth Century London
1939

GRECKO C., « Elementi strutturali e motivi neotestamentari nel *De
spectaculis* di Tertulliano », *Pan* 3 (1975), p. 73-86.

LOI V., « I valori etici e politici della Romanità negli scritti di Lattanzio.
Opposti atteggiamenti di polemica e di adesione », *Salesianum* 27
(1965), p. 65-132.

MOREL V., « Disciplina : le mot et l'idée représentée par lui dans les
œuvres de Tertullien », *RHE* 40 (1944-45), p. 5-46.

MUNIER C., *L'Église dans l'Empire romain (II*[e]*-III*[e]* siècles) Église et cité*,
Paris 1979.

PÉTRÉ H., *L'exemplum chez Tertullien*, Dijon 1940

BIBLIOGRAPHIE

L'essentiel de la bibliographie sur le *De patientia* et la vertu de patience jusqu'en 1971 est signalé dans FREDOUILLE, p. 364 s. Nous n'indiquons donc ici que les principales études s'y rapportant publiées depuis cette date, ainsi que quelques compléments divers :

BECKER W., « Die Frobensche Tertullianusausgabe von 1521. Zu den Bildgeschichten von Ambrosius und H. Holbein d.J. », *Marginalien* 52 (1973), p. 25-32.

BORLEFFS J.W.Ph., « Un nouveau manuscrit de Tertullien », *VChr* (1951), p. 65-79.

BRAUN R., « Les règles de la parénèse et la composition du *De patientia* de Tertullien », *RPh* 55 (1981), p. 197-203.

CONWAY M.G.E., *Thasci Caecili Cypriani De bono patientiae. A Transl. with an Introd. and a Commentary*, Washington 1957.

CROUZEL H., « L'imitation et la ' suite ' de Dieu et du Christ dans les premiers siècles chrétiens ainsi que leurs sources gréco-romaines et hébraïques », *JbAC* 21 (1978), p. 7-41.

DANIÉLOU J., *Les origines du Christianisme latin*, Paris 1978.

EFROYMSON D.P., *Tertullian's Anti-Judaism and its Role in his Theology*, Univ. Microfilm Intern., Ann Arbor-London 1976.

FREDOUILLE J.-C., Recension de l'article de C. Rambaux cité *infra*, dans « Chronica Tertullianea 1979 », *REAug* 26 (1980), p. 315.

— Recension de l'article de R. Braun cité *supra*, dans « Chronica Tertullianea 1981 », *REAug* 28 (1982), p. 294.

KATZENELLENBOGEN A., *Allegories of the Virtues and Vices in mediaeval Art from early Christian Times to the thirteenth Century*, London 1939.

LO CICERO C., « Elementi strutturali e motivi neo-testamentari nel *De patientia* di Tertulliano », *Pan* 3 (1976), p. 73-86.

LOI V., « I valori etici e politici della Romanità negli scritti di Lattanzio. Opposti atteggiamenti di polemica e di adesione », *Salesianum* 27 (1965), p. 65-132.

MOREL V., « Disciplina : le mot et l'idée représentée par lui dans les œuvres de Tertullien », *RHE* 40 (1944-45), p. 5-46.

MUNIER C., *L'Église dans l'Empire romain (IIᵉ-IIIᵉ siècles). Église et cité*, Paris 1979.

PÈTRE H., *L'exemplum chez Tertullien*, Dijon 1940.

RAMBAUX C., « La composition du *De patientia* de Tertullien », *RPh* 53 (1979), p. 80-91.

SCHAZMANN P.-E., *Siegende Geduld,* Bern-München 1963.

— « Passage du manuscrit à la première édition imprimée de la patience de Tertullien », *Gutenberg-Jahrbuch* 39 (1964), p. 151-154.

SCHIFFHORST G.J. (éd.), *The Triumph of Patience. Medieval and Renaissance Studies,* Orlando 1978.

SPANNEUT M., art. « Geduld », *RLAC* 9, 1976, col. 243-294.

TIBILETTI C., « Un ' topos ' escatologico in Seneca e in autori cristiani », *AFLM* 5-6, (1972-73), p. 113-136.

Sans jouir de la même faveur que l'*Apologeticum* ou le *De praescriptionibus,* le *De patientia* a été toutefois assez souvent traduit en français. Compte non tenu des rééditions, on dénombre neuf traductions en quatre siècles dans le Catalogue de la Bibliothèque Nationale, depuis celle de Pierre Crespet (1577) jusqu'à celle de Genoude (1841), à notre connaissance la dernière complète du traité en français[1]. Nous l'avons naturellement utilisée. Nous avons recouru aussi à L. BAYARD, *Tertullien et saint Cyprien,* Paris 1930, qui a eu sur ses prédécesseurs l'avantage de disposer d'un texte critiquement établi (Kroymann, *CSEL*), mais qui n'a traduit que des extraits du *De patientia* (p. 54-79).

Nous avons également consulté les principales traductions en langue étrangère :

— *allemande :*

KELLNER K.A.H., *Tertullians ausgewählte Schriften ins Deutsche übersetzt,* t. 1, Kempten & München 1912, p. 34-59.

— *anglaise :*

THELWALL S., *Of Patience,* dans *The Ante-Nicene Fathers,* vol. III, p. 707-717, Grand Rapids 1963 (American Reprint of the Edinburgh Edition 1870).

— *hollandaise :*

MOHRMANN C., *Tertullianus Apologeticum en andere geschriften uit Tertullianus' voor-montanistischen tijd,* Utrecht en Brussel 1951, p. 303-328.

— *italienne :*

SCIUTO F., *Tertulliano, Tre opere parenetiche (Ad martyras, De patientia, De paenitentia),* Università di Catania 1961.

---

1. *Œuvres de Tertullien,* t. 1, Paris 1841, p. 715-737 (2ᵉ éd., t. 2, Chalon-sur-Saône 1852, p. 173-195).

PLAN DU TRAITÉ

EXORDE (chap. I-II, 1)

I. *Captatio beneuolentiae* : l'auteur n'est pas le mieux qualifié pour traiter de la patience (I, 1-5).

II. *Propositio* :
   a. Sans patience, il est impossible d'être agréable à Dieu (I, 6).
   b. Les païens eux-mêmes honorent unanimement cette vertu (I, 7-9).
   c. Mais les chrétiens la pratiquent par respect des dispositions divines : Dieu est le plus parfait modèle de patience (II, 1).

ARGUMENTATION (chap. II, 2 - XV)

I. La « *ratio patientiae* » : la patience divine est la raison d'être de la patience humaine, son fondement et l'idéal vers lequel celle-ci doit tendre (II, 2 - VI).

   1. Présentation de la patience divine (II, 2 - III) :
      a. La *patientia Dei* (II, 2-3)
      b. La *patientia Christi* (III)

   2. Digression : rôle de la patience dans l'obéissance et la soumission dues à Dieu (IV).

   3. Le vice opposé, l'impatience, a Satan pour auteur (V) :
      a. Ses origines (Adam et Ève ; Caïn) et sa dégénérescence en colère, puis en crime (V, 1-17).
      b. Ses développements ultérieurs : tout péché est imputable à l'impatience ; les révoltes d'Israël (V, 18-25).

   4. Patience et « foi » (VI) :
      a. La patience d'Abraham (VI, 1-2).
      b. La patience dans la Loi nouvelle (VI, 3-6).

II. La « *disciplina patientiae* » : les règles qu'il convient d'observer tant en ce qui concerne la patience de l'âme que celle du corps (VII-XIV).

1. La « *patientia animi* » : les principaux motifs qui la mettent à l'épreuve : « *principales inpatientiae materiae* » (VII-XII).
   a. La perte de biens matériels : « *detrimentum rei familiaris* » (VII).
   b. Les outrages : « *iniuriae* » (VIII).
   c. Les deuils : « *amissio nostrorum* » (IX).
   d. Le désir de vengeance : « *ultionis libido* » (X).
   e. Conclusion :
      — Il faut opposer la patience à tous les maux (XI, 1-4).
      — L'exercice de la patience s'accompagne de la félicité (XI, 5-9).
      — La patience joue un rôle éminent dans la vie du chrétien : patience et pénitence (XII, 1-7) ; patience et charité (XII, 8-10).
2. La « *patientia corporis* » (XIII).
   a. L'ascèse (XIII, 1-4).
   b. La continence (XIII, 5).
   c. Le martyre (XIII, 6-8).
3. Exemples de patience (XIV).
   a. Exemples de patience du corps : Isaïe et Étienne (XIV, 1).
   b. Exemple de patience de l'âme et du corps : Job (XIV, 2-7).

III. Les « *opera patientiae* » (XV).
   1. Force et fruits de la patience chrétienne (XV, 1-3).
   2. Allégorie de Patience (XV, 4-7).

PÉRORAISON (chap. XVI)

I. Les caricatures de la vertu de patience (XVI, 1-4).
II. Exhortation à la véritable patience (XVI, 5).

CONSPECTVS SIGLORVM

β   Hirsaugiensis amissus cuius aliquot lectiones a Beato Rhenano traditae sunt.

M   Montepessulanus H 54, saex. XI.

P   Selestatiensis 88 (Paterniacensis 439), saec. XI.

F   Florentinus Magliabechianus, conv. soppr. I, VI, 10, saec. XV.

X   Luxemburgensis 75, saec. XV.

N   Florentinus Magliabechianus, conv. soppr. I, VI, 9, saec. XV.

G   Gorziensis amissus quem adhibuit Beatus Rhenanus in tertia editione sua.

D   Diuionensis amissus quem Rigaltius adhibuit cuiusque aliquot lectiones a Pithoeo indicatae sunt.

O   Vaticanus Ottobonianus lat. 25, saec. XIV.

B   M. Mesnartii editio, Parisiis 1545, qui uetustissimum codicem quemdam adhibuit.

R   consensus R^1, R^2, R^3.

R^1 Beati Rhenani editio princeps, Basileae 1521.

R^2 Beati Rhenani editio secunda, Basileae 1528.

R^3 Beati Rhenani editio tertia, Basileae 1539.

Gel   S. Gelenii editio prior, Basileae 1550.

Pam   I. Pamelii editio, Antuerpiae 1584.

Iun   Pamelii editio cum F. Iunii notis, Franekerae 1597.

Rig   N. Rigaltii editio, Lutetiae 1634, 1641^2.

Krm   E. Kroymann, Wien-Leipzig 1906 (*CSEL* 47)

Brf   J.H. Borleffs, Turnholti 1954 (*CCL* 1).

Engel   conjectures d'A. Engelbrecht signalées à Kroymann qui les a reproduites dans son apparat critique.

Lat   conjectures de Lat. Latinius sur l'édition de Pamelius, Rome 1584.

Scal.   conjectures de Scaliger, indiquées d'après l'apparat critique de Kroymann et de Borleffs.

Vrs   corrections de F. Orsini, publiées par Jean de Wouwer, Francfort 1603.

*
* *

a.c.	ante correctionem
add.	addidit
coni.	coniecit
corrupt.	corruptela
def.	deficit
del.	deleuit
dub.	dubitanter
fort.	fortasse
in app.	in apparatu critico
ind.	indicauit
iter.	iterauit
lac.	lacuna
leg.	legit
mg.	in margine
om.	omisit
p.c.	post correctionem
prop.	proposuit
secl.	seclusit
susp.	suspicatus est
transp.	transposuit
M^1, M^2	prima, secunda manus in M, etc.

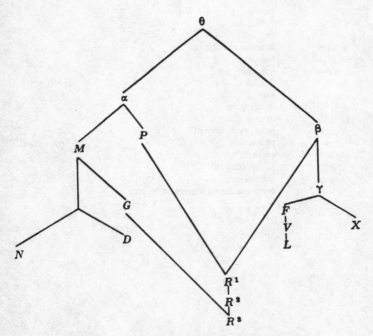

Stemma codicum collectionis Cluniacensis

TEXTE
ET TRADUCTION

DE PATIENTIA

I, 1. Confiteor ad dominum Deum satis temere me, si non
etiam inpudenter, de patientia componere ausum, cui praestandae idoneus omnino non sim, ut homo nullius boni,
quando oporteat demonstrationem et commendationem ali-
5 cuius rei adortos ipsos prius in administratione eius rei
deprehendi et constantiam commonendi propriae conuersa-
tionis auctoritate dirigere, ne dicta factis deficientibus erubescant. **2.** Atque utinam erubescere istud remedium ferat, uti
pudor non exhibendi quod aliis suggestum imus exhibendi
10 fiat magisterium ! Nisi quod bonorum quorundam, sicuti et
malorum, intolerabilis magnitudo est, ut ad capienda et
praestanda ea sola gratia diuinae inspirationis operetur.
3. Nam quod maxime bonum, id maxime penes Deum nec
alius id quam qui possidet dispensat, ut cuique dignatur[a].
15 **4.** Itaque uelut solacium erit disputare super eo quod frui

---

Titulus : INCIP̄ DE PACIENTIA *M* INCIPIT DE PACIENTIA
TERTVLLIANI *P* Incipit liber Q. Septimi Florentis Tertulliani presbyteri
de patientia dei *F* Incipit Liber Q. Septimi Florentis Tertulliani presbiteri
Carthaginensis De pacientia dei floruit anno CC° *X*

I, 1 ad *MP FX R B Krm Brf* : apud *O* ‖ 2 inpudenter *MP FX R B
Krm Brf* : -prud- *O* ‖ 3 sim *M* β *F O D R B Krm Brf* : sum *P X* ‖ 4
quando *MP FX R B Krm Brf* : cum *O* ‖ 5 eius *MP FX R B Krm Brf* :
ullius *O* ‖ 6 deprehendi *MP F O R B Krm Brf* : rep- *X* ‖ commonendi
MP O R B Krm Brf : commen- *F* -mouen- *X* ‖ 7 *post* erubescant *usque
ad* 13 nam *def. O* ‖ 8 istud *MP R B Krm Brf* : illud *FX* ‖ 9 quod *M FX
R B Krm Brf* : quo *P* ‖ suggestum imus β *X· R B Krm Brf* : suggestum

DE LA PATIENCE

Exorde   I, 1. Je reconnais devant le
Seigneur Dieu qu'il m'a fallu
pas mal d'audace, si même ce n'est pas de l'impudence, pour
prendre le risque d'écrire sur la patience, dont je suis totalement incapable de faire preuve, en homme dépourvu de toute
qualité, puisque ceux qui entreprennent de faire connaître
quelque bien et de le recommander doivent d'abord eux-
mêmes laisser voir qu'ils le mettent en pratique et subordonner leur fermeté dans l'exhortation à l'exemplarité de leur
propre mode de vie, s'ils ne veulent pas que leurs propos
aient à rougir de leur conduite défaillante. 2. Mais puis-
sions-nous en rougissant obtenir le remède attendu et faire
que la honte de ne pas mettre en pratique ce que nous
sommes venu conseiller aux autres constitue une leçon pour
le pratiquer ! Sans toutefois perdre de vue que certains biens,
comme aussi certains maux, sont par leur poids au-dessus de
nos forces, de sorte que, pour que nous nous en chargions et
que nous les assumions, seule est efficace la grâce de l'inspiration divine. 3. Car ce qui est éminemment un bien se
trouve éminemment en Dieu et nul autre que son possesseur
ne le dispense, à chacun comme il lui plaît[a]. 4. Aussi
sera-ce pour moi une sorte de réconfort que d'examiner ce

minus *M D* suggestu minus *P* suggestum unus *F* ‖ 15 uelut *M F X O R B*
Krm : om. *P* secl. *Brf* ‖ quod *MP FX R B Krm Brf* : quo *O*

a. cf. I Cor. 12, 11.

non datur, uice languentium qui cum uacent a sanitate de
bonis eius tacere non norunt. 5. Ita miserrimus ego semper
aeger caloribus inpatientiae, quam non optineo patientiae
sanitatem, et suspirem et inuocem et perorem necesse est,
20 cum recordor et in meae inbecillitatis contemplatione digero
bonam fidei ualitudinem et dominicae disciplinae sanitatem
non facile cuiquam nisi patientia adsideat prouenire. 6. Ita
praeposita Dei rebus est, ut nullum praeceptum obire quis,
nullum opus domino complacitum perpetrare extraneus a
25 patientia possit.

7. Bonum eius etiam qui caeca uiuunt summae uirtutis
appellatione honorant ; philosophi quidem, qui alicuius
sapientiae animalia deputantur, tantum illi subsignant ut,
cum inter sese uariis sectarum libidinibus et sententiarum
30 aemulationibus discordent, solius tamen patientiae in
commune memores huic uni studiorum suorum commiserint
pacem : in eam conspirant, in eam foederantur, in illam
adfectatione uirtutis unanimiter student ; omnem sapientiae
ostentationem de patientia praeferunt. 8. Grande testimo-
35 nium eius est cum etiam uanas saeculi disciplinas ad laudem
et gloriam promouet ! Aut numquid potius iniuria, cum
diuina res in saecularibus artibus uolutatur ? 9. Sed uiderint
illi quos mox sapientiae suae cum saeculo destructae ac
dedecoratae pudebit[b] !

16 uice *MP X O R B Krm Brf* : mee *F* ‖ cum *MP X R B Krm Brf* :
eum *F* quod *O* ‖ *post* uacent *usque ad* II, 10 *multa in cod.* M
exciderunt ‖ 17 ita *NP F O R B Krm Brf* : itaque *X* ‖ 19 et² *om. O* ‖ et
perorem *om. O* ‖ *post* necesse est *usque ad* 25 possit *def. O* ‖ 23 praeposita *FX Krm Brf* : prop- *MP R B* ‖ obire β *FX Krm Brf* : -icere *NP D R
B* ‖ 24 domino complacitum *R B Krm Brf* : dominicum placitum *NP F*
dominum placitum *X D* ‖ 24-25 a patientia *P R B Krm Brf* : sapientia *N
FX D* ‖ 26 eius *NP FX R B Krm Brf* : cuius *O* ‖ caeca uiuunt *P*pc *X R
B Krm Brf* : caeca uiuat *MP*ac *D* ex ea uiuunt *F* ‖ 26-27 *post* caeca
usque ad appellatione *om. O* ‖ 27 honorant *X O R B Krm Brf* : -rent *MP*
-rarent *F* ‖ 28 animalia *MP FX O R B Brf* : -lis *Vrs Krm* ‖ 30-31 in
commune *M* β *FX O R B Krm Brf* : *om.* P ‖ 31 uni *om. FX* ‖ commiserint *M FX R B Krm Brf* : -r̃ *P* -runt *O* ‖ 32 in eam¹ *P X O R B Krm
Brf* : meam *M F* ‖ in eam² *NP X O R B Krm Brf* : meam *F* ‖ 32 in

dont il ne m'est pas donné de jouir, comme ces malades qui ont perdu la santé et ne savent pas se taire sur ses avantages. 5. Ainsi moi, le plus misérable des êtres, toujours souffrant des fièvres de l'impatience, incapable d'avoir la santé de la patience, je suis réduit à soupirer après elle, à l'invoquer, à en parler, car je me rappelle et, le regard fixé sur ma faiblesse, je comprends que, sans l'assistance de la patience, personne ne peut espérer posséder la vigueur de la foi et la santé de la discipline du Seigneur. 6. Telle est sa situation à la tête des choses de Dieu qu'on ne peut, si on est étranger à la patience, s'acquitter d'aucun précepte, accomplir aucune action agréable au Seigneur.

7. Ce bien qu'est la patience, même ceux qui vivent dans l'aveuglement l'honorent du nom de vertu souveraine : en tout cas les philosophes, qui passent pour être des animaux de quelque sagesse, font d'elle si grand cas que, malgré leurs divergences, suscitées par le caprice des diverses sectes et leurs rivalités doctrinales, ils recherchent ensemble la patience, et elle seule, et ne font que pour elle la paix dans leurs études : pour elle ils s'unissent, pour elle ils s'allient, pour elle, affectant la vertu, ils travaillent d'un même cœur ; toute la démonstration de sagesse qu'ils étalent a pour objet la patience. 8. Le beau témoignage en sa faveur, puisqu'elle contribue même à la louange et à la gloire des vaines disciplines du siècle ! Ou plutôt quel affront, puisqu'un bien divin se trouve mêlé aux activités du siècle ! 9. Mais qu'importent ces gens qui, sous peu, auront honte de leur sagesse qui sera détruite et déconsidérée en même temps que le siècle[b] !

illam O Krm Brf : illam in MP FX D R¹R² illi in R³B ‖ 33 adfectatione NP R B Krm Brf : -fectione FX O ‖ unanimiter – sapientiae om. F ‖ 36 promouet MP ᵃᶜ F O R B Krm Brf : -moueat P ᵖᶜ -mouent X˙‖ numquid MP FX R B Krm Brf : non quid O ‖ 37 artibus om. O ‖ uolutatur MP X O R B Krm Brf : uolunt- F ‖ 39 dedecoratae MP X O R B Krm Brf : decor- F

b. cf. Is. 29, 14 ; I Cor. 1, 19.

II, 1. Nobis exercendae patientiae auctoritatem non adfectatio humana caninae aequanimitatis stupore formata, sed
uiuae ac caelestis disciplinae diuina dispositio delegat, Deum
ipsum ostendens patientiae exemplum, 2. iam primum qui
5 florem lucis huius super iustos et iniustos aequaliter spargit[a],
qui temporum officia elementorum seruitia totius geniturae
tributa dignis simul et indignis patitur occurrere, 3. sustinens
ingratissimas nationes ludibria artium et opera manuum
suarum adorantes[b], nomen familiam ipsius persequentes,
10 luxuria auaritia iniquitate malignitate cottidie insolescentes,
ut sua sibi patientia detrahat : plures enim dominum idcirco
non credunt, quia saeculo iratum tam diu nesciunt.

III, 1. Et haec quidem diuinae patientiae species quasi de
longinquo fors ut de supernis aestimetur : quid illa autem
[patientiam], quae inter homines palam in terris quodammodo manu adprehensa est[a] ? 2. Nasci se Deus patitur : in
5 utero matris [et] expectat[b] et natus adolescere sustinet[c] et
adultus non gestit agnosci, sed contumeliosus insuper sibi est

---

II, 1 adfectatio *MP FX D R B Krm Brf* : -fectio *O* ‖ 3 uiuae ac *Krm
Brf* : uiua ac *MP R B* uiuet ac β uiue a te *FX* uiue et *O* ‖ delegat *O R³ B
Krm Brf* : dilig- *MP FX R¹R²* dirig- β *D* ‖ 4 *post* ipsum *iter.* deum *FX,
add.* dominum et *O* ‖ qui *MP X O R B Krm Brf* : quae *F* ‖ 7 patitur *FX
Brf* : -tiatur *MP O R B Krm* ‖ *post* occurrere *usque ad* III, 10 *cod. N
haud facile legi potest* ‖ 9 nomen — persequentes *om. O* ‖ familiam *MP
β¹ R B Krm Brf* : cum familia β² (cf. *R²mg*) *FX* ‖ 10 luxuria auaritia iniquitate malignitate *dub. susp. in app. Krm Brf* : luxuriam auaritiam ini-
quitatem malignitatem *MP FX R B Krm* luxuriam auaritiam malignitatem *O* ‖ insolescentes *X dub. susp. in app. Krm Brf* : -tem *MP F O R B
Krm* ‖ 11 sibi *MP O R B Krm Brf* : eis *FX* ‖ 12 diu nesciunt *M X O R
B Krm Brf* : diuinae sciunt *P* diu nesciuit *F*

---

a. cf. Matth. 5, 45.   b. cf. Is. 2, 8 ; 17, 8 ; Jér. 1, 16 ; etc.

III, 1 patientiae *MP X O R B Krm Brf* : -tia *F* ‖ 2 fors *MP X R B
Krm Brf* : sors *F* ‖ fors — supernis *om. O* ‖ aestimetur *MP X R B Krm*

**« Ratio patientiae » :
Dieu et le Christ,
fondements et modèles
de patience**

II, 1. Au contraire, ce qui accrédite pour nous l'exercice de la patience, ce n'est pas quelque affectation purement humaine de cynique équanimité, façonnée par l'insensibilité, mais la divine disposition d'une discipline vivante et céleste, montrant Dieu lui-même comme modèle de patience, 2. lui qui, dès le début, répand également sur les justes et sur les injustes l'éclat de notre lumière[a], qui souffre que bénéficient du service des saisons, de la domesticité des éléments, des présents de la création tout entière aussi bien ceux qui le méritent que ceux qui ne le méritent pas, 3. supportant l'ingratitude des païens qui adorent des produits dérisoires de leurs arts et des ouvrages de leurs mains[b], tandis qu'ils persécutent son nom et ses serviteurs et qu'ils croissent chaque jour en luxure, en avarice, en iniquité, en méchanceté, de sorte qu'il se porte tort à lui-même par sa propre patience : beaucoup en effet ne croient pas au Seigneur, parce qu'ils sont depuis si longtemps dans l'ignorance de sa colère contre le siècle !

III, 1. Certes cette forme de patience divine est peut-être jugée pour ainsi dire éloignée, parce qu'elle vient d'en haut : mais celle qui s'est manifestée parmi les hommes, ouvertement, sur la terre, qu'on a touchée en quelque sorte de la main[a] ? 2. Dieu souffre de naître, patiemment : il attend dans le sein de sa mère[b] ; une fois né, il accepte de grandir[c] ; une fois grand, il ne cherche pas à se faire connaître ; mais il

Brf : - matur *F* -mabitur *O* ‖ illa *MP FX R B Krm Brf* : -am *O* ‖ 3 patientiam *add. O* ‖ 4 deus se *transp. D* ‖ patitur. in utero *O Brf* : in utero patitur *MP FX R B Krm* ‖ 5 expectat *FX O Brf* : et expectat *MP R B secl. Krm* ‖ et[3] *MP FX D Krm Brf* : om. *O R B* ‖ 6 gestit *P R B Krm Brf* : -tiet *M FX D* gessit *O* ‖ post gestit usque ad 16 despexit def. O*

a. cf. I Jn 1, 1   b. cf. Lc 1, 31.   c. cf. Lc 2, 52.

et a seruo suo tinguitur[d] et temptatoris congressus solis uer-
bis repellit[e] ; 3. cum de domino fit magister docens hominem
euadere mortem[f], absolutam scilicet ueniam offensae patien-
10 tiae eruditus[g], 4. non contendit, non reclamauit nec
quisquam in plateis uocem eius audiuit ; arundinem quassa-
tam non fregit, linum fumigans non restinxit[h] (nec enim
mentitus fuerat propheta, immo ipsius Dei contestatio spiritum suum in filio cum tota patientia collocantis !),
15 5. nullum uolentem sibi adhaerere non suscepit, nullius men-
sam tectumue despexit, atquin ipse lauandis discipulorum pedibus ministrauit[i] ; 6. non peccatores, non publicanos asper-
natus est[j], non illi saltim ciuitati quae eum recipere noluerat
iratus est, cum etiam discipuli tam contumelioso oppido cae-
20 lestes ignes repraesentari uoluissent[k] ; ingratos curauit, insi-
diatoribus cessit[l]. 7. Parum hoc, si non etiam proditorem
suum secum habuit nec constanter denotauit[m]. Cum uero tra-
ditur, cum adducitur ut pecus ad uictimam (sic enim *non magis aperit os quam agnus sub tondentis potestate*[n]), ille, cui le-
25 giones angelorum si uoluisset uno dicto de caelis adfuissent,
ne unius quidem discentis gladium ultorem probauit[o]. 8. Pa-

---

7 tinguitur *MP X D R B Krm Brf* : cingit- *F* ‖ et *om. X* ‖ solis *MP F R B Krm Brf* : -lus *X* ‖ 8 domino *MP FX R B Brf* : deo *Krm* ‖ 9 absolutam β *D Rig* : -tem *M* -te *P R B* ob salutem *FX Krm Brf* ‖ ueniam offen-
sae patientiae *MP R B Krm Brf* : uenire offensa patientia *F* uenie offensa
pacientia *X* ‖ 10 eruditus *MP FX R B* : -ditum *Krm* -dit *Brf* ‖ 12 linum
MP X R B Krm Brf : lumen *F* ‖ restinxit *MP R B Krm Brf* : -trin- *FX* ‖
14 filio *MP FX R B Krm Brf* : -um *D* ‖ patientia tota *transp. D* ‖ 16-17
atquin — ministrauit *secl. Krm* ‖ 16 lauandis *M FX R B Krm Brf* : -dus
P ‖ 17 *post* ministrauit *usque ad* 30 uenerat *def. O* ‖ 18 saltim illi
transp. X ‖ 20 repraesentari *MP R B Krm Brf* : -re *FX* ‖ 24 tondentis
MP X R B Krm Brf : condent- *F* ‖ 26 discentis M β *FX R³ B Krm Brf* :
ducentis *P* ac educentis *P* pc*R¹R²*

---

d. cf. Matth. 3, 13 ; Mc 1, 9 ; Lc 3, 21.   e. cf. Matth. 4, 1.10-11 ; Mc
1, 13 ; Lc 4, 1 s.   f. cf. Jn 8, 51 ; I Cor. 15, 54-57.   g. cf. Is.
50, 4 s. ?

s'humilie lui-même, se fait baptiser par son serviteur[d], n'utilise que des paroles pour repousser les assauts du tentateur[e] ; 3. quand de Seigneur il se fait maître, enseignant à
l'homme à échapper à la mort[f], lui qui avait appris à ac-
corder le pardon, total bien sûr, des offenses faites à sa
patience[g], 4. il n'a pas discuté, il n'a pas réclamé, et personne sur les places publiques n'a entendu sa voix ; il n'a pas
brisé le roseau froissé, il n'a pas éteint la mèche fumante[h]
— en effet il n'avait pas menti, le prophète, ou plutôt le témoignage de Dieu lui-même déposant son esprit dans son fils
avec toute sa patience ! —,   5. il a accueilli quiconque voulait s'attacher à lui, il n'a méprisé la table ni le toit de personne, bien plus il a procédé lui-même au lavement des pieds de
ses disciples[i] ;   6. il n'a repoussé ni les pécheurs ni les publi-
cains[j], il ne s'est pas non plus emporté contre la cité qui avait
refusé de le recevoir, alors que ses disciples auraient voulu
voir se reproduire sur une ville aussi insolente les feux du
ciel[k] ; il a guéri les ingrats, il a cédé aux traitres[l].   7. C'eût
été encore peu, s'il n'avait eu aussi avec lui celui qui devait le
livrer et ne l'avait blâmé sans éclat[m]. Et quand on le livre,
quand on le conduit comme une bête à l'égorgement (tant il
est vrai qu'« il n'ouvre pas plus la bouche que l'agneau sous
la main puissante du tondeur[n] »), lui que des légions d'anges
venues du ciel auraient assisté sur un mot de sa part, s'il
l'avait voulu, il n'a même pas approuvé l'épée vengeresse
d'un seul de ses disciples[o].   8. La patience du Seigneur a

h. cf. Matth. 12, 19 s. ; Is. 42, 2-3.   i. cf. Jn 13, 2 s.   j. cf. Matth. 9, 11 ;
Mc 2, 16 ; Lc 5, 30.   k. cf. Lc 9, 52-55.   l. cf. Lc 17, 11-19 ; Matth.
26, 20 s.   m. cf. Lc 22, 21 ; Jn 13, 21-28.   n. cf. Is. 53, 7.   o. cf. Matth.
26, 51-53.

tientia domini in Malcho uulnerata est[p] : itaque et gladii
opera maledixit in posterum et sanitatis restitutione ei quem
non ipse uexauerat satisfecit, per patientiam misericordiae
30 matrem[q]. 9. Taceo quod figitur, in hoc enim uenerat[r] : numquid tamen subiendae morti etiam contumeliis opus fuerat ?
Sed saginari patientiae uoluptate discessurus uolebat : despui-
tur uerberatur deridetur, foedis uestitur, foedioribus corona-
tur[s]. 10. Mira aequanimitatis fides : qui in hominis figura
35 proposuerat latere, nihil de inpatientia hominis imitatus est !
Hinc uel maxime, pharisaei, dominum agnoscere debuistis :
patientiam huiusmodi nemo hominum perpetraret ! 11. Talia
tantaque documenta, quorum magnitudo penes nationes quidem detrectatio fidei est, penes nos uero ratio et structio, satis
40 aperte, non sermonibus modo in praecipiendo, sed etiam passionibus domini sustinendo, probant his quibus credere datum
est patientiam Dei esse naturam, effectum et praestantiam ingenitae cuiusdam proprietatis.

IV, 1. Igitur si probos quosque seruos et bonae mentis pro
ingenio dominico conuersari uidemus (siquidem artificium
promerendi obsequium est, obsequii uero disciplina morigera

27 et *om. F* ‖ 29 per *M FX R*³ *B Krm Brf*: pro *P R*¹*R*² ‖ 30-31
numquid *MP X O R B Krm Brf*: -quam *F* ‖ 31 subiendae *MP* ᵃᶜ *FX D*
Krm Brf: subeunde *P* ᵖᶜ subigendae *O Bmg* ‖ 32 sed *MP FX R B Krm*
Brf: si *O* ‖ patientiae uoluptate *O Brf*: uoluptate patientiae *MP FX R B*
Krm ‖ 33 foedioribus *M* β *FX R B Krm Brf*: foedisoribus *P* ‖ 34 aequanimitatis *MP X R B Krm Brf*: aequanimitas *F* aequanimitas et *O* ‖ 36
hinc *MP X O R B Krm Brf*: huic *F* ‖ 37 patientiam β *FX R B Krm Brf*:
-tia *MP D* ‖ perpetraret *MP FX R B Krm Brf*: ministr- *O* ‖ *post*
perpetraret *usque ad* IV, 24 obluctatur *def. O* ‖ 38 quorum *MP FX*ᵖᶜ *R B*
Krm Brf: quae *X*ᵃᶜ ‖ 39 structio *MP R B Krm Brf*: instr- β *FX* ‖ 40
aperte *MP R B Krm Brf*: -ta *FX* ‖ praecipiendo *M* ᵖᶜ*P R B Krm Brf*:
pcip- *M* ᵃᶜ praeciendo *F* paciendo *X* ‖ 41 *ante* sustinendo *add.* in *Iun*
Krm Brf ‖ his *MP F R B Krm Brf*: hii *X* ‖ 42 effectum *Rig Krm Brf*:
-tam *MP FX R B*

p. cf. Jn 18, 10.   q. cf. Lc 22, 51.

reçu une blessure dans la personne de Malchus[p] : aussi a-t-il maudit pour la suite les œuvres du glaive, et en rendant son intégrité physique à celui qu'il n'avait pas fait souffrir de sa main il lui a donné réparation, grâce à la patience, mère de la miséricorde[q]. 9. Je ne dis rien de sa crucifixion, il était venu pour cela[r] : cependant, pour affronter la mort, avait-il besoin encore d'insultes ? Mais, au moment de s'en aller, il voulait se rassasier du plaisir de la patience : on lui crache dessus, on le frappe, on se moque de lui, on l'habille de façon dégradante, on le couronne de façon plus dégradante encore[s]. 10. Foi admirable dans l'équanimité ! Celui qui s'était proposé de se cacher sous une figure humaine n'a rien imité de l'impatience humaine ! C'est à ce signe plus qu'à tout autre, pharisiens, que vous auriez dû reconnaître le Seigneur : aucun être humain ne pouvait faire preuve d'une telle patience ! 11. De si belles et si grandes leçons, dont la sublimité est sans doute chez les païens un argument contre la foi, mais chez nous sa raison et son support, apportent, avec une netteté suffisante, à ceux à qui il a été donné de croire, la preuve, non seulement par les paroles du Seigneur, dans son enseignement, mais encore par sa passion, du fait de son courage, que la patience est un caractère spécifique de Dieu, l'effet et la réalisation d'une propriété innée.

Digression : patience, soumission et obéissance   **IV,** 1. Et puisqu'aussi bien nous voyons tous les serviteurs honnêtes et de bonne disposition se conformer dans leur façon de vivre au caractère de leur maître (puisque l'art d'acquérir des mérites c'est la déférence, et que la discipline de la déférence

r. cf. Jn 12, 27.   s. cf. Matth. 27, 27-31 ; Mc 15, 16-20 ; Jn 19, 1-3.

IV, 3 promerendi *MP X R B Krm Brf* : -dae *F*

subiectio est), quanto magis nos secundum dominum mora-
5 tos inueniri oportet, seruos scilicet Dei uiui, cuius iudicium in
suos non in compede aut pilleo uertitur, sed in aeternitate aut
poenae aut salutis ! 2. Cui seueritati declinandae uel liberalitati inuitandae tanta obsequii diligentia opus est, quanta sunt
ipsa quae aut seueritas comminatur aut liberalitas pollicetur.
10 3. Et tamen nos non de hominibus modo seruitute subnixis[a]
uel quolibet alio iure debitoribus obsequii, uerum etiam de
pecudibus, etiam de bestiis oboedientiam exprimimus, intelle-
gentes usibus nostris eas a domino prouisas traditasque[b].
4. Meliora ergo nobis erunt in obsequii disciplina quae nobis
15 Deus subdit ? Agnoscunt denique quae oboediunt : nos, cui
soli subditi sumus, domino scilicet, auscultare dubitamus ?
At quam iniustum est, quam etiam ingratum, quod per alterius indulgentiam de aliis consequaris, idem illi, per quem
consequeris, de temetipso non rependere ! 5. Nec pluribus de
20 obsequii exhibitione debiti a nobis domino Deo : satis enim
agnitio Dei quid sibi incumbat intellegit. Ne tamen ut extraneum de obsequio uideamur interiecisse, ipsum quoque
obsequium de patientia trahitur : numquam inpatiens obsequitur aut patiens quis [non] obluctatur. 6. Quam ergo
25 dominus, omnium bonorum et demonstrator et acceptator
Deus, in semetipso circumtulit, quis de bono eius late
retractet ? Cui enim dubium sit omne bonum, quia ad Deum

4 est *dub. del. in app. Brf* || secundum dominum moratos *B Krm Brf* :
secundum moratos *MP D R* secundum morigeratos *FX* || 8 diligentia
MP FX R B Krm Brf : -ii *D* || 10 seruitute *MP F R B Krm Brf* : seueri-
tate *X* || subnixis *MP FX R B Brf* : -nexis *Scal Krm* || 13 traditasque *MP
X R B Krm Brf* : tractas- *F* || 15 agnoscunt denique primi cuiuslibet
dominium eidemque oboediunt *susp. in app. Krm* || 19 de temetipso *om.
Brf* || pluribus de *MP X R B Krm Brf* : de plurima *F* || 20 debiti *P^{ac} Krm
Brf* : debite *M X D* debita *P^{pc} R B* non debite *F* || nobis *MP X R B Krm
Brf* : uobis *F* || *post* deo *add.* gratias non agere *F,* nec de plurima obsequii
exhibitione non debite a nobis domino deo gratias non agere *X* || 21 ne
MP X R B Krm Brf : nec *F* || 22 interiecisse *MP F R B Krm Brf* :
intraiec - *X* || 23-24 numquam inpatiens obsequitur aut patiens quis
obluctatur *R³B Brf* : numquam... quis non oblectatur *MP F D R¹R²*
numquam... quis non oblectatus *X* numquis non patiens obsequitur aut

c'est une soumission docile), à combien plus forte raison
devons-nous montrer que nous réglons docilement notre vie
sur le Seigneur, nous les serviteurs du Dieu vivant, dont le
jugement sur les siens met en jeu non des entraves ou un
bonnet, mais un châtiment ou un salut également éternels ! 2. Or pour fléchir sa sévérité ou solliciter sa bonté, il
faut montrer dans l'obéissance un empressement à la mesure
du verdict que nous fait craindre sa sévérité ou nous laisse
espérer sa bonté. 3. Et d'ailleurs, pour notre part, ce n'est
pas seulement des hommes de condition servile[a] ou de ceux
qui pour quelque motif juridique que ce soit nous doivent
déférence, mais même des bêtes domestiques, même des bêtes
sauvages, que nous obtenons l'obéissance, car nous comprenons qu'elles ont été prévues et confiées pour notre service
par le Seigneur[b]. 4. Elles respecteront donc mieux que nous
la discipline de la déférence les créatures que Dieu nous
soumet ? Nous obéir, c'est nous reconnaître : et nous, le seul
auquel nous soyons soumis, le Seigneur, nous hésitons à
l'écouter ? Mais quelle injustice, quelle ingratitude aussi, que
de voir que ce que l'indulgence de l'un nous fait obtenir des
autres, lui, qui nous le fait obtenir, ne le reçoit pas de nous en
retour ! 5. Inutile d'en dire davantage sur le devoir de
déférence que nous avons envers le Seigneur Dieu : la connaissance de Dieu suffit à discerner ce qui lui revient. Toutefois, pour ne pas donner l'impression d'avoir fait sur la
déférence une digression étrangère au sujet, la déférence elle-
même dérive aussi de la patience : jamais un homme impatient ne se montre déférent ni un homme patient agres-
sif. 6. De cette patience donc, que le Seigneur, lui, Dieu qui

patiens obluctatur ? *F. Leo Krm* || 25 acceptator *MP Rig Krm Brf* : -ptor
FX O R B || 26 deus *post* 25 dominus *transp. Krm* || 26-27 late retractet
O R¹R² Krm Brf : latere tractet *MP FX D* latere retractet *R³B* || 27 enim
O Brf : item *MP FX R B Krm* || quia ad *FX R B Krm Brf* : qui ad *M*
quoad *P* ᵃᶜ qua ad *P* ᵖᶜ quod *O*

a. cf. Éphés. 6, 5 ; Col. 3, 22 ; Tite 2, 9-10.   b. cf. Gen. 1, 26.

pertineat, pertinentibus ad Deum tota mente sectandum ? Per
quae in expedito et quasi in praescriptionis compendio et
30 commendatio et exhortatio de patientia constituta est.

V, 1. Verumtamen procedere disputationem de necessariis
fidei non est otiosum, quia nec infructuosum : loquacitas in
aedificatione nulla [turpis], si quando, turpis. 2. Itaque si de
aliquo bono sermo est, res postulat contrarium eius quoque
5 boni recensere : quid enim sectandum sit, magis inluminabis,
si quid uitandum sit proinde digesseris. 3. Consideremus
igitur de inpatientia an, sicut patientia in Deo, ita aduersaria
eius in aduersario nostro nata atque comperta sit, ut ex isto
appareat quam principaliter fidei aduersetur. 4. Nam quod
10 ab aemulo Dei conceptum est utique non est amicum Dei
rebus. Eadem discordia est rerum quae et auctorum : porro
cum Deus optimus, diabolus e contrario pessimus, ipsa sui
diuersitate testantur neutrum alteri facere, ut nobis non magis
a malo aliquid boni quam a bono aliquid mali editum uideri
15 possit. 5. Igitur natales inpatientiae in ipso diabolo deprehendo, iam tunc cum dominum Deum uniuersa opera [sua]
quae fecisset imagini suae, id est homini, subiecisse inpatienter tulit[a]. 6. Nec enim doluisset si sustinuisset, nec [enim]

28-30 per quae *usque ad* constituta est *om. O* ‖ 29-30 et commendatio
et exhortatio *secl. Rig Krm* ‖ 30 constituta *B Brf* : -tum *MP FX D R
Krm*

V, 1 procedere *MP FX O R B* : -cud- *Scal Krm Brf* ‖ disputationem
MP FX R B Krm Brf : dispositione *O* ‖ de *om. O* ‖ 3 turpis[1] *seclusi* ‖
si quando turpis *om. O* ‖ itaque si *P[pc] R B Krm Brf* : itaque *MP[ac] FX D*
quando illa cum *O* ‖ 4 res postulat *MP FX R B Krm Brf* : repostulat
O ‖ eius *O Brf* : *om. MP FX R B Krm* ‖ 5 boni *MP FX R B Krm Brf* :
bono *O* ‖ 6 quid *O Krm Brf* : quod *MP FX R B* ‖ proinde *MP X R B
Krm Brf* : prouide β *F* ‖ *post* digesseris *usque ad* 15 possit *def. O* ‖ 11
eadem *Pmg R B Krm Brf* : earum *MP FX D* ‖ 13 *ante* diuersitate *add.* de
F ‖ alteri *MP FX R B Brf* : -rius *E. Bruhn Krm* ‖ 14 editum *Bmg Krm
Brf* : dictum *MP FX R B* ‖ 16 sua *add. O* ‖ 17 suae *MP F R B Krm
Brf* : sui *X* ‖ 18 enim[2] *secl. R B Krm Brf*

fait connaître et agrée tous les biens, a portée en lui avec éclat, qui exposerait trop longuement tout le bien ? Qui douterait que tout bien, parce qu'appartenant à Dieu, doive être recherché de tout leur cœur par ceux qui appartiennent à Dieu ? Ainsi avons-nous tout prêt un argument en quelque sorte abrégé et décisif sur lequel nous nous fondons pour recommander la patience et y exhorter.

Le vice opposé, l'impatience, a le Démon pour auteur   **V,** 1. Pourtant, faire avancer la discussion à propos des exigences de la foi n'est pas perdre son temps, car ce n'est pas une chose inutile : quand il s'agit d'édifier, les longs développements échappent au blâme, ou jamais. 2. Ainsi quand on s'entretient de quelque bien le débat réclame-t-il que l'on analyse aussi le vice opposé à ce bien : on éclairera mieux ce qu'il faut rechercher, si on décrit également ce qu'il faut éviter. 3. Examinons donc à propos de l'impatience si, comme la patience l'a été en Dieu, son ennemie n'est pas née et n'a pas été découverte chez notre ennemi, de manière à mettre en évidence par là à quel point elle est le principal ennemi de la foi. 4. Car ce qui a été conçu par le rival de Dieu ne saurait être favorable aux choses de Dieu. Il y a le même désaccord entre les choses qu'entre leurs auteurs : or puisque Dieu est très bon et que le Diable au contraire est très mauvais, ils montrent par leur propre opposition qu'aucun des deux ne sert la cause de l'autre, de sorte qu'un bien ne peut guère plus nous paraître avoir été réalisé par le Malin qu'un mal par le Tout Bon. 5. Je trouve donc l'origine de l'impatience dans le Diable lui-même, et dès le moment où il ne supporta pas avec patience que le Seigneur Dieu eût soumis à son image, c'est-à-dire à l'homme, toutes les œuvres qu'il avait créées[a]. 6. Car il ne se serait pas affligé s'il

a. cf. Gen. 1, 26.

inuidisset homini si non doluisset : adeo decepit eum quia
20 inuiderat, inuiderat autem quia doluerat, doluerat quia
patienter utique non tulerat. 7. Quid primum fuerit ille
angelus perditionis, malus an inpatiens, contemno quaerere,
palam cum sit aut inpatientiam cum malitia aut malitiam ab
inpatientia auspicatam, deinde inter se conspirasse et indiui-
25 duas in uno patris sinu adoleuisse. 8. Atenim quam primus
senserat, per quam primus delinquere intrauer*a*t, de suo expe-
rimento quid ad peccandum adiutaret *in*structus, eandem
inpingendo in crimen homini aduocauit. 9. Conuenta statim
illi mulier, non temere dixerim, per conloquium ipsum eius
30 adflata est spiritu inpatientia infecto[b] : usque adeo numquam
omnino peccasset, si diuino interdicto patientiam praeseruasset ! 10. Quid quod non sustinuit sola conuenta, sed
apud Adam, nondum maritum, nondum aures sibi debentem,
inpatiens etiam tacendi est *ac* traducem [ad] illum eius quod
35 a malo hauserat facit[c] ? 11. Perit igitur et alius homo per
inpatientiam alterius, perit *im*mo et ipse per inpatientiam
suam utrobique commissam, et circa Dei praemonitionem et
circa diaboli circumscriptionem, illam seruare₅hanc refutare
non sustinens. 12. Hinc prima iudicii unde delicti origo, hinc

---

19 si non *MP FX R B Krm Brf* : si *FX* nisi *O* ‖ adeo *MP FX R B
Krm Brf* : ideo β ‖ 20 *post* doluerat[2] *add.* autem *Krm* ‖ 21 primum *MP
FX O R B Brf* : prius *Krm* ‖ 22 inpatiens *MP FX O R B Krm Brf* :
patiens *F* ‖ 23 palam cum *MP FX R B Krm* : cum palam *O Brf* ‖ aut[1]
P [pc] *O D Krm Brf* : an *MP* [ac]*FX om. R B* ‖ cum *MP FX O R B* : ab *Krm
Brf* ‖ 23-24 inpatientiam a malitia *susp. R*[2]*mg* ‖ 24 inpatientia *MP FX
R B Krm Brf* : -tiam *O* ‖ auspicatam *MP FX R B Krm Brf* : consignatam
O ‖ 25 *post* adoleuisse *usque ad* 72 delicta *def. O* ‖ 25 primus *MP FX R
B Brf* : prius *Krm* ‖ 26 primus *MP FX G R*[1]*R*[2] *Brf* : *secl. R*[3]*B Krm* ‖
delinquere intrauerat *Rig Krm Brf* : delinquere intrauerit *MP* [ac]*FX G R*[3]*B*
deliquerat *P* [pc] *R*[1]*R*[2] ‖ 27 adiutaret *MP*[ac] *R*[3]*B Krm Brf* : -iuuaret *P*[pc] *F
R*[1]*R*[2] -iuuerit *X* ‖ instructus *Vrs Krm Brf* : structus *MP FX R B* ‖ 29
ante illi *add.* ille *F* ‖ conloquium *M*[pc]*P FX R B Krm Brf* : loquium *M*[ac] ‖
ipsum *MP R B Krm Brf* : ipsa *FX* ‖ 30 inpatientia *MP F R B Krm Brf* :
-tiae *X* ‖ *post* adeo *add.* ut *Vrs* ‖ 31-32 praeseruasset *MP X R B* : p̄se-
ruasset *F* perseruasset *Pam Krm Brf* ‖ 33 adam nondum maritum *MP X
R B Krm Brf* : adamandum maritum *F* ‖ 34 ac *Lat Krm Brf* : ad *MP FX*

l'avait supporté et il n'aurait pas pris l'homme en haine s'il ne
s'était pas affligé : tant il est vrai qu'il le trompa parce qu'il
l'avait pris en haine, or il l'avait pris en haine parce qu'il
s'était affligé et il s'était affligé parce que, bien entendu, il
n'avait pas supporté patiemment. 7. Que fut d'abord cet
ange de perdition, mauvais ou impatient ? Je ne veux pas
chercher à le savoir, car il est clair que ou bien l'impatience a
débuté avec la méchanceté ou bien la méchanceté par l'impatience, et que par la suite elles se sont entendues entre elles et
ont grandi, inséparables, dans le sein du même père. 8. Et
de fait, cette impatience qu'il fut le premier à éprouver, à
cause de laquelle il fut le premier à commettre une faute, il
apprit, par sa propre expérience, l'aide qu'elle apportait au
péché et recourut encore à elle pour pousser l'homme dans le
crime. 9. Dès qu'il eut abordé la femme, je peux le dire
avec de bonnes raisons, les propos qu'il lui tint lui insuf-
flèrent l'esprit contaminé par l'impatience[b] : tant il est vrai
qu'elle n'aurait jamais péché du tout, si devant l'interdiction
divine elle avait fait preuve de patience jusqu'au
bout ! 10. Autre chose : quand elle fut abordée, elle ne se
contenta pas de ne pas résister toute seule , mais elle n'a
même pas la patience de garder le silence auprès d'Adam, qui
n'était pas encore son mari, qui n'avait pas encore à l'écouter, et elle fait de lui le propagateur de ce qu'elle avait pris
auprès du Malin[c] ! 11. Ainsi s'est perdue la première créature humaine à cause de l'impatience de la seconde, ou plutôt
elle s'est perdue elle-même à cause de l'impatience qu'elle
manifesta dans les deux cas, à l'égard de l'avertissement de
Dieu et à l'égard de la ruse du Diable, incapable qu'elle fut
de respecter le premier et de déjouer la seconde. 12. Le

D R B || traducem illum P R B Krm Brf : traducem ad illum M FX D ||
36 perit MP FX R B Brf : periturus Krm || immo conieci : mox MP FX R
B Krm Brf

b. cf. Gen. 3, 6 s.   c. cf. Gen. 3, 1-7.

40 Deus irasci exorsus unde offendere homo inductus, inde in
Deo prima patientia unde indignatio prima, qui tunc maledic-
tione sola contentus[d] ab animaduersionis impetu in diabolo
temperauit. 13. Aut quod crimen ante istud inpatientiae
admissum homini inputatur ? Innocens erat et Deo de
45 proximo amicus et paradisi colonus[e] : at ubi semel succidit
inpatientiae, desiuit Deo sapere, desiuit caelestia sustinere
posse. 14. Exinde homo, terrae datus et ab oculis Dei
eiectus[f], facile usurpari ab inpatientia coepit in omne quod
Deum offenderet. 15. Nam statim illa semine diaboli
50 concepta, malitiae fecunditate irae filium[g] procreauit ; editum
suis artibus erudiit : quod enim ipsum Adam et Euam morti
inmerserat, docuit et filium ab homicidio incipere[h]. 16. Frustra istud inpatientiae adscripserim, si Cain ille primus homi-
cida et primus fratricida oblationes suas a domino recusatas
55 aequanimiter nec inpatienter tulit, si iratus fratri suo non est,
si neminem denique interemit. 17. Cum ergo nec occidere
potuerit nisi iratus, nec irasci nisi inpatiens, demonstrat quod
per iram gessit ad eam referendum a qua [ira] suggesta est.
18. [Per] Haec inpatientiae tunc infantis quodammodo
60 incunabula. Ceterum quanta mox incrementa·! Nec mirum :

---

40 deus *om. F* ‖ 40-43 inde *usque ad* temperauit *secl. Krm* ‖ 45 semel
Mmg FX G R³B Krm Brf : *om. P. R¹R²* ‖ succidit *MP R B Krm Brf* : suc-
cubuit β (?) *FX* ‖ 46 desiuit... desiuit *MP R²R³ B Krm Brf* : desinit... desi-
nit *FX R¹* ‖ 49 offenderet *MP X R B Krm Brf* : -det *F* ‖ semine *MP R B
Krm Brf* : : -na *FX* ‖ 50 irae *FX Brf* : iram *MP R B Krm* ‖ 51 enim *MP
FX R B Krm Brf* : tamen *D* ‖ ipsum *MP FX R B Brf* : ipsa *Krm* ‖ 52 inmerserat *MP R B Krm Brf* : -miserat *FX* ‖ 53 istud *MP FX R B Krm
Brf* : illud *FX* ‖ ille primus *MP R B Krm Brf* : primus illa *X* ‖ 54 a domino *G R³B Krm Brf* : ad dominum *MP FX D R¹R²* ‖ 56 ergo *MP FX R
B Brf* : uero *Krm* ‖ 58 gessit β *R³ B Krm Brf* : cessit *MP FX R¹R²* ‖ ira
add. M ‖ 59 per *secl. Krm Brf* : per *MP* β *FX R B et coni. R¹mg R²mg* ‖
inpatientiae *MP R B Krm Brf* : -tia est β *FX* ‖ 60 ceterum — incrementa
Mmg β *FX G R³B Krm Brf* : *om. MP R¹R²*

---

d. cf. Gen. 3, 14.   e. cf. Gen. 2, 8 s.   f. cf. Gen. 3, 23-24.   g. cf.
Éphés. 2, 3 ?   h. cf. Gen. 4, 3-8.

jugement eut pour origine première celle de la faute ; la colère de Dieu eut pour motif ce qui provoqua l'offense de l'homme à son égard ; la première manifestation de la patience de Dieu eut pour cause celle de son premier mouvement d'indignation, puisqu'il se contenta alors de maudire le Diable[d] et maîtrisa l'impulsion qui le poussait à le châtier. 13. Sinon, quel crime impute-t-on à l'homme avant cet acte d'impatience ? Il vivait dans l'innocence, il était l'ami intime de Dieu, il habitait le Paradis[e] : mais dès qu'il eut succombé à l'impatience, il cessa d'être bien disposé envers Dieu, il cessa d'avoir la force de supporter les choses célestes. 14. Par suite l'homme fut envoyé sur la terre et éloigné du regard de Dieu[f] ; dès lors, l'impatience n'eut aucune difficulté à se servir de lui pour faire tout ce qui pouvait offenser Dieu. 15. De fait, à peine fut-elle conçue par la semence du Diable, grâce à la fécondité de la méchanceté l'impatience procréa un fils de colère[g] ; dès qu'il fut enfanté, elle le forma selon sa discipline : en effet, ayant fait sombrer Adam et Ève eux-mêmes dans la mort, elle enseigna à leur fils à commencer par un homicide[h]. 16. Peut-être ai-je tort d'imputer celui-ci à l'impatience, si Caïn, le premier homicide et le premier fratricide, a supporté avec équanimité et sans impatience le refus de ses offrandes par le Seigneur, s'il ne s'est pas mis en colère contre son frère, bref s'il n'a tué personne ! 17. Mais puisqu'il n'a pu tuer sans être en colère ni se mettre en colère sans être impatient, il montre que son geste de colère doit être rapporté à l'impatience qui l'a suscité.

**Tout péché
est imputable
à l'impatience.
Les révoltes d'Israël**

18. Tel fut en quelque sorte le berceau de l'impatience quand elle était encore tout enfant. Mais quelle croissance ensuite ! Rien d'étonnant à

si prima deliquit, consequens est ut, quia prima, idcirco et
sola sit matrix in omne delictum, defundens de suo fonte
uarias criminum uenas. 19. De homicidio quidem dictum
est. Sed ira editum a primordio, etiam quascumque postmo-
65 dum causas sibi inuenit ad inpatientiam, ut ad originem sui,
confert : siue enim quis inimicitiis siue praedae gratia id
scelus conficit, prius est ut aut odii aut auaritiae fiat inpatiens. 20. Quidquid compellit, sine inpatientia sui non est ut
perfici possit : quis adulterium sine libidinis inpatientia
70 subiit ? Quod et si pretio in feminis cogitur, uenditio illa
pudicitiae utique inpatientia contemnendi lucri ordinatur.
21. Haec ut principalia penes dominum delicta. Iam uero, ut
compendio dictum sit, omne peccatum inpatientiae adscri-
bendum. Malum inpatientia est boni. Nemo inpudicus non
75 inpatiens pudicitiae et inprobus probitatis et impius pietatis
et inquietus quietis, ut malus unusquisque fiat, < si > bonus
perseuerare non poterit ! 22. Talis igitur excetra delictorum
cur non dominum offendat inprobatorem malorum ? An non
ipsum quoque Israel per inpatientiam semper in Deum deli-
80 quisse manifestum est ? 23. Exinde cum, oblitus brachii
caelestis quo Aegyptiis adflictationibus fuerat extractus, de
Aaron deos sibi duces postulat, cum in idolum auri sui conla-
tiones defundit : tam necessarias enim Moysei cum domino
congredientis inpatienter exceperat moras[i] ! 24. Post mannae

61 si *MP FX D R Brf* : nam si *B Krm* ‖ 63 criminum *MP X R B Krm
Brf* : termi- *F* ‖ 64 editum *MP FX Bmg Krm Brf* : edictum *D* dictum
R B ‖ 65 sui *MP FX R B Krm* : suam *Brf* ‖ 66 confert *MP R B Krm Brf* :
-ferret *FX* ‖ 68 sui *MP FX R B Brf* : scelus *Bruhn Krm* ‖ 69 perfici *M
FX R B Krm Brf* : -ficit *P* ‖ 71 inpatientia *MP R B Krm Brf* : pat- *FX* ‖
72 iam uero *O* : nam *MP FX R B Krm Brf* : ‖ 76 et inquietus quietis
om. O ‖ si *addidi* ‖ 77-78 talis — an non *om. O* ‖ 77 excetra *coni.* R^1mg
R^2mg R^3mg *Bmg Krm Brf* : exaedra *MP* R^1R^2 exhedra *coni.* R^1mg
R^2mg R^3B et cetera *X* et ecclesia *F* ‖ 81 de *MP F R B Krm Brf* : sed *X* ‖
82 sibi *om. O* ‖ 84 congredientis *MP X R B Krm Brf* : egr- *F* ‖ moras *P
R B Krm Brf* : *om.M FX* ‖ mannae *MP X R B Krm Brf* : manna *F*

cela : si elle est la première à avoir commis une faute, il s'ensuit normalement que, parce qu'elle est la première, elle se trouve être pour ce motif, et elle seule, l'origine de toute faute, la source d'où se répandent les flots des différents crimes. 19. On vient de le dire pour l'homicide. Bien qu'il soit commis sous l'effet immédiat de la colère, quelles que soient encore les motivations ultérieures qu'il se découvre, il les rapporte à l'impatience comme à son origine véritable ; que l'on commette tel crime par hostilité ou pour obtenir un profit, il y a au départ le fait que l'on n'a pas eu la patience de résister à la haine ou à la convoitise. 20. Quelle que soit la pulsion intérieure, elle ne peut avoir d'effet, si on lui résiste patiemment : qui commet un adultère, s'il résiste patiemment à sa sensualité ? Et si le cas se présente de femmes que l'argent pousse à en commettre un, cette mise en vente de leur pudeur s'organise parce que, bien entendu, elles n'ont pas la patience de mépriser les gains. 21. Telles sont, pour le Seigneur, les fautes considérées comme capitales. Ce n'est pas tout : pour le dire d'un mot, tout péché est imputable à l'impatience. Le mal est impatience du bien. Toute impudeur est impatience de la pudeur, toute malhonnêteté impatience de l'honnêteté, toute impiété impatience de la piété, toute inquiétude impatience de la quiétude : on devient méchant dès lors qu'on est incapable de persévérer dans le bien ! 22. Tel étant ce monstre d'erreurs, comment n'offenserait-il pas le Seigneur, lui qui réprouve tous les maux ? N'est-il pas évident, aussi, que c'est par impatience qu'Israël a toujours péché contre Dieu ? 23. De là son attitude quand, oubliant le bras céleste qui l'avait soustrait aux tribulations des Égyptiens, il demande à Aaron des dieux pour le conduire, quand il fond en une idole les offrandes d'or qu'il avait reçues : il avait réagi en effet avec impatience à la longueur pourtant si nécessaire de la rencontre de Moïse avec le Seigneur[i] ! 24. Après la pluie nourricière de la manne[j],

i. cf. Ex. 32, 1-5.

85 escatilem pluuiam[j], post petrae aquatilem sequellam[k] desperant de domino, tridui sitim non sustinendo[l]; nam haec
quoque illis inpatientia a domino exprobratur. 25. Ac, ne
singula peruagemur, numquam non per inpatientiam delin-
quendo perierunt. Quomodo autem manus prophetis intule-
90 runt nisi per inpatientiam audiendi ? domino autem ipso per
inpatientiam etiam uidendi ! Quodsi patientiam inissent,
liberarentur.

VI, 1. Ipsa adeo est quae fidem et subsequitur et antecedit.
Denique Abraham Deo credidit et iustitiae deputatus ab illo
est[a]. Sed fidem eius patientia probauit, cum filium inmolare
iussus est[b], ad fidei non temptationem dixerim, sed typicam
5 contestationem. 2. Ceterum Deus quem iustitiae deputasset
sciebat : tam graue praeceptum, quod nec domino perfici
placebat, patienter et audiuit et, si Deus uoluisset, implesset.
Merito ergo benedictus[c] quia et fidelis, merito fidelis quia et
patiens ! 3. Ita fides patientia inluminata, cum in nationes
10 seminaretur per semen Abrahae, quod est Christus[d], et
gratiam legi superduceret, ampliandae adimplendaeque legi[e]
adiutricem suam patientiam praefecit, quod ea sola ad iustitiae doctrinam retro defuisset. 4. Nam olim et oculum pro
oculo et dentem pro dente repetebant et malum malo fene-

---

85 desperant *MP FX R B Krm Brf* : -rauit *O* ‖ 89 *ante* perierunt *iter.*
per impatientiam *Krm* ‖ *post* perierunt *usque ad* VI, 22 Christo *def. O* ‖
autem *MP FX R B Krm* : enim *Brf* ‖ manus prophetis *M FX D Krm
Brf* : prophetis manus *P R B* ‖ 90 ipso *M FX D Krm Brf* : ipsi *P R B*

---

j. cf. Ex. 16, 14.   k. cf. Ex. 17, 6.   l. cf. Ex. 15, 22.

VI, 4 est *P R B Brf* : *om. M FX D Krm* ‖ 10 semen *MP X R B Krm
Brf* : sanctum *F* ‖ 12 patientiam *M FX R B Krm Brf* : sapient- *P* ‖ 13 et
olim *transp. F* ‖ et *om. X*

après le jaillissement de l'eau du rocher[k], les Juifs désespèrent du Seigneur, incapables qu'ils sont de supporter la soif pendant trois jours[l] ! Car cette impatience aussi leur est reprochée par le Seigneur. 25. Et, sans nous égarer dans les détails, ils se sont toujours perdus en péchant par impatience. Comment en effet ont-ils porté la main sur les Prophètes sinon parce qu'ils n'eurent pas la patience de les écouter ? et sur le Seigneur lui-même, sinon parce qu'ils n'avaient même pas la patience de le voir ! S'ils avaient fait preuve de patience, ils seraient sauvés.

Patience et foi VI, 1. Tant il est vrai qu'elle suit et précède la foi ! Ainsi Abraham crut en Dieu et celui-ci le compta comme juste[a]. Mais sa patience révéla sa foi, quand il reçut l'ordre d'immoler son fils[b], non pas, dirais-je, à titre d'épreuve de sa foi, mais de témoignage symbolique. 2. Au demeurant Dieu savait quel était celui qu'il avait compté comme juste : l'ordre si rigoureux que le Seigneur n'avait pas l'intention de voir exécuter, c'est avec patience qu'il l'écouta et qu'il l'aurait accompli, si Dieu l'avait voulu. Il est donc juste qu'il ait été béni[c], puisqu'il avait été fidèle, juste qu'il ait été fidèle, puisqu'il avait été patient ! 3. Ensuite, illuminée par la patience, la foi, alors qu'elle était semée au milieu des nations par la semence d'Abraham, c'est-à-dire par le Christ[d], et qu'elle superposait la grâce à la loi, préposa la patience, son auxiliaire, au perfectionnement et à l'accomplissement de la loi[e], car seule la patience avait jusque-là manqué à la doctrine de la justice. 4. En effet, autrefois, on réclamait œil pour œil, dent pour dent, et on rendait le mal pour le mal[f] : la

a. cf. Gen. 15, 6 ; Rom. 4, 3 ; Gal. 3, 6 ; Jac. 2, 23.   b. cf. Gen. 22, 2.   c. cf. Gen. 22, 17-18.   d. cf. Gal. 3, 16.   e. cf. Matth. 5, 17.

15 rabant[f] : nondum enim patientia in terris, quia nec fides
scilicet. Interim inpatientia occasionibus legis fruebatur :
facile erat, absente domino patientiae et magistro. 5. Qui
postquam superuenit et gratiam fidei patientia composuit,
iam nec uerbo quidem lacessere, nec « fatue » quidem dicere
20 sine iudicii periculo licet[g] ; prohibita ira, restricti animi,
compressa petulantia manus, exemptum linguae uenenum.
6. Plus lex quam amisit inuenit, dicente Christo : *Diligite
inimicos uestros et maledicentibus benedicite et orate pro
persecutoribus uestris ut filii sitis patris uestri caelestis*[h].
25 Vides quem nobis patrem patientia adquirat !

VII, 1. Hoc principali praecepto uniuersa patientiae disciplina succincta est, quando nec digne quidem malefacere
concessum est. Iam uero percurrentibus nobis causas inpatientiae cetera quoque praecepta suis locis respondebunt.
5 2. Si detrimento rei familiaris animus concitatur, omni paene
in loco de contemnendo saeculo scripturis dominicis commo-
netur, nec maior ad pecuniae contemptum exhortatio
subiacet quam quod ipse dominus in nullis diuitiis inuenitur[a].
3. Semper pauperes iustificat[b], diuites praedamnat[c]. Ita detri-

---

23 et² *om.* O ‖ 24 caelestis patris uestri *transp.* O ‖ 25 uides *MP* [pc] *FX*
R B Krm Brf : -dens *P* [ac]

---

f. cf. Ex. 21, 24-25 ; Matth. 5, 38.   g. cf. Matth. 5, 22-23.   h. Matth.
5, 44-45 ; Lc 6, 27-28.

VII, 2   quando *MP FX O R B Brf* : quo *Krm* ‖ nec *O Brf* : ne *MP FX
R B Krm* ‖ digne *MP O R B Krm Brf* : linguae β *FX* ‖ 3 est *MP X O R
B Brf* : *om. F Krm* ‖ 6 de *MP X O R B Brf* : *om. F Krm* ‖ scripturis
dominicis *om.* O ‖ 8 quod *om.* O ‖ *post* inuenitur *add.* Omnia terrena
bona contempsit Christus, ut in illis non quaeretur felicitas. Omnia terrena
mala sustinuit, ut in his non timeretur infelicitas O ‖ 9 detrimentorum *Vrs
Krm Brf* : -mentum *MP FX O R B*

---

a. cf. Matth. 8, 20 ; II Cor. 8, 9.   b. cf. Lc 6, 20.   c. cf. Lc 6, 24.

patience n'existait pas encore sur la terre, parce que la foi, bien entendu, ne s'y trouvait pas non plus. En attendant, l'impatience profitait des occasions que lui fournissait la loi : c'était facile, en l'absence du Seigneur et maître de patience.   5. Mais depuis qu'il est venu et qu'il a fait consister dans la patience la grâce de la foi, il n'est même plus permis d'avoir une parole offensante, ni non plus de traiter quelqu'un d'imbécile, sans courir le risque d'être jugé[g] : interdite, la colère ; maîtrisés, les mouvements d'humeur ; contenue, la vivacité de la main ; ôté, le poison de la langue !   6. La loi a gagné plus qu'elle n'a perdu, quand le Christ dit : « Aimez vos ennemis, bénissez ceux qui vous maudissent, priez pour vos persécuteurs, afin que vous soyez les fils de votre Père céleste[h] ». Tu vois quel Père il nous est donné d'avoir grâce à la patience !

« Disciplina patientiae » :   VII,   1. Tel est le précepte
l'exercice de la patience.   fondamental dont s'arme la dis-
La patience de l'âme   cipline tout entière de la pa-
tience, puisque faire du mal, même en usant de son droit, n'est pas autorisé. Ce n'est pas tout : en parcourant les motifs d'être impatients, nous trouverons à leur place les autres préceptes correspondants.

Perte   2. Si nous sommes cons-
de biens matériels   ternés au fond de nous par la
perte qu'a subie notre patri-
moine, les écrits du Seigneur nous demandent presque à chaque page de mépriser le siècle, et il n'existe pas d'exhortation plus pressante au mépris de l'argent que de découvrir le Seigneur lui-même démuni de toute richesse[a].   3. Il n'a pas de cesse qu'il ne sauve les pauvres[b], qu'il ne condamne à l'avance les riches[c]. Ainsi pour nous aider à supporter avec

10 mentorum patientiae fastidium opulentiae praeministrauit,
demonstrans per abiectionem diuitiarum laesuras quoque
earum computandas non esse. 4. Quod ergo nobis appetere
minime opus est, quia nec dominus appetiuit, detruncatum
uel etiam ademptum non aegre sustinere debemus. 5. Cupidi-
15 tatem omnium malorum radicem spiritus domini per apostolum pronuntiauit[d] : eam non in concupiscentia alieni tantum
constitutam interpretemur. Nam et quod nostrum uidetur
alienum est : nihil enim nostrum, quoniam Dei [sunt] omnia,
cuius ipsi quoque nos [sumus]. 6. Itaque si damno adfecti
20 inpatienter senserimus, non de nostro amissum dolentes
adfines cupiditatis deprehendemur : alienum quaerimus, cum
alienum amissum aegre sustinemus. 7. Qui damni inpatientia
concitatur terrena caelestibus anteponendo, de proximo in
Deum peccat : spiritum enim quem a domino sumpsit saecu-
25 laris rei gratia concutit. 8. Libenter igitur terrena amittamus,
caelestia tueamur ; totum licet saeculum pereat, dum patientiam lucrifaciam ! Iam qui minutum sibi aliquid aut furto aut
ui aut etiam ignauia non constanter sustinere constituit,
nescio an facile uel ex animo ipse rei suae manum inferre
30 possit in causa elemosinae. 9. Quis enim ab alio secari
omnino non sustinens ipse ferrum in corpore suo ducit ?
Patientia in detrimentis exercitatio est largiendi et communicandi : non piget donare eum qui non timet perdere.

10 praeministrauit *MP F O R B Krm Brf* : -strat *X* || 11 abiectionem
MP FX R B Krm Brf : affect-*O* || 14 ademptum *MP FX R B Krm Brf* :
-dept- *O* || *post* debemus *usque ad* 17 interpretemur *def. O* || 16 non *MP
X R B Krm Brf* : *om. F* || alieni *MP X R B Krm Brf* : alicui *F* || 18 nihil
enim nostrum *om. O* || sunt *add. O* || 19 sumus *add. O* || *post* sumus
usque ad 31 ducit *def. O* || 20 inpatienter *MP FX R¹R²Krm Brf* : -tes *D
R³ B* || senserimus *MP FX D R¹R² Krm Brf* : erimus *R³B* || de non
nostro *transp. Rig Krm* || 22 sustinemus *MPᵖᶜ FX R B Krm Brf* : -eamus
Pᵃᶜ || 24 domino *MP FX R B Krm Brf* : deo *D* || 25 libenter *MP R B
Krm* : -tes β *FX Brf* || 26 *ante* caelestia *add.* ut *Krm Brf* || 27-28 aut ui
B Krm Brf : *om. MP FX D R* || 30 possit *Krm Brf* : -set *MP FX R B* ||
33 *post* perdere *usque ad* 40 adhibere *def. O*

patience les pertes de biens, il nous a fait partager son dégoût de l'abondance, montrant, par le mépris des richesses, que les atteintes qu'elles subissaient ne devaient pas avoir non plus d'importance. 4. Par conséquent, ce que nous n'avons pas du tout à rechercher, parce que le Seigneur non plus ne l'a pas recherché, nous devons en supporter sans peine l'amputation ou même la disparition. 5. L'esprit du Seigneur, par l'intermédiaire de l'Apôtre, a dit que la cupidité était la racine de tous les maux[d] : ne comprenons pas qu'elle consiste uniquement dans la convoitise du bien d'autrui. Car même ce qui paraît être à nous ne nous appartient pas : rien en effet n'est à nous, puisque tout appartient à Dieu, à qui nous-mêmes appartenons aussi. 6. C'est pourquoi si nous avons été touchés par un dommage et que nous ayons réagi avec impatience, nos pleurs sur un bien qui ne nous appartient pas montreront que nous sommes tout proches de la cupidité : nous convoitons un bien qui ne nous appartient pas, quand nous supportons péniblement la perte d'un bien qui ne nous appartenait pas. 7. Celui qui s'emporte, faute de pouvoir supporter patiemment un dommage, parce qu'il préfère les biens terrestres aux célestes, pèche directement envers Dieu : en effet, pour une chose du siècle, il maltraite l'Esprit qu'il a reçu du Seigneur. 8. Perdons donc sans regret les biens terrestres et contemplons les biens célestes ; le siècle tout entier peut bien périr, pourvu que je gagne la patience ! Celui qui n'a pas décidé de supporter avec constance le préjudice subi du fait d'un vol, d'une agression, ou même de l'indifférence, je ne sais s'il serait capable de porter la main à sa fortune sans hésiter ou de bon cœur à l'occasion d'une aumône. 9. Car lorsqu'on ne supporte absolument pas d'être blessé par un autre, porte-t-on le fer sur soi-même ? La patience dans les pertes de biens est une école de largesse et de bienfaisance : on n'a pas peur de donner, quand on ne

d. I Tim. 6, 10.

10. Alioquin quomodo duas habens tunicas alteram earum
35 nudo dabit[e], nisi idem sit qui auferenti tunicam etiam pallium
offerre possit[f] ? Quomodo amicos de mammona[g] fabricabimus nobis, si eum in tantum amauerimus, ut amissum
non sufferamus ? Peribimus cum perdito. 11. Quid hic
inuenimus, ubi habemus amittere[h] ? Gentilium est omnibus
40 detrimentis inpatientiam adhibere, [sunt] qui rem pecuniariam fortasse animae anteponant. 12. Nam et faciunt, cum
lucri cupiditatibus quaestuosa pericula mercimoniorum in
mari exercent, cum pecuniae causa etiam in foro nihil
damnationi timendum adgredi dubitant, cum denique ludo et
45 castris sese locant, cum per uias inmemores bestiarum latrocinantur. 13. Nos uero, secundum diuersitatem qua cum illis
stamus, non animam pro pecunia, sed pecuniam pro anima
deponere conuenit, seu sponte in largiendo seu patienter in
amittendo !

VIII, 1. Ipsam animam ipsumque corpus in saeculo isto
expositum omnibus ad iniuriam gerimus eiusque iniuriae
patientiam subimus : et minorum delibatione laedemur ?
Absit a seruo Christi tale inquinamentum, ut patientia
5 maioribus temptationibus praeparata in friuolis excidat !

---

36 fabricabimus *MP R B Krm Brf* : -camus *FX* ‖ 38 non *om. X* ‖
quid *MP R B Brf* : quod *FX* qui *Krm* ‖ 40 sunt *add. O* ‖ pecuniariam
MPmg O R B Krm Brf : -niam *P* -niarum *FX* ‖ 41 et *MP FX O R B Brf* :
id *Krm* ‖ 42 mercimoniorum *om. O* ‖ 43 in foro *om. O* ‖ 44 *ante*
damnationi *corrupt. ind. Krm* ‖ dubitant *MP R B Krm Brf* : -tent *FX*
O ‖ 44-46 cum denique — latrocinantur *om. O* ‖ 45 per uias *conieci* :
peruia *MP FX R¹ Krm* per uiam *coni. R¹mg R²R³ B* per inuia *Rig Brf* ‖
inmemores *MP FX R¹ Bmg Krm Brf* : memores *D* more *coni.*
R¹mg R²R³B in mores *Rig* in morem *Oehler* ‖ 47 stamus *O Brf* : sumus
MP FX R B Krm ‖ pro anima *om. O*

---

e. cf. Lc 3, 11.   f. cf. Matth. 5, 40 ; Lc 6, 29.   g. cf. Lc 16, 9.
h. cf. Matth. 10, 39.

craint pas de perdre.   10. D'ailleurs comment celui qui a
deux tuniques en donnera-t-il une à celui qui est nu[e], s'il
n'est pas également capable d'offrir aussi son manteau à celui
qui lui prend sa tunique[f] ? Comment nous ferons-nous des
amis avec Mammon[g], si nous l'aimons tellement que nous ne
supportons pas sa disparition ? Nous périrons avec ce que
nous avons perdu.   11. Que trouvons-nous ici-bas où nous
avons tout à perdre[h] ? C'est la caractéristique des gentils que
de montrer de l'impatience dans tous les revers, car ils
préfèrent sans doute leur argent à leur vie.   12. C'est bien ce
qu'ils font, lorsque poussés par la passion du gain ils exercent
sur mer les métiers dangereux, mais lucratifs, du commerce ;
lorsque pour de l'argent, devant les tribunaux aussi, il n'est
aucune cause redoutable par la condamnation qu'elle fait
encourir qu'ils hésitent à engager ; lorsque, encore, ils louent
leurs services pour les jeux et dans les camps ; lorsqu'ils
parcourent les chemins en commettant des actes de brigan-
dage, sans se soucier des bêtes féroces.   13. Mais nous,
conformément aux divergences qui nous séparent d'avec eux,
nous n'avons pas à renoncer à notre vie pour l'argent, mais à
l'argent pour notre vie — soit par l'élan de nos largesses, soit
par notre patience à en supporter la perte !

Les outrages   **VIII,** 1. Notre âme et notre
                                 corps sont eux-mêmes en ce
monde exposés de tous côtés à la violence et nous supportons
avec patience cette violence : et nous serons affectés par les
atteintes portées à des biens secondaires ? Puisse le serviteur
du Christ échapper à une souillure qui ferait succomber sa
patience sur des vétilles, alors qu'elle est forgée pour de plus

---

VIII, 2 omnibus *om.* O ‖ eiusque *MP FX R B Krm Brf* : eiuscemodi
O ‖ 3 et minorum O *Brf* : minorum *MP FX R B Krm* in morum *coni.*
R²mg ‖ delibatione *R³B Krm Brf* : -liberatione *MP FX O R¹R²*

2. Si manu quis temptauerit prouocare, praesto est dominica
monela : *Verberanti te*, inquit, *in faciem etiam alteram genam
obuerte*[a]. Fatigetur inprobitas patientia tua : quiuis ictus ille
sit dolore et contumelia constrictus, grauius a domino
10 uapulabit[b] ; plus inprobum illum caedes sustinendo : ab eo
enim uapulabit cuius gratia sustines. 3. Si linguae amaritudo
maledicto siue conuicio eruperit, respice dictum : *Cum uos
maledixerint gaudete*[c]. Dominus ipse maledictus in lege est[d]
et tamen solus est benedictus. Igitur dominum serui conse-
15 quamur et maledicamur patienter, ut benedicti esse possimus ! 4. Si parum aequanimiter audiam dictum aliquod in
me proteruum aut nequam, reddam et ipse amaritudinis
uicem necesse est aut cruciabor inpatientia muta. 5. Cum
ergo percussero maledictus, quomodo secutus inueniar
20 doctrinam domini, qua traditum est non uasculorum inquinamentis, sed eorum quae ex ore promuntur hominem communicari[e], item manere nos omnis uani et superuacui dicti
reatum[f] ? 6. Sequitur ergo ut, a quo nos dominus arcet, idem
ab alio aequanimiter pati admoneat. 7. Hic iam de patientiae
25 uolu*p*tate. Nam omnis iniuria seu lingua seu manu incussa,

6 manu *MP FX R B Krm Brf* : malus *O* ‖ prouocare *O R²R³B Krm
Brf* : -ari *MP FX R¹* ‖ 7 uerberanti te *MP FX R B Krm Brf* : uerberante
O ‖ 8 quiuis *MP FX O R³ B Krm Brf* : cuius *R¹R²* ‖ 8-9 ictus ille sit *MP
FX R B Brf* : actus sit ille *O* ictus illi sit *Krm* ‖ 9 et *om. X* ‖ constrictus
MP FX R B Krm Brf : -struct- *O* ‖ 10 uapulabit *Lat Brf* : -latur *MP O D*
-lat *FX R B* -laturum *Krm* ‖ plus — sustinendo *post* constrictus *transp.
Krm* ‖ caedes *O Brf* : -dis *MP FX R B Krm* ‖ 11 enim *M* β *FX O R B
Krm Brf* : *om. P* autem *X* ‖ uapulabit *X O R B Krm Brf* : -auit *MP F* ‖
sustines *MP F O R B Krm Brf* : -nens *X* ‖ 13 ipse *om. O* ‖ in lege
maledictus est *transp. O* ‖ 14 est benedictus *MP R B Krm Brf* : benedictus est *FX* et benedictus *O* ‖ *post* benedictus *usque ad* 35 defensus
def. O ‖ 19 percussero *MP FX R B Krm Brf* : rep- *Krm* ‖ maledictus
MP FX D R B Brf : -dicto *Bmg* -dicti *Engel Krm* ‖ 20 doctrinam *M²* β
FX R B Krm Brf : *om.* M¹*P* ‖ 21 promuntur *M FX R B Krm Brf* :
-munitur *P* ‖ communicari *Pam Krm Brf* communicare *MP R B* coinquinari β *FX* ‖ 23 arcet *B Krm Brf* : *om. MP FX R* ‖ idem *P FX R B Krm
Brf* : id est *M D* ‖ 24 admoneat *MP FX R B Krm Brf* : -nuerat β ‖ hic
iam de *MP X R B Brf* : hic iam det β ne iam de *F* hic iam uide *Krm*

grandes épreuves ! 2. A-t-on tenté de le provoquer en l'agressant, il y a tout prêt un avertissement du Seigneur : « A celui qui te frappe au visage, dit-il, tends l'autre joue[a] ». Ta patience doit lasser la méchanceté ; que ce coup, quel qu'il soit, ait été accompagné de douleur et d'insulte, son auteur sera plus lourdement frappé par le Seigneur[b] ; tu accableras davantage cet homme méchant par ton endurance, car il sera frappé par celui pour lequel tu endures. 3. La méchanceté verbale a-t-elle éclaté en médisance ou en insulte ? rappelle-toi cette parole : « Quand on médira de vous, réjouissez-vous[c] ». Le Seigneur lui-même a été maudit dans la loi[d], et pourtant lui seul a été béni. Nous, ses serviteurs suivons donc le Seigneur et acceptons avec patience les médisances pour pouvoir être bénis ! 4. Si j'entends sans une suffisante équanimité une parole blessante ou offensante à mon égard, je rendrai automatiquement moi aussi la méchanceté, à mon tour, ou bien ma muette impatience me mettra à la torture. 5. Et puisque j'aurai donc riposté par un coup à une médisance, comment verra-t-on que je suis la doctrine du Seigneur, selon laquelle il a été dit que ce n'est pas la souillure des vases, mais celle qui sort de sa bouche qui avilit l'homme[e], et également que nous sommes exposés à nous voir reprocher toute parole vaine et inutile[f] ? 6. Il s'ensuit donc que ce que le Seigneur nous interdit, il nous demande de le supporter avec équanimité de la part d'autrui. 7. Et maintenant, voyons le plaisir que procure la patience. En effet, tout outrage, verbal ou physique, se heurtant à la patience,

---

25 uoluptate *Rig Brf* : uoluntatem *MP R¹* uoluntate *FX R²R³B* uolupta- tem *Krm* ‖ iniuria *Pᵖᶜ R B Krm Brf* : -riae *MPᵃᶜ FX D*

---

a. Matth. 5, 39 ; Lc 6, 29.   b. cf. Rom. 12, 19 ; Deut. 32, 5. c. Matth. 5, 11.   d. cf. Deut. 21, 23 ; Gal. 3, 13.   e. cf. Matth. 15, 11.18 ; Mc 7, 15.18.   f. cf. Matth. 12, 36.

cum patientiam offenderit, eodem exitu dispungetur, quo
telum aliquod in petra constantissimae duritiae libratum et
obtusum : concidet enim ibidem, inrita opera et infructuosa,
et nonnumquam repercussum in eum qui remisit reciproco
30 impetu saeuiet. 8. Nempe idcirco quis te laedit ut doleas,
quia fructus laedentis in dolore laesi est. Ergo cum fructum
eius eueteris non dolendo, ipse doleat necesse est amissione
fructus sui. 9. Tunc tu non modo inlaesus ibis (quod etiam
solum tibi sufficit), sed insuper aduersarii tui et frustratione
35 oblectatus et dolore defensus. Haec est patientiae et utilitas et
uoluptas !

IX, 1. Ne illa quidem inpatientiae species excusatur in
amissione nostrorum, ubi aliqua doloris patrocinatur adsertio. Praeponendus est enim respectus denuntiationis apostoli,
qui ait : *Ne contristemini dormitione cuiusquam sicut*
5 *nationes quae spe carent*[a]. 2. Et merito : credentes enim
resurrectionem Christi, in nostram quoque credimus, propter
quos ille et obiit et resurrexit[b]. Ergo cum constet de resurrectione mortuorum, uacat dolor mortis, uacat et inpatientia
doloris. 3. Cur enim doleas, si perisse non credis ? Cur inpa-
10 tienter feras subductum interim quem credis reuersurum ?
Profectio est quam putas mortem. Non est lugendus qui
antecedit, sed plane desiderandus. Id quoque desiderium

26 patientiam *P R B Krm Brf* : -tia *M FX D* ‖ dispungetur *MP* pc*FX R
B Krm Brf* : -gentur *P*ac ‖ 28 concidet *MP R B Krm Brf* : -ced- *FX* ‖ 29
remisit *MP FX* : emisit *R B Brf* misit *Krm* ‖ 33 ibis *MP FX R B Brf* :
abis *Gel Krm* ‖ 35 haec *MP X O R B Krm Brf* : lex *F* ‖ et² *O* : *om. MP
FX R B Krm Brf* ‖ 36 uoluptas *O coni. R²mg Vrs Krm Brf* : uoluntas
MP FX R B

IX, 1 excusatur *MP O R B Krm Brf* : -tor *FX* ‖ in amisione nostrorum *secl. Krm* ‖ 2 ubi *MP FX O R B Brf* : cui *Krm* ‖ 6 *ante* resurrectionem *add.* in *Brf* ‖ 7 resurrexit *MP FX R B Krm Brf* : -rexerit *O* ‖ 8-9
uacat — doloris *om. F* ‖ 9 enim *FX O Krm Brf* : ergo *MP R B* ‖ 11 profectio *MP F R B Krm Brf* : -cto *X*

aboutira au même résultat qu'un trait lancé sur une pierre d'une grande résistance et qui l'émousse : il retombera sur place, rendant l'effort de lancement vain et inefficace ; parfois, il sera renvoyé par un effet de boomerang sur celui qui l'a lancé, et le blessera.   8. Il est clair que si l'on t'offense, c'est pour que tu souffres, car la récompense de l'offenseur réside dans la souffrance de l'offensé. Par conséquent, quand tu lui supprimeras sa récompense en ne souffrant pas, c'est lui qui, automatiquement, souffrira d'avoir perdu sa récompense.   9. Tu t'en retourneras alors, non seulement indemne (ce résultat, à lui seul, est déjà suffisant), mais en plus satisfait de la frustration de ton adversaire et vengé par sa souffrance. Tels sont l'avantage et le plaisir que procure la patience !

Les deuils   **IX,** 1. Il n'y a pas non plus d'excuse à cette forme d'impatience manifestée à l'occasion de la perte de ses proches, quand on se couvre du droit à éprouver de la douleur. Il serait en effet préférable de respecter l'avertissement de l'Apôtre, qui dit : « Ne vous affligez pas de la mort de quelqu'un, comme les païens sans espérance[a] ».   2. A juste titre : car en croyant à la résurrection du Christ, nous croyons aussi à celle des nôtres, pour lesquels il est mort et a ressuscité[b]. Par conséquent, puisque la résurrection des morts est certaine, elle n'a pas de sens la douleur devant la mort, elle n'a pas de sens non plus l'impatience de la douleur.   3. Pourquoi en effet éprouverais-tu de la douleur, si tu ne crois pas à leur disparition ? Pourquoi ne supporterais-tu pas avec patience qu'on s'éclipse pour un temps, puisque tu crois qu'on reviendra ? Ce n'est qu'un départ ce que tu penses être la mort. Il ne faut pas pleurer qui te précède, mais

a. I Thess. 4, 13.   b. cf. Rom. 6, 5 ; 8, 11 ; I Cor. 6, 14 ; 15, 20 ; II Cor. 4, 14 ; 13, 4 ; etc.

patientia temperandum : cur enim inmoderate feras abisse
quem mox subsequeris ? 4. Ceterum inpatientia in huius-
15 modi et spei nostrae male ominatur et fidem praeuaricatur, et
Christum laedimus cum euocatos quosque ab illo quasi miserandos non aequanimiter accipimus. 5. *Cupio*, inquit apostolus, *recipi iam et esse cum domino*ᶜ. Quanto melius
ostendit uotum ! Christianorum ergo uotum, si alios conse-
20 cutos inpatienter dolemus, ipsi consequi nolumus !

   X, 1. Est et alius summus inpatientiae stimulus, ultionis
libido, negotium curans aut gloriae aut malitiae. Sed et gloria
ubique u*a*na et malitia numquam non domino odiosa, hoc
quidem loco cum maxime, cum alterius malitia prouocata
5 superiorem se in exsequenda ultione constituit et remunerans
nequam duplicat quod semel factum est. 2. Vltio penes erro-
rem solacium uidetur doloris, penes ueritatem certam*en*
redarguitur malignitatis. Quid enim refert inter prouocantem
et prouocatum, nisi quod ille prior in maleficio deprehen-
10 ditur, at ille posterior ? Tamen uterque laesi hominis domino
reus est qui omne nequam et prohibet et damnat. 3. Nulla in
maleficio ordinis ratio est nec locus secernit quod similitudo
coniungit. Absolute itaque praecipitur malum malo non

---

13 temperandum *MP FX R B Krm Brf* : est *O* ‖ inmoderate *MP FX R
B Krm Brf* : -ranter *O* ‖ 15 praeuaricatur *om. X* ‖ 16 laedimus *MP FX
R B Krm Brf* : -dunt *O* ‖ 17-18 cupio — domino [christo *FX*] *MP FX R
B Krm Brf* : cupio dissolui et esse cum christo dicit apostolus *O, qui
usque ad* XIII, 17 fecit *def.* ‖ 19 ergo uotum *MP FX G R³B Krm Brf* :
om. R¹R²

---

c. Phil. 1, 23.

X, 3 uana et *Lat Krm Brf* : una et *MP X R B* unaque *F* ‖ 4 cum¹ *MP
FX D R Krm Brf* : *om. B* ‖ alterius *MP FX D R Krm Brf* : ab alterius
B ‖ 7 doloris *MP*ᵖᶜ *FX R B Krm Brf* : -res *P* ᵃᶜ ‖ certamen *P*ᵖᶜ *Rig Krm
Brf* : certam *MP* ᵃᶜ*FX R B* certae *Vrs* contra *Oehler* ‖10 laesi *MP R B
Krm Brf* : -sores *FX* ‖ 11 omne *MP FX D R Krm Brf* : omnem *B* ‖ 12
nec *P*ᵖᶜ *R B Krm Brf* : ne *MP* ᵃᶜ *D* nonne *FX*

le regretter, je veux bien. Encore la patience doit-elle tempérer ce regret : pourquoi en effet supporterais-tu sans aucune retenue le départ de celui que bientôt tu suivras ? 4. D'ailleurs l'impatience dans ces circonstances augure mal de notre espérance, elle trahit notre foi, et nous offensons le Christ lorsque, au spectacle de tous ceux qu'il a appelés, nous réagissons sans équanimité, comme s'ils étaient malheureux. 5. « Je désire dès à présent, dit l'Apôtre, être reçu par le Seigneur et demeurer avec lui[c] ». Combien n'est-il pas préférable ce souhait qu'il a fait connaître ! Par conséquent ce souhait des chrétiens, si nous souffrons avec impatience de ce que d'autres l'aient réalisé, c'est que nous-mêmes nous ne voulons pas le réaliser !

Le désir de vengeance   X, 1. Il y a enfin un autre aiguillon de l'impatience, et le plus puissant : le désir de vengeance, qui entretient des préoccupations de gloriole ou de méchanceté. Mais la gloriole, quelles que soient les circonstances, est vaine et la méchanceté toujours odieuse au Seigneur, tout particulièrement dans les cas où, provoquée par la méchanceté d'autrui, elle décide d'affirmer sa supériorité dans l'exécution de la vengeance et, en répliquant, multiplie par deux le mal qui a été commis une première fois. 2. Aux yeux de l'erreur la vengeance passe pour un soulagement de la douleur, aux yeux de la vérité elle est dénoncée comme une compétition de méchanceté. Quelle différence en effet entre l'agresseur et l'agressé, sinon que l'un est surpris à commettre un méfait le premier, l'autre le second ? Mais l'un et l'autre sont accusés d'avoir offensé un homme, aux yeux du Seigneur qui interdit et condamne toute espèce de mal. 3. Quand il s'agit d'un méfait il n'y a pas lieu d'établir une hiérarchie et l'ordre chronologique ne distingue pas ce que rapproche l'analogie. C'est pourquoi c'est un impératif absolu que de ne pas rendre le mal pour le

rependendum[a] : par factum par habet meritum. 4. Quomodo
15 id obseruabimus, si [fastidientes] in fastidio ultionis non
erimus ? quem autem honorem litabimus domino Deo, si
nobis arbitrium defensionis arrogauerimus ? 5. Nos putres,
uasa fictilia[b], seruulis nostris adsumentibus sibi de conseruis
ultionem grauiter offendimur eosque qui nobis patientiam
20 obtulerint suam ut memores humilitatis seruitutis, ius domi-
nici honoris diligentes, non probamus modo, sed ampliorem
quam ipsi sibi praesumpsissent satisfactionem facimus : id
nobis in domino tam iusto ad aestimandum, tam potenti ad
perficiendum periclitatur ? 6. Quid ergo credimus iudicem
25 illum, si non et ultorem ? Hoc se nobis repromittit dicens :
Vindictam mihi et ego uindicabo[c], id est : « patientiam mihi
et ego patientiam remunerabo ». 7. Cum enim dicit : *Nolite
iudicare ne iudicemini*[d], nonne patientiam flagitat ? Quis
enim non iudicabit alium, nisi qui patiens erit non defendi ?
30 Quis idcirco iudicat ut ignoscat ? Ac si ignoscet, tamen iudicantis inpatientiam non cauit et honorem unici iudicis, id est
Dei, abstulit ! 8. Quantos uero casus huiusmodi inpatientia
incursare consueuerat, quotiens paenituit defensionem, quotiens instantia eius deterior inuenta est causis suis, quoniam
35 nihil inpatientia susceptum sine impetu transigi nouit, nihil

14 par — meritum *post* 13 coniungit *transp. Krm* || 15 fastidientes
seclusi || *post* fastidientes *lac. ind. Krm*, iniuriam *add. Brf* || 20 ius *MP
FX R B Brf* : suae *Engel Krm* || 24 *post* periclitatur *lac. ind. Krm* ||
24-25 quid — ultorem *post* 29 defendi *transp. Krm* || 26 mihi² *MP FX R
B Brf* : tibi *Krm* || 29 defendi *MP X D R B* : -fendit *F* -fendendi *Gel Krm
Brf* || 30 quis *R B Krm Brf* : quia *MP X D* qui *F* || ignoscet *MP FX R B
Krm* : -scit *Brf* || 31 non β : *om. MP FX R B Krm Brf* || cauit *MP FX R
B Brf* : cauerit *Krm* || id est dei *secl. Krm* || 32 abstulit *MP FX R B Brf* :
-tulerit *Krm* || 33 incursare *susp. Gel Pam Krm Brf* : - cusare *MP FX R
B* || consueuerat *MP FX R B Brf* : -sueuit *Vrs Krm* || quotiens — defen-
sionem *om. F* || 34 inuenta *MP X R B Krm Brf* : inuicta *F* || 35-36 tran-
sigi — impetu *om. P*

a. cf. Rom. 12, 17 ; I Thess. 5, 15.   b. cf. Ps. 2, 9 ; Jér. 19, 11 ;

mal[a] : à acte égal, salaire égal.   4. Comment respecterons-
nous ce précepte, si nous n'éprouvons pas de mépris pour la
vengeance ? et offrirons-nous en sacrifice au Seigneur Dieu
notre honneur, si nous nous arrogeons le droit d'assurer notre
propre défense ?   5. Nous qui sommes pourriture, vases
d'argile[b], lorsque nos esclaves prennent sur eux de se venger
de leurs compagnons, nous en éprouvons une vive contra-
riété, tandis que ceux qui nous ont offert leur patience, en
hommes qui n'oubliaient pas leur condition humble et servile,
qui respectaient le droit attaché à la dignité du maître, non
seulement nous les approuvons, mais nous leur accordons
une plus large satisfaction que celle qu'ils se seraient arrogée
par eux-mêmes : et pour nous, y a-t-il à cet égard un risque,
avec le Seigneur si juste dans son appréciation, si fort dans
son action ?   6. Pourquoi donc le croyons-nous juge, si
nous ne le croyons pas également vengeur ? Il s'en est porté
garant à notre égard, en disant : « Votre vengeance, donnez-la
moi et j'exercerai la mienne[c] », c'est-à-dire : « Votre patience,
donnez-la moi et je récompenserai la vôtre ».   7. Et, quand
il dit : « Ne jugez pas, pour n'être pas jugés[d] », ne réclame-t-il
pas la patience ? Qui donc se gardera de juger autrui, sinon
celui qui aura la patience de renoncer à la vengeance ? Qui
juge avec l'intention de pardonner ? Et pardonne-t-on, on
n'en a pas pour autant évité l'impatience de celui qui juge et
on s'est approprié un honneur qui appartient au juge unique,
c'est-à-dire Dieu !   8. Mais dans quels malheurs généralement cette impatience ne s'est-elle pas jetée ! combien de
fois n'a-t-elle pas regretté de s'être vengée ! combien de fois
sa véhémence ne s'est-elle pas révélée pire que ce qui la susci-
tait, puisque rien de ce qu'entreprend l'impatience ne peut se
réaliser sans violence et que rien de ce qui s'accomplit avec
violence ne manque soit d'échouer soit de s'effondrer soit de

Apoc. 2, 27.   c. Rom. 12, 19 ; Hébr. 10, 30. Deut. 32, 35.   d. Matth.
7, 1 ; Lc 6, 37.

impetu actum non aut offendit aut corruit aut praeceps abiit !
9. Iam si leuius defendaris, insanies ; si uberius, oneraberis.
Quid mihi cum ultione, cuius modum regere non possum per
inpatientiam doloris ? Quodsi patientiae incubabo, non
40 dolebo ; si non dolebo, ulcisci non desiderabo.

XI, 1. Post has principales inpatientiae materias ut potui-
mus regestas, quid inter ceteras euagemur quae domi, quae
foris ? Lata atque diffusa est operatio mali multiplicia *ip*sius
incitamenta iaculantis et modo paruula, modo maxima.
5 2. Sed paruula de sua mediocritate contemnas, maximis pro
sua exuperantia cedas. Vbi minor iniuria, ibi nulla necessitas
patientiae ; at ubi maior iniuria, ibi necessarior iniuriae
medela, patientia. 3. Certemus igitur quae a malo infliguntur
sustinere, ut hostis studium aemulatio nostrae aequanimitatis
10 eludat. Si uero quaedam ipsi in nos aut inprudentia aut
sponte etiam superducimus, aeque patienter obeamus quae
nobis inputamus. 4. Quodsi a domino nonnulla credimus
incuti, cui magis patientiam quam domino praebeamus ?
Quin insuper gratulari et gaudere nos docet dignatione
15 diuinae castigationis : *Ego*, inquit, *quos diligo castigo*[a]. O
seruum illum beatum cuius emendationi dominus instat, cui
dignatur irasci, quem admonendi dissimulatione non decipit !

36 abiit *MP FX R B Brf* : abit *Krm* ‖ 37 defendaris *MP FX R B Brf* :
- deris *Krm* ‖ oneraberis *P*ᵖᶜ*FX R B Krm Brf* : -aueris *MP*ᵃᶜ ‖ 38 non
MP R B Krm Brf : om. *FX*

XI, 3 ipsius *Brf* : spiritus *MP FX R B* aspidum *Bmg Krm* ‖ 5 sed *MP
FX R B Brf* : si *Krm* ‖ 6 exuperantia *MP*ᵃᶜ *R B Krm Brf* : exuber- *P*ᵖᶜ
FX ‖ 7 patientiae *scripsi* : inpatientiae *MP FX R B Krm Brf* ‖ 8 patien-
tia *R B Krm Brf* : -tiae *MP FX* ‖ 10 inprudentia *MP F R B Krm Brf* :
-tiae *X* ‖ 14 et gaudere *secl. Krm* ‖ docet *MP FX R B Krm* : dec- *Lat
Brf* ‖ 15 quos ego inquit *transp. FX*

a. Apoc. 3, 19.

s'écrouler ! 9. Cherches-tu réparation trop mollement ? tu en seras fou de rage ; trop lourdement ? tu en seras accablé. Loin de moi la vengeance, dont je ne puis régler la mesure étant donné mon incapacité à supporter patiemment la douleur ! Mais si je m'applique à être patient, je ne souffrirai pas ; si je ne souffre pas, je ne chercherai pas à me venger.

Conclusion : opposer la patience à tous les maux

XI, 1. Après avoir passé en revue comme nous l'avons pu ces principaux motifs d'impatience, pourquoi nous égarer parmi les autres, au-dedans comme au-dehors de nous ? Elle s'étend et se propage au loin l'action du Malin, qui répand de multiples incitations à l'impatience, tantôt faibles, tantôt puissantes. 2. Mais celles qui sont faibles, on les méprise en raison de leur insignifiance ; devant celles qui sont puissantes, on recule à proportion de leur force. L'offense est-elle sans gravité ? il n'est pas indispensable de recourir à la patience ; l'offense est-elle grave ? il est indispensable de recourir au remède contre l'offense : la patience. 3. Luttons donc pour supporter les blessures que nous inflige le Malin, afin que les efforts de l'Ennemi trouvent en notre équanimité un rival qui se joue de lui. D'autre part, si nous-mêmes, par légèreté ou délibérément, nous nous créons certains ennuis, supportons tout aussi patiemment ce dont nous sommes la cause. 4. Mais si nous croyons que certains traits sont envoyés par le Seigneur, envers qui, plus qu'envers le Seigneur, devons-nous nous montrer patients ? Bien mieux, il nous apprend à nous féliciter et à nous réjouir d'avoir été jugés dignes du châtiment divin : « Je châtie, dit-il, ceux que j'aime[a] ». O bienheureux serviteur, celui que le Seigneur se soucie de corriger, qu'il juge digne de sa colère, qu'il n'abuse pas en lui cachant ses avertissements !

5. Vndique igitur adstricti sumus officio patientiae administrandae, qui aliqua ex parte aut erroribus nostris aut mali
20 insidiis aut admonitionibus domini interuenimus. Eius officii
magna merces, felicitas scilicet. 6. Quos enim felices dominus nisi patientes nuncupauit dicendo : *Beati pauperes*
spiritu, illorum est enim regnum caelorum[b] ? Nullus profecto
spiritu pauper nisi humilis : quis enim humilis nisi patiens,
25 quia nemo subicere sese potest sine prima patientia subiectionis ipsius ? 7. *Beati*, inquit, *flentes atque lugentes*[c]. Quis
talia sine patientia tolerat ? Itaque talibus et aduocatio et
risus promittitur. 8. *Beati mites*[d]. Hoc quidem uocabulo
inpatientes non licet omnino censeri. Item cum pacificos
30 eodem titulo felicitatis notat et filios Dei nuncupat[e], numquid
inpatientes pacis adfines ? Stultus hoc senserit ! 9. Cum uero
Gaudete et exultate dicit, *quotiens uos maledicent et perse-*
quentur : merces enim uestra plurima in caelo[f], id utique non
exultationis inpatientiae pollicetur, quia nemo in aduersis
35 exultabit, nisi ante contempserit ea, nemo contemnet, nisi
patientiam gesserit.

---

19 qui aliqua *conieci* : quia qua *MP FX R B* quaqua *Vrs* qua aequa
Krm qua *Brf* ‖ 20 interuenimus *MP FX R B Krm Brf* : -iamus *D* ‖ 24
spiritu *P FX R B Krm Brf* : -tus *M* ‖ enim *MP FX R B* : autem *Krm*
Brf ‖ 31 stultus hoc *MP R B Krm Brf* : hos stultus *FX* ‖ 32 gaudete
...exultate *MP FX R B Krm Brf* : gaudere... exultare *D* ‖ 34 exultationis
secl. Krm ‖ 35 exultabit X^{pc} R^3B *Krm Brf* : -auit *MP* $FX^{ac}R^1R^2$ ‖ ante
contempserit ea M^{pc} *Krm Brf* : ante contempserint ea $M^{ac}P$ ante ea
contempserit β *F R B* antea contempserit *X*

**L'exercice
de la patience
apporte la félicité**

5. De tous côtés donc nous sommes astreints au devoir et à l'exercice de la patience, nous qui, d'une façon ou d'une autre, sommes exposés à nos propres erreurs, aux pièges du Malin ou aux avertissements du Seigneur. De ce devoir, la récompense est belle : c'est la félicité ! 6. Pour qui en effet le Seigneur a-t-il réservé le mot de félicité, sinon pour les patients, quand il dit : « Bienheureux les pauvres en esprit, car le Royaume des cieux leur appartient[b] » ? Personne assurément n'est pauvre en esprit, à moins d'être humble : mais qui est humble, à moins d'être patient, car personne ne peut s'abaisser, sans d'abord accepter patiemment son abaissement même ? 7. « Bienheureux ceux qui pleurent et sont dans le deuil[c] ». Qui supporte pareilles épreuves sans la patience ? C'est pourquoi en rétribution de pareilles épreuves leur sont promises consolation et joie. 8. « Bienheureux les doux[d] ». Voilà un mot qui ne permet pas du tout d'inclure les impatients. Pareillement, quand il utilise le même mot de félicité pour désigner les pacifiques et les appelle fils de Dieu[e] : est-ce que par hasard les impatients ont un penchant pour la paix ? Il faut être sot pour le croire ! 9. Et quand il dit : « Réjouissez-vous et exultez toutes les fois qu'on médira de vous et qu'on vous persécutera, car une immense récompense vous attend au ciel[f] », ce n'est assurément pas à une exultation impatiente qu'il promet cette récompense, car personne n'exultera dans l'adversité s'il ne la méprise préalablement, et personne ne la méprisera s'il ne fait preuve de patience.

b. Matth. 5, 3.   c. Matth. 5, 5 .   d. Matth. 5, 4.   e. cf. Matth. 5, 9.   f. Matth. 5, 12.11 ; cf. Lc 6, 23.22.

XII, 1. Quod < ad > pacis gratissimae Deo adtinet disciplinam, quis omnino inpatientiae natus uel semel ignoscet
fratri suo, non dicam septies *et* septuagies septies[a] ? 2. Quis
ad iudicem cum aduersario suo dirigens negotium conuenien-
5 tia soluet, nisi prius *iram dolorem* duritiam amaritudinem,
uenena scilicet inpatientiae, amputar*it* ? 3. Quomodo
remittes et remittetur tibi[b], si tenax iniuriae per absentiam
patientiae fueris ? Nemo conuulsus animum in fratrem suum
munus apud altare perficiet, nisi prius reconciliando fratri
10 reuersus ad patientiam fuerit[c]. 4. Sol super iram nostram si
occiderit[d], periclitamur : non licet nobis úna die sine patientia manere.

Atenim cum omnen speciem salutaris disciplinae gubernet,
quid mirum quod etiam paenitentiae ministrat solitae lapsis
15 subuenire ? 5. Haec expectat, haec exoptat, haec exorat
paenitentiam quandoque inituris salutem. Cum disiuncto
matrimonio — ex ea tamen causa[e] qua licet seu uiro seu feminae ad uiduitatis perseuerantiam sustineri — alterum ad*u*lte-
rum non facit, alterum emendat, quantum boni utrique
20 confert ! 6. Sic et [in] illis dominicarum similitudinum exem-

XII, 1 ad *add. Lat Krm Brf* || deo attinet *MP R B Krm Brf* : domino
attinent *FX* || 2 ignoscet *R³ B Krm Brf* : -scit *MP FX R¹R²* || 3 et *Krm
Brf* : sed *MP FX R B* sed et *Rig* uel *Lat* || 4 ad *B Krm Brf* : *om. MP FX
D R* || 5 iram dolorem *Brf* : iam doleret *MP FX R B* animi dolorem *Vrs*
iram delerit *Krm* || 6 uenena *MP FX R B* : uenas *Bruhn Krm Brf* ||
amputarit *Vrs Krm Brf* : -aret *MP FX R B* || 10 reuersus *ante* ad patien-
tiam *iter. Van der Vliet* || 14 paenitentiae *MP FX R B Krm Brf* : patien-
tiae *Bmg* || ministrat solitae *MP FX R B Brf* : ministrat ? solita *Krm* ||
15-16 haec expectat — salutem *post* subuenire *transp. Krm* : *post* 18 susti-
neri *MP FX R B Brf* || 15 exorat *Pam Krm Brf* : exortat *MPᵖᶜ* exoptat
iter. Pᵃᶜ exhortat *D* etortat *F G R³* et orat *X* exhortatur *coni. R¹mg B om.
R¹R²* || 16-18 cum disiuncto — sustineri *post* salutem *transposui* : *post* 15
subuenire *et ante* haec expectat *MP FX R B Brf, post* 20 confert *et ante*
alterum adulterum *Krm* || 18 ad uiduitatis perseuerantiam *MP FX R B
Brf* : a diuiduitatis perseuerantia *Krm* || 18-19 alterum adulterum —
emendat *post* sustineri *Krm* : *post* 20 confert *MP FX R B Brf* || adul-
terum *R²mg R³ B Krm Brf* : ad alterum *MP FX R¹R²* || 19-20
quantum — confert *post* emendat *transposui* : *post* 16 salutem *et ante* 18

Rôle éminent   **XII,** 1. Et pour ce qui est de
de la patience   la discipline de la paix, si chère
dans la vie du chrétien à Dieu, quel est effectivement
l'individu qui, né pour être
impatient, pardonnera serait-ce une fois à son frère, pour ne
pas dire sept fois ou soixante dix sept fois[a] ? 2. Quel
homme, se rendant chez le juge avec son adversaire, trouvera
un arrangement pour régler son affaire, si au préalable il
n'élimine colère, douleur, méchanceté, aigreur, qui sont, bien
sûr, les poisons de l'impatience ? 3. Comment « remettras-
tu » et « te sera-t-il remis[b] », si faute de patience tu restes
attaché au souvenir d'une offense ? Quiconque s'est emporté
contre son frère ne déposera pas d'offrande auprès de l'autel,
à moins de retrouver d'abord la patience et de se réconcilier
avec son frère[c]. 4. Si le soleil se couche sur notre colère[d],
nous sommes en danger : il ne nous est pas permis de demeurer un seul jour sans la patience.

Et de fait, puisqu'elle gouverne toute forme de discipline
salutaire, qu'y a-t-il d'étonnant à ce qu'elle assiste aussi la
pénitence, secours habituel des pécheurs ? 5. C'est elle qui
attend, elle qui souhaite, elle qui demande le salut pour ceux
qui, un jour, s'engageront dans la pénitence. Et lorsque, un
mariage se trouvant désuni (pour un motif[e] qui, toutefois,
permet que le mari ou la femme supporte la séparation en
acceptant sa solitude), elle empêche l'un de devenir adultère
et favorise la résipiscence de l'autre, quel bien n'apporte-t-elle
pas alors à tous les deux ! 6. De la même manière elle est
présente dans les saints exemples de pénitence que proposent

alterum adulterum *MP FX R B Brf, post* 16 salutem *et ante* cum disiuncto
Krm (uide p. 228) ‖ 20 in *add.* D

a. cf. Matth. 18, 22.   b. cf. Lc 6, 37.   c. cf. Matth. 5, 23-24.
d. cf. Éphés. 4, 26.   e. cf. Matth. 5, 32 ; 19, 9.

plis de pa*eni*tentia sanctis adest : erroneam ouem patientia
pastoris requirit et inuenit (nam inpatientia unam facile
contemneret, sed laborem inquisitionis patientia suscipit) et
humeris insuper aduehit baiulus patiens peccatricem derelic-
25 tam[f]. 7. Illum quoque prodigum filium patientia patris et
recipit et uestit et pascit et apud inpatientiam irati fratris
excusat[g]. Saluus est igitur qui perierat, quia paenitentiam
iniit ; paenitentia non perit, quia patientiam inuenit.
    8. Nam dilectio, summum fidei sacramentum, Christiani
30 nominis thesaurus, quam apostolus totis uiribus sancti
spiritus commendat, cuius nisi patientiae disciplinis eruditur ?
9. *Dilectio*, inquit, *magnanimis est* : i*d* a patientia sumit ;
benefica est : malum patientia non facit ; *non aemulatur* : id
quidem *in*patientiae proprium est ; *nec proteruum sapit* :
35 modestiam de patientia traxit ; *non inflatur*[h], *non proteruit* :
non enim ad patientiam pertinet ; *nec sua requirit* : suffert
sua, dum alteri prosit ; *nec incitatur*[i] : ceterum quid inpatientiae reliquisset ? Ideo, inquit, *dilectio omnia sustinet, omnia
tolerat*[j], utique quia [ipse] patiens. 10. Merito ergo
40 numquam excidet. Nam cetera euacuabuntur consummabuntur : exhauriuntur linguae scientiae prophetiae, perma-
nent autem fides spes dilectio[k], fides quam Christi patientia
induxit, spes quam hominis patientia expectat, dilectio quam
Deo magistro patientia comitatur.

---

21 paenitentia *Krm* : patientia *MP FX R B Brf* ‖ sanctis *MP FX R B* :
saluis *Krm* spiritus *Brf* ‖ 21-22 pastoris patientia *transp. FX* ‖
28 perit *MP FX R B Brf* : -iit *Iun Krm* ‖ 29 nam *MP FX R B Brf* :
iam *Krm* ‖ 32 id a patientia *Krm Brf* : ita patientia *M D* ita patientiam *P
FX R B* ‖ 33 benefica *MP FX R B Krm Brf* : -cia *D* ‖ 34 inpatientiae
Brf : patientiae *MP FX R B Krm* ‖ 35 proteruit *B Krm Brf* : poterit *MP*
proterit β *FX R* ‖ 36 suffert *MP FX R B Krm Brf* : sed offert *Lat* si
offert *Rig* ‖ *post* suffert *lac. ind. Krm Brf* ‖ 39 ipse *add. X* ‖ 41 exhauriuntur *MP FX R B Brf* : -rientur *Krm* ‖ 42 autem *M FX D Krm Brf* :
om. P R B ‖ 43 hominis patientia expectat *B Krm Brf* : homini patientia
induxit *MP FX D R* ‖ 44 comitatur *P[pc]R B Krm Brf* : comittatur *MP* [ac]
committatur *FX*

les paraboles du Seigneur : la patience du pasteur cherche et
trouve la brebis égarée (l'impatience ne se soucierait guère
d'une seule brebis, mais la patience se donne la peine de la
rechercher), et il la prend sur ses épaules, porteur patient de
la pécheresse abandonnée[f]. 7. C'est aussi la patience du
père qui accueille le fils prodigue, qui l'habille, qui le nourrit,
qui l'excuse auprès de son frère impatient et irrité[g]. Il est
donc sauvé celui qui s'était perdu, parce qu'il s'est engagé
dans la pénitence, et la pénitence ne se perd pas, parce qu'elle
a trouvé la patience.

8. D'autre part, la charité, signe souverain de la foi, trésor
des chrétiens, que l'Apôtre recommande de toute la force de
l'Esprit Saint, par quelle discipline sinon celle de la patience
est-elle formée ? 9. « La charité, dit-il, est magnanime » :
elle prend cela à la patience ; « elle est disposée à bien faire :
la patience ne fait pas le mal » ; « elle n'est pas envieuse » :
c'est le propre de l'impatience ; « elle n'est pas encline à
l'effronterie » : elle a tiré la modestie de la patience ; « elle ne
se rengorge pas[h], elle n'est pas effrontée » : cela en effet
n'appartient pas à la patience ; « elle ne cherche pas ce qui
est son intérêt » : elle l'accepte, autant qu'il faut pour être
utile à autrui ; « elle ne s'excite pas[i] » : autrement, que laisse-
rait-elle à l'impatience ? Voilà pourquoi, selon l'Apôtre, « la
charité supporte tout, endure tout »[j], bien entendu parce
qu'elle est patiente. 10. C'est donc avec raison que la
charité ne passera jamais. Tout le reste aura un terme, aura
une fin : les langues, les connaissances, les prophéties dispa-
raissent, mais la foi, l'espérance, la charité demeurent[k] ; la
foi, que la patience du Christ a communiquée ; l'espérance,
que la patience de l'homme attend ; la charité, que la
patience accompagne avec Dieu pour maître.

f. cf. Lc 15, 4-7.   g. cf Lc 15, 11-32.   h. I Cor. 13, 4.   i. I Cor.
13, 5.   j. I Cor. 13, 7.   k. cf. I Cor. 13, 8.13.

XIII, 1. Vsque huc de patientia tandem simplici et uniformi et tantum in animo constituta, cum eandem etiam in
corpore demerendo domino multipliciter adlaborem*us*, utpote
quae ab ipso domino in corporis quoque uirtute edita est,
5 siquidem rector animus facile communicat spiritus inuecta
cum habitaculo suo. 2. Quae igitur negotiatio patientiae in
corpore ? Inprimis adf*l*ictatio carnis, hostia domino placa-
toria per humiliationis sacrificium, cu*m* sordes cum angustia
uictus domino libat, conte*n*ta simplici pabulo puroque potu,
10 cum ieiunia coniungit, cum cineri et sacco inolescit[a]. 3. Haec
patientia corporis precationes commendat, deprecationes
adfirmat ; haec aures [Christi] Dei aperit, seueritatem
dispergit, clementiam eli*c*it. 4. Sic ille rex Babylonius[b],
offenso domino, cum squalore et paedore septenni, ab
15 humana forma exulasset, immolata patientia corporis sui, et
regnum recuperauit et, quod optabilius homini est, satis Deo
fecit.

5. Iam si altiores et feliciores gradus corporalis patientiae
digeramus, eadem sanctitati quoque procurat continentia
20 carnis : haec et uiduam tenet et uirginem adsignat et uoluntarium spadonem[c] ad regna caeli leuat.

6. Quod de uirtute animi uenit in carne perficitur : carnis
patientia in persecutionibus denique proeliatur. Si fuga

XIII, 1 tandem *MP FX R B* : tantum *Iun Krm* tamen *Brf* ‖ 2 eandem
MP FX R¹R² *Krm Brf* : eadem *coni.* R¹mg R²mg R³B ‖ 3 adlaboremus
Krm Brf : -rem *MP FX R¹R²* -ret *coni.* R¹mg R²mg R³B ‖ 4 *post* domino
in *usque ad* 35 prophetae quae *om.* M *(qui lac. ind.)* P FX D R ‖ 7
adflictatio *Gel Krm Brf* : adfectatio *B* ‖ 8 sacrificium *B Krm* : officium
Brf ‖ cum¹ *Gel Krm Brf* : cur *B* ‖ 9 contenta *Gel Krm Brf* : -tecta *B* ‖
puroque potu *Brf* : puro quoque potu *B* puroque aquae potu *Gel Krm* ‖
12 christi *secl. Brf* : christi *B* christi et *Iun Krm* ‖ 13 elicit *Gel Krm Brf* :
eligit *B* ‖ 19 digeramus *O Gel Brf* : deg- *B* ‖ procurat *Lat Brf* : praec- *O*
B Krm ‖ continentia *Lat Brf* : -tiam *O B Krm* ‖ 20 uirginem *B Krm Brf* :
uiduam *O* ‖ 23 *post* proeliatur *usque ad* 36 uicerunt *def. O*

a. cf. Is. 58, 5 ; Jonas 3, 6 ; Dan. 9, 3 ; etc. Matth. 11, 21.   b. cf.
Dan. 4, 25-33.   c. cf. Matth. 19, 12.

La patience du corps. **XIII,** 1. Toutefois il a été
L'ascèse question jusqu'ici de la patience
et la continence simple et de type unique, ayant
son siège dans l'âme seulement,
alors que, pour gagner l'amitié du Seigneur, nous devons
nous efforcer d'avoir également, dans la multiplicité de ses
aspects, la patience du corps, elle que le Seigneur lui-même a
manifestée en montrant la vertu de son corps aussi, puisque
l'âme, qui est le maître, ne manque pas de partager avec sa
demeure les biens apportés par l'Esprit.   2. Quelle est donc
l'affaire de la patience du corps ? Tout d'abord, la mortification — victime qui apaise le Seigneur par l'offrande de son
humiliation, lorsqu'elle consacre au Seigneur ses vêtements
misérables avec la frugalité de sa nourriture, se contentant
d'aliments simples et d'eau pure, lorsqu'elle y ajoute les
jeûnes, lorsqu'elle grandit dans la cendre et le sac[a].   3. Cette
patience du corps donne du crédit à nos suppliques, du poids
à nos supplications ; elle ouvre les oreilles de Dieu, désarme
sa sévérité, attire sa clémence.   4. Ainsi tel roi de Babylone[b],
pour avoir offensé le Seigneur, vécut sept ans dans la saleté et
la crasse, privé d'apparence humaine : ayant offert en sacrifice la patience de son corps, il a recouvré son trône et, chose
plus souhaitable pour un homme, il a satisfait à Dieu.

5. Maintenant, si nous examinons les degrés plus éminents
et plus heureux de la patience physique, c'est elle encore qui
prépare les voies de la sainteté en contenant la chair : elle
soutient la veuve, elle marque la vierge de son sceau, elle
élève l'eunuque volontaire[c] jusqu'au royaume du ciel.

Le martyre 6. Ce qui provient de la vertu
de l'âme trouve son accomplis-
sement dans la chair : ainsi est-ce la patience de la chair qui
lutte dans les persécutions. Si la nécessité de fuir se fait pres-

urgeat, incommoda fugae caro militat ; si et carcer praeue-
25 niat, caro in uinculis, caro in ligno[d], caro in solo, et in illa
paupertate lucis et in illa penuria mundi. 7 Cum uero
producitur ad experimentum felicitatis, ad occasionem
secundae intinctionis, ad ipsum diuinae sedis ascensum[e],
nulla plus illic quam patientia corporis. Si *spiritus promp-*
30 *tus, sed caro* (sine patientia) *infirma*[f], ubi salus spiritus et
carnis ipsius ? 8. At cum hoc dominus de carne dicit, infir-
mam pronuntians, quid ei firmandae opus sit ostendit, patientia scilicet, aduersus omnem subuertendae fidei uel puniendae
paraturam, ut uerbera, ut ignem, ut crucem bestias gladium
35- constantissime toleret quae prophetae, quae apostoli sustinendo uicerunt.

XIV, 1. His patientiae uiribus secatur Esaias[a] et de
domino non tacet, lapidatur Stephanus et ueniam hostibus
suis postulat[b]. 2. O felicissimum illum quoque, qui omnem
patientiae speciem aduersus omnem diaboli uim expunxit,
5 quem non abacti greges, non illae in pecore diuitiae, non filii
uno ruinae impetu adempti[c], non ipsius denique corporis in
uulnere cruciatus[d] a patientiae fide domino debita exclusit,
quem diabolus totis uiribus frustra cecidit ! 3. Neque enim a

---

24 *ante* incommoda *add.* ad *Vrs,* aduersus *Rig* ‖ praeueniat *B Krm
Brf* : premat *Vrs* ‖ 25-26 et in illa (*bis*) *B Brf* : illa et in (*bis*) *Krm* ‖ 26
penuria *Vrs Krm* : patientia *B* absentia *Brf* ‖ 34 paraturam ut *Pam Krm
Brf* : paratur aut *B* paratum ut *Gel* ‖ 35 apostoli *B Krm Brf* : -lis *MP FX
D R* ‖ 36 uicerunt *B Krm Brf* : -rit *MP FX D R*

---

d. cf. Act. 16, 24 ? e. cf. Amos 9, 6 ? f. Matth. 26, 41 ; Mc
14, 38.

XIV, 1 secatur *MP F R B Krm Brf* : sectatur *X* ‖ 2 et *R³B Krm Brf* :
sed *MP FX O R¹R²* ‖ 5 abacti *MP FX O R B Brf* : -tae *Krm* ‖ greges,
non *secl. Krm* ‖ illae *om. O* ‖ pecore *MP FX R B Krm Brf* : pectore
O ‖ 5-6 filii uno ruinae *MP FX R B Krm Brf* : filiorum ruine *O* ‖ 6
impetu adempti *om. O* ‖ 7 patientiae *O Brf* : -tia *MP FX R B Krm* ‖
domino debita *Vrs Brf* : domino dedita *MP FX R B Krm om. O* ‖ 8 *post*

sante, c'est la chair qui affronte les inconvénients de la fuite ;
si la prison survient avant, c'est la chair qui est dans les
chaînes, la chair qui est dans les entraves[d], la chair qui est
sur le sol, souffrant du manque de lumière et de la privation
du monde. 7. Et lorsqu'on la conduit pour qu'elle fasse
l'expérience de la félicité, pour qu'elle saisisse l'occasion du
second baptême, pour qu'elle prenne son ascension vers la
demeure divine[e], là rien n'est plus utile que la patience du
corps. Si « l'esprit est prompt, mais faible la chair »[f] (sans la
patience), où est le salut de l'esprit et de la chair précisément ? 8. Mais quand le Seigneur dit cela de la chair, en
déclarant qu'elle est faible, il indique quelle aide — la patience, bien entendu — lui est nécessaire pour l'affermir contre
tout dispositif destiné à renverser la foi ou à la châtier, afin
qu'elle endure, sans faiblir, les coups, le feu, la croix, les
bêtes et le glaive, que les prophètes et les apôtres ont vaincus
en les supportant.

Exemples de patience :   **XIV,** 1. Grâce aux forces
Isaïe et Étienne.   que donne la patience, Isaïe,
Job   sous la scie qui le déchire[a], invo-
                   que le Seigneur, Étienne, sous
les jets de pierres, implore le pardon pour ses ennemis[b]. 2.
O très heureux aussi celui qui épuisa toute forme de patience
contre la toute-puissance du Diable ; que ni le vol de ses trou-
peaux ni, avec le bétail, celui de ses richesses, ni la mort de
ses fils dans le même éboulement d'une maison qui s'effon-
dre[c], ni enfin les souffrances ressenties dans une plaie de son
corps[d] n'ont empêché d'avoir foi en la patience, comme il le
devait au Seigneur ; que le Diable a frappé, en vain, de toutes
ses forces ! 3. Et en effet tant de douleurs ne l'ont pas dé-

cecidit *usque ad* XV, 15 formosa est *def. O* ‖ enim a *MP R B Krm Brf* :
omnia *FX*

---

a. Asc. Isaïe 5, 14.   b. cf. Act. 7, 59.   c. cf. Job 1, 15-19.   d. cf.
Job 2, 7.

respectu Dei tot doloribus auocatus ille est, sed constitit
10 nobis in exemplum et testimonium tam spiritu quam carne,
tam animo quam corpore patientiae perpetrandae, ut neque
damnis saecularium nec amissionibus carissimorum nec
corporis quidem conflictationibus succidamus. 4. Quale in
illo uiro feretrum Deus de diabolo extruxit, quale uexillum de
15 inimico gloriae suae extulit, cum ille homo ad omnem
acerbum nuntium nihil ex ore promeret nisi « Deo gratias »,
cum uxorem iam malis delassatam et ad praua remedia
suadentem execrareturᵉ! 5. Quid ? ridebat Deus, quid ?
dissecabatur malus, cum Iob inmundam ulceris sui redundan-
20 tiam magna aequanimitate destringeretᶠ, cum erumpentes
bestiolas inde in eosdem specus et pastus refossae carnis
ludendo reuocaretᵍ! 6. Itaque operarius ille uictoriae Dei,
retusis omnibus iaculis temptationum lorica clipeoque patientiae, et integritatem mox corporis a Deo recuperauit et quae
25 amiserat conduplicata posseditʰ. 7. Et si filios quoque
restitui uoluisset, pater iterum uocaretur. Sed maluit in illo
die reddi sibi : tantum gaudii securus [sit] de domino distulit,
sustinuit eam uoluntariam orbitatem, ne sine aliqua patientia
uiueret !

XV, 1. Adeo satis idoneus patientiae sequester Deus : si
iniuriam deposueris penes eum, ultor est ; si damnum, resti-
tutor est ; si dolorem, medicus est ; si mortem, resuscitator

11 perpetrandae *MP FX R B Krm Brf* : -do *D* ‖ 14 de diabolo *B Krm
Brf* : diabolo *MP FX D R* ‖ 16 acerbum nuntium *B Krm Brf* : aceruum
nuntiorum *MP FX D R* ‖ 17 iam uxorem *transp. X* ‖ 19 dissecabatur *P
FX R B Krm Brf* : dissi cabatur *M* ‖ 21 refossae *coni. R²mg Krm Brf* :
reformasse *MP FX D R¹R²* reformatae β foraminosae *R³B alii aliter* ‖
24 recuperauit *MP FX G R³ B Krm Brf* : -cuperatam *R¹R²* ‖ 25 conduplicata *R³ B Krm Brf* : centupl- *MP FX D R¹R²* redupl- *Gel Pam* ‖ 27
securus de *M FX D Krm Brf* : securus sit de *Pᵃᶜ* securus sic de *Pᵖᶜ R B* ‖
28 eam *conieci* : tam *MP FX R B* nec *D* iam *Vrs Krm Brf*

e. cf. Job 2, 9-10.   f. cf. Job 2, 8.   g. cf. Test. Job 20, 8-9.   h. cf.
Job 42, 10.

tourné de la pensée de Dieu, mais il s'est dressé devant nous comme un exemple et un témoignage d'exercice de la patience, tant pour ce qui est de l'esprit que pour ce qui est de la chair, tant pour ce qui est de l'âme que pour ce qui est du corps, afin que nous ne soyons abattus ni par la perte des biens du siècle, ni par la disparition des êtres chers, ni non plus par les mauvais traitements infligés à notre corps.   4. Quel beau trophée, grâce à ce héros, Dieu n'a-t-il pas érigé avec le Diable ! quel bel étendard n'a-t-il pas pris à l'Ennemi pour l'élever à sa propre gloire, quand cet homme, à toute mauvaise nouvelle, ne laissait tomber de sa bouche d'autre mot que « Grâce soit rendue à Dieu ! », quand voyant sa femme, épuisée par les malheurs, lui conseiller de mauvais remèdes il la maudissait[e] ! 5. C'est Dieu qui riait, c'est le Malin qui se tordait de douleur, quand Job avec une parfaite équanimité nettoyait la repoussante excroissance de sa tumeur[f], quand, par jeu, il ramenait dans les cavités de sa chair rongée et à leur pâture les vers qui s'en échappaient[g] ! 6. Aussi cet artisan de la victoire de Dieu, dont la cuirasse et le bouclier de patience avaient renvoyé toutes les flèches des tentations, recouvra-t-il bientôt par la faveur de Dieu la santé du corps et posséda-t-il le double de ce qu'il avait perdu[h].   7. Et s'il avait voulu retrouver aussi ses fils, le nom de père lui eût été redonné. Mais il préféra qu'ils lui fussent rendus le grand jour : sans inquiétude sur le Seigneur, il différa une si grande joie, il supporta cette privation volontaire, pour ne pas vivre sans avoir à faire preuve de patience !

« Opera patientiae » :
les œuvres de la patience   **XV,** 1. Tant il est vrai que Dieu est un dépositaire passablement attitré de la patience ! Confies-tu auprès de lui une offense ? il la venge. Un dommage ? il le répare. Une souffrance ? il la guérit. La mort ? il

est. Quantum patientiae licet, ut Deum habeat debitorem !
5 2. Nec inmerito [enim]. Omnia enim placita eius tuetur,
omnibus mandatis eius interuenit : fidem munit, pacem
gubernat, dilectionem adiuuat, humilitatem instruit, paenitentiam expectat, exhomologesin adsignat, carnem regit, spiritum seruat, linguam frenat, manum continet, temptationes
10 inculcat, scandala pellit, martyria consummat ; 3. pauperem
consolatur, diuitem temperat, infirmum non extendit, ualentem non consumit, fidelem delectat, gentilem inuitat ; serªum
domino, dominum Deo commendat, feminam exornat, uirum
adprobat ; amatur in puero, laudatur in iuuene, suspicitur in
15 sene ; in omni sexu, in omni aetate formosa est !
    4. Age iam, si et effigiem habitumque eius conprehen-
damus ? Vultus illi tranquillus et placidus, frons pura nulla
maeroris aut irae rugositate contracta ; remissa aeque in
laetum modum supercilia, oculis humilitate, non infelicitate
20 deiectis ; 5. os taciturnitatis honore signatum, color qualis
securis et innoxiis, motus frequens capitis in diabolum et
minax risus ; ceterum amictus circum pectora candidus et
corpori inpressus, ut qui nec inflatur nec inquietatur.
6. Sedet enim in throno spiritus eius mitissimi et mansuetis-
25 simi, qui non turbine glomeratur, non nubilo liuet, sed est
tenerae serenitatis, apertus et simplex, quem tertio uidit
Helias[a]. Nam ubi Deus, ibi et alumna eius, patientia scilicet.

XV, 5 enim *secl. Gel Krm Brf* ||11-12 consumit... extendit *transp.*
Krm || 14 suspicitur *R B Krm Brf*: suscipitur *MP FX D* || 16 si et *MP
FX R B Brf*: ut *O* sis et *Iun Krm* || 17 illi *MP FX R B Krm Brf*: illius
O || 19-20 oculis... deiectis *MP FX R B Krm* : oculi... deiecti *O Brf* || 20
qualis *MP FX R B Krm Brf*: quasi *O* || 22 circum pectora candidus *MP
R B Krm Brf*: circumspector ac candidus *FX* circa pectora candidus *O* ||
23 ut *MP R B Krm Brf*: et *FX* || 24 eius — mansuetissimi *om. O* || 27 ibi
O Brf: ibidem *MP FX R B Krm* || alumna *MP X O R B Krm Brf*: ali-
menta *F*

ressuscite. Quelle force pour la patience que d'avoir Dieu pour débiteur ! 2. Et c'est justice : c'est elle en effet qui protège tous ses préceptes, qui intervient dans tous ses commandements : elle fortifie la foi, gouverne la paix, aide la charité, forme l'humilité, attend la pénitence, confirme la confession, commande la chair, sauvegarde l'esprit, retient la langue, arrête la main, bafoue les tentations, repousse les scandales, couronne le martyre ; 3. elle console le pauvre, modère le riche, n'excite pas le malade, n'épuise pas le bien portant, réjouit le fidèle, attire le païen ; elle recommande l'esclave au maître, le maître à Dieu, embellit la femme, révèle l'époux ; on l'aime chez l'enfant, on la loue chez l'homme jeune, on la respecte chez le vieillard ; quel que soit le sexe, quel que soit l'âge, elle est belle !

Allégorie de Patience   4. Et maintenant, si nous prenions une vue d'ensemble de son expression et de sa mise ? Elle a le visage tranquille et calme ; le front serein, sans aucune ride de chagrin ou de colère pour le contracter ; les sourcils également détendus en signe de joie ; avec les yeux baissés, par humilité, non sous le poids du malheur ; 5. La bouche portant le sceau de la dignité du silence ; le teint des gens paisibles et innocents ; un mouvement fréquent de la tête pour s'opposer au Diable et le rire menaçant ; un vêtement blanc lui ceignant la poitrine et ajusté au corps, sans ampleur et sans plis. 6. Elle est assise sur le trône de l'Esprit très doux et très clément, que n'emporte pas le tourbillon, que le nuage ne rend pas livide, mais qui est d'une sérénité pleine de délicatesse, ouvert et simple, tel que le vit Élie la troisième fois[a]. Car où est Dieu, là aussi se trouve sa disciple, la patience bien entendu. 7. Quand donc

a. cf. III Rois 19, 11-13.

7. Cum ergo spiritus Dei descendit, indiuidua patientia
comitatur eum. Si non cum spiritu admiserimus, in nobis
30 morabitur semper ? Immo nescio an diutius perseueret : sine
sua comite ac ministra omni loco ac tempore angatur necesse
est ; quodcumque inimicus eius inflixerit solus sustinere non
poterit, carens instrumento sustinendi !

XVI, 1. Haec patientiae ratio, haec disciplina, haec opera,
caelestis et uerae scilicet : Christiana non, ut illa patientia
gentium terrae, falsa probrosa. 2. Nam ut in isto quoque
domino diabolus aemularetur, quasi plane ex pari (nisi quod
5 ipsa diuersitas mali et boni aequaliter magnitudinis par est),
docuit et suos patientiam propriam, 3. illam dico quae maritos dote uenales aut lenociniis negotiantes uxorum potestatibus subicit, quae aucupandis orbitatibus omnem coacti
obsequii laborem mentitis adfectionibus tolerat, quae uentris
10 operarios contumeliosis patrociniis, subiectione libertatis
gulae, addicit. 4. Talia nationes patientiae studia nouerunt et
tanti boni nomen foedis operationibus occupant : patientes
riualium et diuitum et inuitatorum, inpatientes solius Dei
uiuunt. Sed uiderint sua et sui praesid*is* patientia, quam

---

28 *post* patientia *usque ad* XVI, 17 dependit *def.* O ‖ indiuidua *MP F R*
B Krm Brf : in diuina *X* ‖ 29 non *MP FX R¹R²* *Krm Brf* : uos *D* nos *R³*
B ‖ 31 angatur *coni.* *R²mg Rig Krm Brf* : tang- *MP F R B* coang-
X ‖ 32 eius *om.* *X* ‖ solus *MP FX R B Krm Brf* : sola *coni.* *R³*

XVI, 1 disciplina *R³ B Krm Brf* : -nae *MP FX D R¹R²* ‖ 2 uerae *M*
X^{pc}R³ B Krm Brf : uere *P FX^{ac} R¹R²* uera *Gel* ‖ scilicet : christiana *inter-*
punxi : .scilicet christiana *uulgo* ‖ christiana *MP FX R B Krm Brf* : -nae
Rig ‖ 3 falsa *om.* *F* ‖ *post* falsa *add.* et *Brf* ‖ 5 magnitudinis *MP R B*
Krm : -dine *FX Brf* ‖ 6 suos *MP X R B Krm Brf* : filios *F* ‖ 9 adfectionibus *MP FX R B Krm* : -fectatio- *Brf* ‖ 11 gulae *post* 10 patrociniis
transp. *Krm* ‖ addicit *M* β *FX R B Krm Brf* : dicit *P* ‖ 13 riualium
— inpatientes *B Krm Brf* : *om.* *MP FX D R* ‖ 14 *ante* sua *add.* cum
Brf ‖ praesidis *Vrs Krm Brf* : -des *MP FX R B* ‖ patientia quam *Vrs*
Brf : quam patientia *MP FX R²R³B* quos patientia β qua patientia *R¹*
quam patientiam *Krm*

descend l'Esprit de Dieu, inséparable la patience l'accompagne. Si nous ne la recevons pas en même temps que l'Esprit, demeurera-t-il toujours en nous ? Non, au contraire, peut-être ne restera-t-il pas longtemps : sans sa compagne et servante, il est nécessairement anxieux, partout et en permanence ; tout ce que son Ennemi lui infligera, il ne pourra, étant seul, le supporter, car il sera privé de l'instrument du support !

**Péroraison.
Critique de
la « fausse » patience
et exhortation
à la patience
authentique**

XVI, 1. Telles sont la raison, la discipline, les œuvres de la patience, de la patience céleste et authentique, s'entend : la patience chrétienne n'est pas comme celle, fausse et déshonorante, des païens de la terre. 2. Car pour rivaliser sur ce point encore avec le Seigneur, le Diable, comme s'il était sans doute sur un pied d'égalité (exception faite de la parité de grandeur créée, à égalité, par l'opposition même du bien et du mal !), a enseigné aussi aux siens une patience particulière, 3. je veux parler de celle qui soumet au pouvoir de leurs épouses les maris qui se sont vendus pour une dot ou qui trafiquent de leurs charmes ; qui, pour attraper les gens sans enfants, affiche des sentiments qu'elle n'a pas et accepte de se voir imposer toute sorte de services pénibles ; qui abandonne les adeptes du ventre aux injures de leurs patrons, faisant ainsi passer la gueule avant la liberté. 4. Tel est l'attachement que les païens conçoivent pour la patience et ils accaparent pour des actions dégradantes le nom d'un si grand bien : patients envers des rivaux, envers des riches, envers des hôtes, il n'y a qu'envers Dieu qu'ils manifestent de l'impatience durant leur vie. Mais tant pis pour leur propre patience et celle de leur chef, qu'attend

15 subter*raneus* ignis expectat. 5. Ceterum nos amemus patientiam Dei, patientiam Christi ; rependamus illi quam pro
nobis ipse de*p*endit, offeramus patientiam spiritus, patientiam
carnis, qui in resurrectionem carnis et spiritus credimus !

---

15 subterraneus *Brf* : subter *MP FX R B* sub terra *Krm* ‖ 17 dependit
coni Lat. Pam Krm Brf : defendit *MP FX R B* ‖ 17-18 carnis... spiritus
transp. O ‖ resurrectionem *MP FX R B Krm Brf* : -one *O*

Finis EXPLICIT DE PACIENTIA *M P* Explicit liber de paciencia dei
Q. Septimi Florentis Tertulliani *F om. X O*

un feu souterrain ! 5. Quant à nous, aimons la patience de Dieu, la patience du Christ : remboursons-lui celle qu'il a spontanément dépensée pour nous, offrons-lui la patience de l'esprit, la patience de la chair, nous qui croyons à la résurrection de la chair et de l'esprit !

COMMENTAIRE

EXORDE (chap. I-II, 1)

I. *Captatio beneuolentiae* (chap. I, 1-5).

L'auteur n'est certainement pas le mieux placé, impatient comme il est, pour faire l'éloge de la patience et exhorter ses lecteurs à pratiquer cette vertu (I, 1). Mais peut-être trouvera-t-il justement, à cette occasion, la force de surmonter son infirmité. A condition toutefois de ne pas oublier que la patience, bien divin par excellence, ne s'obtient qu'avec l'aide de la grâce divine (§ 2-3). Aussi bien, tel un malade qui trouve un réconfort à parler de la santé qu'il n'a pas, Tertullien aspire à posséder une vertu sans laquelle l'on ne saurait vivre la foi chrétienne (§ 4-5).

1, 1. Confiteor ad : seul exemple, d'après *TLL* s.u. col. 228, 65 s., de construction + *ad*, ce qui explique que *O* lui ait substitué la prép. plus usuelle *apud* (cf. Borleffs, *VChr* 5, 1951, p. 67 ; *supra*, p. 45). Valeur neutre du verbe ici, cf. E. Valgiglio, *Confessio nella Bibbia e nella letteratura cristiana antica,* Torino 1980, p. 100. – **dominum Deum :** formule scripturaire (κύριος ὁ θεός), dont Tert. se sert pour donner plus de solennité à ses énoncés (*infra,* 4, 5 ; 5, 5 ; 10, 4 ; Braun, p. 94 s.) ; mais il lui préfère la séquence inverse : *Deus dominus*. – **temere... inpudenter :** la *temeritas,* action irréflé-

chie, passionnée, opposée au courage véritable (*fortitudo*) ;
l'*inpudentia*, faute contre le « respect de soi-même, le sens de
l'honneur » (*pudor* ; cf. *infra*, § 2), qui consiste à savoir se
garder d'encourir un blâme justifié ; vertu subordonnée à la
temperantia, le *pudor* est essentiel à l'orateur (Cic., *De orat.*,
1, 120.122) ; parfois considéré comme une εὐπάθεια ou,
plutôt, un aspect de l'une d'elles, l'εὐλάβεια (*SVF* III,
p. 105, 40). Peut-être y a-t-il une réminiscence de Cic., *Lae.*,
82 : « Plerique peruerse, ne dicam inpudenter, habere talem
amicum uolunt, quales ipsi esse non possunt » ? – **de patientia** : Tert. commence et termine volontiers ses traités sur un
mot qui reprend ou rappelle le titre (cf. *infra*, 16, 5 ; Fredouille,
SC 281, p. 167).– **componere** : cet emploi absolu n'est pas
classique, cf. *TLL* s.u., col. 2124, 3 ; la constr. préposition-
nelle + *de* est attestée chez Pl. Anc., *Nat.*, 1, 25. – **cui
praestandae** : syntagme usuel, cf. *supra*, p. 23, n. 6 ; *infra*,
1, 2. *Idoneus* + dat. adj. vb. : attesté à partir de Vélléius
Paterculus, Sénèque, etc. Cf. *Vx.*, 2, 8, 3 ; Hoppe, *Synt.*,
p. 56. – **homo nullius boni** : cf. *infra*, 1, 5 : *miserrimus ego* ;
Orat., 20, 1 : *nos uel maxime nullius loci homines* ; *Bapt.*,
20, 5 : *Tertulliani peccatoris* ; *Paen.*, 4, 2 : ... *tu peccator, mei
similis – immo me minor : ego enim praestantiam in delictis
meam agnosco* ; *Cult.*, II, 1, 1 : *postremissimus omnium* ;
7, 3 : *miserrimus ego*. Autant de formules d'humilité qui permettent, jointes à d'autres parallélismes, de situer ces divers
traités de la même époque, cf. *supra*, p. 9, n. 6. – **demonstrationem et commendationem** : pratiquement synonymes de
laudem et suasionem ; les deux mots sont d'ailleurs fort près
l'un de l'autre (et interchangeables : cf. *infra*, 4, 6 : *commendatio et exhortatio* ; *Apol.*, 16, 14 : *demonstrationem religionis nostrae* ; *Vx.*, I, 1, 2 : *admonitionem et demonstrationem (bonorum immortalium)* ; 1, 3 : *meae admonitionis ac
< demonstrationis >*), comme le sont les « genres » littéraires
auxquels ils renvoient (cf. *supra*, p. 12). C'est à tort que *TLL*
s.u. « commendatio », col. 1839, 47 cite cette occurrence du

mot comme équivalant à *commemoratio, expositio, proba-tio*. – **deprehendi** : = *inueniri* (*infra*, 4, 1) ; cf. *Bapt.*, 18, 2 ; *TLL* s.u. col. 607, 56 ; *infra*, 7, 6 et 10, 2 (dans un contexte défavorable, comme c'est le cas le plus fréquent). – **conuersa-tionis** : *TLL* s.u. col. 852, 27 ne mentionne qu'une attestation de ce sens (« mode de vie, habitudes », etc.) antérieurement à Tert. (chez Ulp., *Dig.*, 42, 5, 31, 1). Parfois précisé par le gén. *uitae* (*Paen.*, 1, 3), le mot est le plus souvent employé sans détermination (*Vx.*, II, 5, 2 ; *Marc.*, I, 20, 3 ; etc.). Cf. H. Hoppenbrouwers, *Conversatio. Une étude sémasiologique*, Nijmegen 1964, p. 81. – **dirigere** : nous donnons à ce verbe son sens classique (« régler sur », cf. Cic., *Off.*, 3, 83 : « Honestate... dirigenda utilitas est »), mais il est clair que la valeur morale de « fonder, accréditer, confirmer » indiquée par *TLL* s.u. col. 1238, 16, pour cette occurrence n'est pas exclue. Sur les deux thèmes de ce premier § (*captatio beneuolentiae*, accord entre la doctrine professée et le genre de vie), cf. Fredouille, p. 368-369.

1, 2. intolerabilis : trois autres occurrences chez Tert. (*Marc.*, II, 27, 1 ; *Res.*, 37, 1 ; *Fug.*, 14, 2) de cet adj. attesté dès Plaute, à toutes les époques (cf. *TLL* s.u. col. 22,52), une de *intolero* (*Paen.*, 10, 2), aucune des autres composés de la même famille. Pour l'idée, cf. *Marc.*, IV, 16, 6 : « si tantum patientiae pondus non modo non repercutiendi, sed et aliam maxillam praebendi » (cf. *infra*, 8, 2). – **ad capienda et praes-tanda ea** : dans ce contexte (*sola gratia ... operetur*), ces deux verbes ne conviennent qu'aux « biens » (*bonorum quorum-dam*), ce zeugma, que notre traduction tente de respecter, étant facilité ici par *sicuti* qui introduit une sorte d'aparté. Il n'y a donc pas lieu de construire d'une part *ad capienda bona*, d'autre part *ad praestanda mala*, ce qui reviendrait du reste à donner à *praestare* un sens qu'il n'a pas (*ferre, pati*). Cf. *supra*, 1, 1. – **gratia** : pour affronter certaines situations, l'aide de Dieu est nécessaire : cf. *Orat.*, 4, 3 : « Quae

(= uoluntatem Dei) ut implere possimus, opus est Dei uoluntate » ; *An.*, 21, 6 : « Haec erit uis diuinae gratiae, potentior
utique natura... » ; *infra*, 6, 5 ; la grâce infléchit, tout en le
respectant, le libre-arbitre de l'homme (cf. A. D'Alès, *La théologie de Tertullien*, Paris 1905, p. 268 s.) ; son efficacité est
plus grande sous la Nouvelle Alliance qu'elle ne l'était sous
l'Ancienne (cf. *Orat.*, 1, 2 ; *Bapt.*, 5, 6), elle croîtra encore
sous le règne du Paraclet (cf. *Virg.*, 1, 4) ; sur ce dernier aspect, cf. Fredouille, p. 286 ; 296 ; 298. – **inspirationis :** première attestation de ce vocable en *Apol.*, 27, 4 : « ... spiritus
daemonicae ... paraturae qui, noster ob diuortium aemulus et
ob Dei gratiam inuidus, de mentibus uestris aduersus nos
proeliatur occulta inspiratione » ; le lexique de Tert. ne comporte que ces deux occurrences (cf. *TLL* s.u. col. 1958, 5). –
operetur : sens (= ἐργάζεσθαι, ἐνεργεῖν) attesté depuis Pline
l'Ancien (cf. *TLL* s.u. col. 691, 15 s.). Cf. *Marc.*, I, 22, 4 :
« cur non a primordio operata sit bonitas eius (= Dei) » ;
V, 15, 6 : « spiritus quoque eius operatur » ; etc. ; mais aussi
en contexte païen, *Spec.*, 10,10 : « non ignoramus qui (= daemones) sub istis nominibus institutis simulacris operentur ».
L'aide de Dieu est nécessaire à l'homme pour accomplir certaines actions : la grâce lui permet de triompher des résistan-
ces de la nature (*An.*, 21, 6 [cité *supra*], où est peut-être sensible d'ailleurs l'influence montaniste, cf. Waszink, p. 295).

1, 3. maxime bonum... penes Deum : Dieu est le Bien, cf.
Paen., 3, 2 : « cum Deum grande quid bonum constet esse » ;
Scorp., 5, 1 : « Deum interim sufficit dici, ut necesse sit bonum credi » ; etc. Cf. Th. Brandt, *Tertullians Ethik*, Gütersloh
1929, p. 33 s. ; Braun, p. 123 s. – **penes :** cf. *infra*, 15, 1. – **dispensat :** attesté depuis Plaute, mais peu usité en dehors des
écrivains chrétiens (*TLL* s.u. col. 1401 ; 76 s.). – **dignatur :** s.
ent. *dispensare*.

1, 4. disputare super : construction très rare, attestée ici pour la première fois, de ce verbe « cicéronien » ; Tert. recourt ailleurs, normalement, à *de* (cf. *Paen.*, 4, 6 ; etc.) ou à la constr. trans. + acc. (cf. *Praes.*, 14, 13 ; etc.) ; cf. *TLL* s.u. col. 1445, 40. – **quod frui :** constr. archaïque (cf. *Virg.*, 17, 2 : *frui lucem* ; Hoppe, *Synt.*, p. 16). – **uice languentium...** : sur le goût de Tert. pour les comparaisons médicales, cf. Fredouille, *SC* 281, p. 242 ; elles sont d'ailleurs usuelles dans la parénétique stoïcienne et, à un degré moindre, dans la littérature scripturaire, cf. Fredouille, p. 369-370 ; *infra*, 15, 1.

1, 5. miserrimus : cf. *supra*, 1, 1 (*nullius boni*). – **caloribus :** dans cet emploi métaphorique, à partir de l'époque impériale, cf. Sén., *Ben.*, 2, 14, 5 : *ambitionis calor* ; Luc., *Phar.*, 7, 103 : *iraeque calore* ; etc. Pour Tert., cf. *Pal.*, 4, 6 : « Calor est omnis affectus » ; *Marc.*, IV, 4, 3 ; etc. Avec cette valeur, le pluriel n'est, semble-t-il, guère attesté en dehors de ce passage, cf. *TLL* s.u. col. 181, 40 s. ; 182, 1 s. – **inpatientiae :** cf. *infra*, 5, 3. – **patientiae sanitatem :** gén. de définition, cf. *Res.*, 60, 2 : *compitum stomachi* (= *stomachus quod compitum est*) ; *Mon.*, 11, 6 : *cibo ualidioris doctrinae* ; Hoppe, *Synt.*, p. 18 ; *infra*, 1, 7. – **perorem :** = *orem*, cf. *Val.* 8, 3 ; Fredouille, *SC* 281, p. 236. – **cum :** causal + ind., cf. Hoppe, *Synt.*, p. 80. – **digero :** = *in animo habeo,* sens très rarement attesté avant Tert. (Stat., *Theb.*, 2, 316), plusieurs fois chez Ammien Marcellin, mais non comme ici construit avec une prop. inf. Avec un sens différent, *infra*, 5, 2 et 13, 5. – **fidei ualitudinem... nisi patientia... :** cf. *infra*, 6. 1. – **dominicae disciplinae :** cf. *infra*, 12, 1 ; 12, 4 (*salutaris disciplina*).

II. *Propositio* (chap. I, 6-II, 1).

De fait, seul l'homme patient est en mesure d'accomplir véritablement la volonté divine et de se

montrer agréable à Dieu (I, 6). Et cette prééminence
de la patience dans la vie morale est telle que les
philosophes eux-mêmes, en dépit de leurs divergences doctrinales, sont d'accord pour reconnaître en
elle la vertu souveraine (§ 7). Cette unanimité
retrouvée n'est-elle pas le plus beau témoignage que
l'on puisse invoquer en sa faveur ? Certes. Mais ce
faisant, ne court-on pas aussi le risque de faire injure
à la patience en la confondant de la sorte avec les
valeurs de la sagesse païenne, qui elle disparaîtra en
même temps que le siècle ? (§ 8-9). Car, contrairement à ce qui se passe pour les philosophes, qui ne
voient dans la patience autre chose qu'un idéal purement humain d'*apatheia*, les chrétiens considèrent
que c'est Dieu lui-même qui est l'*auctor* de la
patience et son plus parfait modèle (II, 1).

1, 6. obire : sens « classique », cf. *TLL* s.u. col. 47, 58 ;
Orat., 2, 2 : « sic adorantes... praeceptum obimus » ; *Cult.*,
II, 8, 1 : « respectu obeundae grauitatis » ; etc. ; mais, *infra*,
11, 3, avec le sens non attesté dans la prose class. de « supporter (une peine, un danger) » : cf. *TLL* s.u. col. 47,41 . *Vx.*,
I, 6, 1 ; *An.*, 56, 6 ; etc. – **complacitum** : = *placitum*. Pratiquement seul sens attesté dans la latinité depuis Plaute (*TLL*
s.u. col. 2077, 82 s. ; *infra*, 5, 18 s.u. *defundens*. Seule occurrence chez Tert. – **perpetrare** : cf. *infra, 3, 10 ; 14, 3.*

1, 7. Bonum eius : gén. de définition (cf. Cic., *Mur.*, 23 :
« uirtutibus continentiae, grauitatis, iustitiae, fidei » ; *supra*,
1, 5). Attestée dans la littérature profane (Cic., *Fam.*,
15, 14, 3 : « litterarum bonum » ; Apul., *Métam.*, 7, 4, 5 :
« bonoque secundae... ualetudinis »), cette expression se développe surtout chez les écrivains chrétiens : *infra*, 4, 6 ; *Test.*,
4, 3 : *de bono uitae* ; *Cult.*, I, 2, 4 : *bonum... naturalis deco-
ris* ; *An.*, 1, 6 : *bono pudoris ;* etc. Cypr., *De bono patientiae*

(Tit.) ; Aug., *De bono uiduitatis* (Tit.) ; etc. – **caeca uiuunt :**
type *acerba tuens,* cf. L.H.S, p. 40 ; *Paen.,* 6, 1 : *incerta
reptant* ; Cypr., *De b. pat.,* 3 : « nos... qui non loquimur
magna sed uiuimus ». Alliance de mots comparable, mais
avec un sens différent de l'adj. : Stat., *Silu.,* 2, 1, 221 : « et
dubios casus et caecae lubrica uitae ». Pour le thème de
l'aveuglement des païens, cf. *Nat.,* II, 12, 1 : « Rideam uani-
tatem an exprobrem caecitatem ? » ; *Paen.,* 1, 1 : « ... hoc
genus hominum quod et ipsi retro fuimus, caeci, sine Domini
lumine... » ; etc., des hérétiques, cf. *Praes.,* 14, 8 : « caecus a
caecis in foueam deducaris necesse est » ; etc. La métaphore
a une double ascendance, biblique (*Is.* 42, 18 s. ; *Jér.* 5, 2 ;
Matth. 15, 14 ; etc.) et philosophique (cf. en particulier le
thème de l'aveuglement des *stulti* chez Sénèque). – **quidem :**
nuance ironique (cf. *Spec.,* 28, 4 : « Philosophi quidem hoc
nomen (= uoluptatem) quieti et tranquillitati dederunt » ;
Castorina, p. 364) et « corrective », Tert. atténuant ce que son
affirmation précédente avait de trop absolu. Étant donné la
suite, nous préférons cette interprétation à celle qui verrait
dans *quidem qui* une hyperbate (figure fréquente chez Tert.,
cf. Löfstedt, *Spr. Tert.,* p. 41 s.) pour *qui quidem.* Cf. en
An., 1, 2 la distinction *uir quilibet-philosophus.* – **sapientiae...
deputantur :** ironique au second degré également, sans doute,
par allusion à la traduction (*philo*)*sophia = sapientia* si
souvent rappelée depuis Enn., *An.,* 229 W : « sophiam
sapientia quae perhibetur » (cf. Cic., *Tusc.,* 1, 1 : « studio
sapientiae quae philosophia dicitur » ; etc.), et par Tert.
lui-même, *Apol.,* 19, 6 (*Fuld.*) : « De sophia amor eius philosophia uocitatus est ». – **animalia :** cf. *An.,* 1, 2 : « ... philo-
sophus, gloriae animal » ; Waszink, p. 87. – **deputantur :**
Tert. affectionne ce vb. qu'il utilise avec diverses constructions, cf. *infra,* 6, 1-2 ; Fredouille, *SC* 281, p. 343. – **subsignant :** = *adsignant* comme en *Marc.,* I, 27, 2 (sur cette
indifférence au sens du préverbe, cf. Fredouille, *SC* 281,
p. 391) ; mais en *Vx.,* I, 4, 8, avec un sens usuel (« enga-

ger ») ; Tert. n'emploie pas ce vb. ailleurs qu'en ces trois passages. – **sectarum :** mais aussi sans valeur péjorative, pour
désigner les chrétiens : *Apol.*, 1, 1 : *secta haec* ; 21, 1 : *secta
novella* ; etc., sans que Tert., malgré l'étymologie (*secta/se-
quor*), ait saisi l'occasion de développer le thème de la
« suite » de Dieu et du Christ ; cf. *infra*, 8, 3. 5. – **libidinibus :**
cf. encore à propos des philosophes : *Nat.*, II, 2, 5 : *libidine
gloriae* ; *Apol.*, 47, 3 : *eloquentiae... libidinosi.* – **sententiarum aemulationibus :** = *sententiis aemulis*, cf. Hoppe,
Synt., p. 87. – **discordent :** sur ce thème cf. *Nat.*, II, 2, 1 ;
Apol., 47, 5-8 ; *An.*, 2, 4 ; Fredouille, p. 307 s. ; 311 s. –
memores : ce sens (= *appetentes, cupidi*) apparaît chez les
écrivains de l'époque augustéenne (Tite-Live, Ovide), cf. *TLL*
s.u. col. 661, 12 ; *Paen.*, 10, 1 : « pudoris magis memores
quam salutis ». – **commiserint :** en ce sens, surtout dans des
expressions du type *ludos, proelium committere*, cf. Waszink,
p. 388. – **in eam conspirant :** cf. *Pud.*, 21, 17 : « qui in hanc
fidem conspirauerint » ; Min. Fel., *Octau.*, 19, 3 : « deprehen-
des eos (philosophos), etsi sermonibus uariis, ipsis tamen
rebus in hanc unam coire et conspirare sententiam (= Deum
rationem esse) ». – **foederantur :** *TLL* s.u. col. 995, 82 s. ne
mentionne qu'une attestation antérieure de ce vb. (Flor.,
Verg., p. 184, 1), que Tert. pour sa part utilise à cinq
reprises. – **adfectatione :** bien qu'il soit souvent péjoratif,
surtout à partir de Quintilien (*TLL* s.u. col. 1175, 81), ce
vocable ne l'est pas nécessairement, cf. Sén., *Luc.*, 89, 4 :
« Philosophia sapientiae amor est et adfectatio : haec ostendit
quo illa peruenit ». Cf. *infra*, 2, 1 ; *Nat.*, I, 4, 5 : « ueritatem...
philosophi quidem adfectant, possident autem Christiani » ;
Apol., 46, 7 : « philosophi adfectant ueritatem et adfectando
corrumpunt » ; *Praes.*, 7, 8 : « sapientiam humanam adfecta-
tricem et interpolatricem ueritatis » ; etc. Fredouille, p. 305 ;
R. Braun, « Tertullien et la philosophie païenne », p. 236,
BAGB 1971, p. 231-251. – **unanimiter :** seule occurrence de
cet adv. chez Tert.

1, 8. saeculi : = *nationum* (« les païens », *supra,* p. 21 s.) ;
infra : saecularibus ; etc. Schneider, p. 146. – **disciplinas :** ici
au sens (classique) de « doctrines morales, systèmes philosophiques », cf. Morel, *RHE* 40 (1944-45), p. 11. – **cum... promouet... cum... uolutatur :** *cum* causal + ind., cf. *supra,*
1, 5. – **ad laudem et gloriam :** la patience est un bien tel que
même la sagesse païenne est conduite à le prendre pour fin et
qu'il grandit qui le recherche ; ou, en d'autres termes, quiconque vise à acquérir le bien de la patience mérite considération, fût-il philosophe païen, et cette ambition, de sa part,
atteste que la patience est réellement un bien supérieur. Il ne
s'agit donc pas ici, contrairement à ce que l'on comprend
parfois, de la *gloria* comme motivation du philosophe (thème
au demeurant traité par Tert., cf. *supra,* 1, 7, s.u. « animalia »), mais bien de la *laus* et de la *gloria* qui s'attache, en
dépit de tout, à la philosophie, qui voit rejaillir sur elle
l'estime dont jouit la patience, dans la mesure où elle prend
cette vertu comme but de sa démarche. Cette interprétation,
en plein accord avec le contexte et, en particulier, avec le renversement de point de vue qui suit (« Aut numquid... ? »),
repose sur la valeur passive donnée à *laus* et *gloria* dans ce
tour *aliquid ad laudem et gloriam promouere,* sur le modèle
in inuidiam aliquem adducere (« attirer la haine sur qqn »), *in
suspicionem aliquem uocare* (« faire soupçonner qqn »), etc. –
numquid : = *nonne,* cf. *Marc.,* IV, 28, 10 : « Aut numquid
indigne tulerit (Deus)... ? » ; V, 6, 10 : « Et numquid non ipse
tunc Paulus destinabatur... ? » ; etc. Thörnell, *St. Tert.,*
II, p. 41-42. De même, *an* = *an non, nonne,* cf. *Apol.,* 9, 5 :
« An hoc turpius... ? » ; *Praes.,* 8, 10 ; etc. *Ibid.,* p. 2. – **iniuria :** *sc.* « pour la patience ».

1, 9. uiderint : sur ce tour fréquent chez Tert. (*infra,* 16, 4),
cf. Fredouille, *SC* 281, p. 237. – **mox... :** la fin des temps est
proche, conviction partagée par ses contemporains, que Tert.
redit fréquemment tout au long de sa carrière (*Apol.,* 32, 1 ;

Orat., 5, 1-4 ; *Cult.*, II, 9, 8 ; etc. Sur l'apparente contradiction entre *Apol.*, 32, 1 et *Orat.*, 5, 4, cf. notre art. « Tertullien et l'Empire », à paraître dans *ANRW*). Tert. reviendra, en conclusion (*infra*, 16, 4) sur le châtiment éternel qui attend la « fausse patience » des païens.

2, 1. auctoritatem : la patience a Dieu pour *auctor* (cf. *infra*, 5, 4), elle trouve en lui sa *ratio* (cf. *infra*, 16, 1) . Cf. Cypr., *De b. pat.*, 3 : « Origo et magnitudo patientiae Deo auctore procedit ». - **adfectatio :** cf. *supra*, 1,7. - **caninae :** première attestation sûre de cet adj. avec le sens moral et philosophique du gr. κυνικός. Cf. aussi *Pal.*, 4, 5 : « caninae... constantiae » ; Aug., *Ciu. Dei*, XIV, 20, 43 : « illi canini philosophi, hoc est Cynici, ...proferentes contra humanam uerecundiam quid aliud quam caninam, hoc est inmundam inpudentemque sententiam ? ». Il est possible toutefois que ce soit déjà avec ce sens qu'il faille comprendre Sall., *Hist. frg.*, 4, 54 : « canina, ut ait Appius, facundia », malgré l'interprétation qu'en donnent Lact., *Inst. diu.*, VI, 18, 26 et surtout Isid., *Sent.*, III, 56, 2 (*PL* 83, 728) : « Antiqui forensem eloquentiam caninam facundiam nuncupabant, eo quod causidici in certaminibus causarum, omissis quae agunt, ueluti sanes alterutrum sese lacerant, iurgiaque causarum ad iniurias suas commutant », retenue par Otto, *Sprichwörter*, p. 69 et *TLL* s.u. « caninus », col. 252, 57 (le contexte de Quint., *Inst. or.*, 12, 9, 9, où est également rapporté le mot d'Appius, ne s'oppose pas à cette hypothèse). Pour désigner les « cyniques » sans intention péjorative particulière, Tert. recourt naturellement à la forme translittérée, usuelle à toutes les époques (cf. *TLL Onom.* s.u. « Cynicus », col. 791, 4 s.), par ex. *Nat.*, II, 14, 4 : « Non meminerunt Asclepiaden Cynicum unica uaccula, cuius et dorso uehebatur, et, si quando, ubere alebatur, orbem totum oculis subegisse ? » et *Apol.*, 14, 9 : « Sed et Diogenes nescio quid in Herculem ludit, et Romanus cynicus Varro trecentos Ioues, siue Iuppiteros

dicendum, ... inducit ». – **aequanimitatis :** Tert. suit donc
l'opinion commune, qui considère l'*apatheia* comme un idéal
typiquement cynique (en réalité l'origine de ce concept
comme *télos* n'est pas assurée, cf. J.M. Rist, *Stoic Philosophy,* Cambridge 1977, p. 56, n. 1). Dans la suite du traité,
Tert. fait clairement d'*aequanimitas* un équivalent de *patientia* (*infra,* 3, 10 ; 11, 3 ; 14, 5) ; et d'*aequanimiter* un synonyme de *patienter* (*infra,* 5, 16 ; 8, 4 ; 8, 6 ; 9, 4 ; de même
dans le *De const. sap.* de Sén. *aequo animo = patienter,* cf. *supra,* p. 29), contribuant ainsi à donner à sa conception de la
patience une coloration philosophique (*supra,* p. 30 s.). Si
l'adv. *aequanimiter* n'apparaît pas dans le reste de son œuvre,
en revanche on rencontre deux autres occurrences d'*aequanimitas,* en *Apol.,* 46, 14 (*animi aequitas : Fuld*), où Tert.
esquisse un parallèle entre l'égalité d'âme païenne et chrétienne, et en *An.,* 1, 4 (où l'on observe une opposition comparable à celle du présent passage) : « sapientia Socratis de
industria uenerat consultae aequanimitatis, non de fiducia
compertae ueritatis ». D'autre part, en *Apol.,* 38, 5, l'expression *animi aequitas* désigne l'*ataraxia* épicurienne. – **stupore :**
à rapprocher de la dénonciation de l'*Epicuri stupor* (*An.,*
3, 2 : 50, 2), du *stupens Deus* de Marcion (*Marc.,* I, 25, 3 ; cf.
Ibid., II, 16, 2 ; IV, 15, 2), de la « placida et stupens diuinitas,
qualem iussit Epicurus » des valentiniens (*Val.,* 7, 4 *SC* 281,
p. 225). – **caelestis... diuina :** rapprochement comparable dans
An., 3, 3 : « diuina doctrina... definitiones caelestes » ; déjà
Cic., *Fin.,* 5, 95 : « uirtutis caelestem... et diuinam... praestantiam » ; *Tusc.,* 1, 66 ; etc. – **disciplinae :** instruction, enseignement, cf. *Orat.,* 10 : « post traditam orandi disciplinam » ;
Morel, *art. cit., supra,* 1, 5. De même, Cypr., *De b. pat.,* 1 :
« inter ceteras disciplinae caelestis uias... ut... patientiam...
tueamur ». – **dispositio :** disposition particulière par laquelle
se réalise le dessein de Dieu sur l'homme, son plan créateur ;
volonté divine ; cf. J. Moingt, *Théologie trinitaire de Tertullien,* t. 4, Paris 1969, p. 71. C'est cette *dispositio diuina* qui,

pour les chrétiens, fait la *ratio patientiae* (cf. *infra*, 16, 1). –
exemplum : sur cette idée, cf. en dernier lieu H. Crouzel,
« L'' imitation ' et la ' suite ' de Dieu et du Christ dans les
premiers siècles chrétiens ainsi que leurs sources gréco-
romaines et hébraïques », *JbAC* 21 (1978), p. 7-41 ; S. Déléani, *Christum sequi. Étude d'un thème dans l'œuvre de saint
Cyprien,* Paris 1979, p. 7-66.

ARGUMENTATION (chap. II, 2-XV)

I. La *ratio patientiae* (chap. II, 2-VI).

1. Dieu et le Christ, fondements et modèles de patience (chap. II, 2-III).

a. La *patientia Dei* (II, 2-3).

La patience de Dieu se manifeste de deux façons : d'une part, en ce qu'il accepte de faire bénéficier des avantages de la création même les hommes qui ne le méritent pas (II, 2) ; d'autre part, en ce qu'il supporte les cultes idolâtriques, la persécution de ceux qui le servent, les péchés des païens (§ 3).

2, 2. iam primum : tour vif, cf. Tér., *Ad.,* 338 ; 687 ; etc. Pour Tert. *Nat.,* I, 10, 3 ; *Marc.,* I, 23, 2 ; *An.,* 1, 2 ; etc. – **florem lucis huius** (= *solis*) : *TLL* s.u. « flos », col. 933, 74, ne mentionne qu'un seul autre exemple de cette *iunctura* : Arnob. Iun., *Ad Greg.,* 19, p. 425, 20 : « quomodo adhuc permittitur florem huius lucis capere ? ». Même valeur métaphorique du vb. correspondant : *Apol.,* 11, 6 (sur la création, œuvre de Dieu, non des dieux) : « Vani erunt homines nisi certi sint a primordio et pluuias de caelo ruisse et sidera radiasse et lumina (= solem et terram) floruisse... » ; *Marc.,* IV, 42, 5 : « caelum luminibus floruisset » ; peut-être souvenir de Lucr., 1, 900 : « ... flammai... flore » ; 4, 450 : « bina lucernarum florentia lumina flammis » (sur la source grecque, cf. Bailey, Comm., t. 2, p. 755) ; cf. Servius, *ad Aen.,* 7, 804 : « Ennius et Lucretius florens dicunt omne quod nitidum » ; sur la connaissance que Tert. avait de ces deux poètes, cf. Fredouille, *SC* 281, p. 220. Avec une autre valeur imagée,

Pud., 1, 1 : « Pudicitia, flos morum... ». Ailleurs le souvenir
de *Matth.* 5, 45, est plus littéral (par ex. *Marc.*, II, 17, 1 :
« solem suum oriri faciente super iustos et iniustos ») ou plus
simplement rappelé (par ex. *Res.*, 26, 8 : « solem suum emit-
tens super iustos et iniustos »). – **officia** : cf. *Apol.*, 20, 3 :
« officia temporum et elementorum munia exorbitant ». Déjà,
antérieurement, *officium* appliqué aux arbres (Plin. Anc.,
Nat., 16, 78 : *umbrarum officio*), aux astres (Sén., *Cons.
Marc.*, 18, 1 : *indefatigata caelestium officia*), au monde (Id.,
Ben., 4, 12, 5 : « mundi officium est circumagere rerum ordinem »), etc. – **seruitia** : cf. *Apol.*, 20, 3 (cité *supra*). – **geniturae** : Tert. paraît être le premier à employer ce mot en ce
sens (« création, créature, être créé »), attesté ensuite presque
exclusivement, et de façon relativement rare, chez Chalcidius
(*TLL* s.u. col. 1825, 58 ; Fredouille, *SC* 281, p. 274). – **occurrere** : = *contingere, se offerre,* déjà chez Cic., *Ad Br.*, 2, 6, 1
(cf. *TLL* s.u. col. 396, 6). Amplification de ce passage par
Cypr., *De b. pat.* 4 ; cf. Conway, p. 114 s.

2,3. nationes : cf. *infra*, 3, 11. – **ludibria** : cf. *Apol.*, 14, 2 :
« Sed conuersus ad litteras uestras, quibus informamini ad
prudentiam et liberalia officia, quanta inuenio ludibria ! Deos
inter se... depugnasse... ». – **opera manuum suarum** : sur cette
expression biblique pour désigner les idoles, cf. M. Gilbert,
La critique des dieux dans le Livre de la Sagesse (Sg 13-15),
Rome 1973, p. 81. – **nomen familiam** : asyndète (cf. *infra*,
10, 5 ; 16, 1 ; *SC* 281, p. 195). – **ipsius** : = *eius* (Waszink,
p. 99). – **insolescentes** : souvent confondu avec *inolescere*
(cf. *TLL* s.u. « inolesco », col. 1738, 22 et « insolesco »
col. 1932, 9), avec lequel il alterne parfois : cf. *infra*, 13, 2 ;
An., 16, 1 et 30, 4 (Waszink, p. 376) ; *Val.*, 39, 2 app. crit. et
SC 281, p. 361. – **patientia** : Dieu est « lent à la colère ». Cf.
sur la μακροθυμία divine, Gauthier, *Magnanimité*, p. 202 s.
dominum : ce titre est pour Tert. le « prédicat de la souverai-
neté absolue de Dieu sur ses créatures », à la différence de

Deus, « nom et essence de la divinité » (Braun, p. 97 ; cf. *supra*, 1, 1). *Credere* + acc. : la différenciation sémantique des diverses constructions de *credere* ne s'opérera qu'à partir de Lactance (cf. Hoppe, *Synt.*, p. 40 ; C. Mohrmann, « *Credere in Deum*. Sur l'interprétation théologique d'un fait de langue », *Mélanges J. de Ghellinck*, Gembloux 1951, p. 277-285 (= *Ét. sur le lat. des chrétiens*, t. 1, Roma 1961, p. 195-203) ; *infra*, 9, 2 ; 16, 5). – **non credunt...** : le pécheur prend prétexte de la longanimité divine pour donner libre cours à ses railleries, cf. *Sir.* 4, 5 : « Ne dis pas : ' J'ai péché ! que m'est-il arrivé ? ', car le Seigneur sait attendre » ; en réalité, Dieu peut attendre, avant de châtier, et sa colère éclatera au Jugement dernier (cf. *Rom.* 2, 5 ; P. Van Imschoot, *Théologie de l'Ancien Testament*, t. 1, Paris 1954, p. 87-90). Cf. également Juv., *Sat.*, 13, 100-102 : « Vt sit magna, tamen certe lenta ira deorum est ; / si curant igitur cunctos punire nocentes, / quando ad me uenient ? » ; 113-115 : « ...Audis, / Iuppiter, haec, nec labra moues, cum mittere uocem / debueris... » ; 118-119 : « ...Vt uideo, nullum discrimen habendun est / effigies inter uestras statuamque Vagelli ».

b. La *patientia Christi* (chap. III).

Si la forme de patience divine précédemment évoquée peut nous paraître comme trop éloignée de nous, nous avons en revanche, tout près de nous, la patience dont a fait preuve le Dieu incarné (§ 1). Sa naissance et son baptême (§ 2), son enseignement et sa modestie (§ 3-4), son humilité et sa passion (§ 5-8), sa mort enfin (§ 9) : toute la vie du Christ témoigne de la constance avec laquelle il s'est toujours montré patient. Et cette foi dans la patience aurait dû être un signe éclatant de sa divinité (§ 10). Car cette patience est bien la caractéristique innée de sa nature divine (§ 11).

3, 1. Haec... species : sens fréquent chez Tert. (« cette sorte particulière » de patience, de pénitence, de prière, etc. cf. Moingt, *op. cit.*, t. 4, p. 204 ; *infra,* 9, 1), attesté du reste antérieurement. Cette forme de patience est donc la longanimité (μακροθυμία), cf. *supra,* 2, 1-3. — **de longinquo** : cf. *Spec.*, 2, 5 : « quia non penitus Deum norunt, nisi naturali iure, non etiam familiari, de longinquo, non de proximo, necesse est ignorent qualiter administrari iubeat quae instituit... » ; *Ibid.,* 21, 4 ; *infra,* 4, 6 ; 5, 13 ; 7, 7 ; Hoppe, *Synt.*, p. 98 s. – **fors ut... aestimetur** : *fors = fortasse, forsitan,* depuis Virgile et surtout chez les poètes, souvent + ind. fut. (*TLL* s.u. « fors (forte) », col. 1136, 30) : cf. *Cult.*, II, 13, 1 (+ ind. fut.) mais *Vx.*, II, 2, 2 (+ subj.) ; *aestimabitur* est sans doute la *lectio facilior.* L'interprétation de Löfstedt, *Spr. Tert.*, p. 47, n. 2 (*fors ut = ut forsitan*), stylistiquement possible (cf. *infra,* 5, 7 s.u. « palam cum »), ne nous paraît pas respecter la nuance exacte, qui est : « nous jugeons peut-être la patience de Dieu trop éloignée de nous, parce qu'elle vient du ciel », et non : « nous jugeons la patience de Dieu trop éloignée de nous, peut-être parce qu'elle vient du ciel ». Autrement dit, *parce qu'il est* transcendant, Dieu nous propose un exemple de patience qui *risque* de nous *sembler* au-dessus de nos forces, et que nous repousserons *peut-être* pour cette raison. – **illa autem, quae...** : brève personnification qui, non sans quelque solennité, sert de transition à la « Vie du Christ », et qui constitue peut-être aussi une discrète préparation à l'allégorie de Patience (*infra,* 15, 4-7). – **manu adprehensa est** : si le Fils a été visible et préhensible, c'est par condition personnelle et historique ; mais cette différence de condition avec le Père s'accompagne d'une parfaite similitude de nature ; en particulier, « la patience est la nature de Dieu » (*infra,* 3, 11) ; cf. Moingt, *op. cit.*, t. 2, p. 379 s.). Dans ce chapitre, Tert. retrace toute l'existence terrestre du Christ, mais plusieurs événements de cette « Vie » sont en fait plutôt des exemples d'humilité : Tert. les annexe donc tacitement, du moins ici, parce que l'idéal d'humilité, fondamentalement chrétien, est étranger à la philosophie païenne (l'*humilitas animi* y est « bassesse d'âme » ; cf. Gauthier, *op. cit.*, p. 375 s.) ; mais, naturellement, entre « patience » et « humilité » les liens sont étroits (cf. *infra*, 10, 5 ; 11, 6 ; 15, 4). Sur cette page, cf. Fredouille, p. - 399 s. *Adprehensa est* : en *An.*, 17, 14 ; *Prax.*, 15, 2 ; 15, 5 ; 27, 7, Tert. rend ψηλαφῶ de *I Jn* 1, 1 par *contrectare* (qui sera également la traduction de la Vulgate).

3, 2. Nasci se Deus patitur : l'Incarnation, témoignage par excellence d'abaissement, d'humilité, plutôt que de « patience » (Tert. évite d'ailleurs le substantif, et joue sur les diverses nuances de *patior*), cf. *Apol.*, 21, 15 : « expunctus est (aduentus Christi) in humilitate condicionis humanae » ; *Marc.*, II, 16, 3 : « credimus Deum... in terris egisse et humani habitus humilitatem suscepisse... » ; etc., dans le prolongement de *Rom.* 8, 3 ; *Gal.* 4, 4 ; *Phil.* 2, 7 ; etc. Tert. tend à réserver *nasci* à la naissance terrestre du Christ historique, *generari* à la génération divine du Verbe, cf. Braun, p. 317 s. – **expectat** : suppression de ce vb. par Kroymann qui y voyait un doublet de *sustinet* ; mais, outre le fait que Tert. coordonne volontiers des synonymes (Löfstedt, *Spr. Tert.*, p. 70-72), *sustinet* n'est pas ici en réalité un équivalent d'*expectat* (sur ce sens, cf. Rönsch, *Itala und Vulgata*[2], p. 381 s.), mais, comme du reste dans la langue classique, de *tolerat*. – **contumeliosus** : allusion au physique du Christ (c'est ainsi qu'Oehler, t. 2, p. 590 *ad loc.* paraît comprendre d'abord, en glosant : « Facie per deformitatem obnoxia probris et conuiciis » : de fait, si la référence à *Pal.*, 4, 3 : *oris contumelia* manque de pertinence, Tert. est convaincu, d'après *Is.* 53, 3, de la laideur du Christ (cf. *Iud.*, 14, 1 ; *Marc.*, III, 7, 2-3 ; *Carn.*, 9, 6-7 ; etc.), conviction partagée d'ailleurs par ses contemporains, Justin, Clément, Origène, cf. d'Alès, *Théologie de Tert.*, p. 189) ? ou bien plutôt annonce de ce qui suit (comme le dit encore Oehler, *ibid.*, p. 591, à la fin de la même note, suivi par E. Evans, *Tertullian's Treatise on the Incarnation*, London 1956, p. 126) ? – **tinguitur :** cf. *Bapt.*, 11, 3 : « Sed nec moueat quosdam quod non ipse (Christus) tinguebat : in quem enim tingueret ?... in semetipsum quem in humilitate celabat ? ». Par solidarité avec les pécheurs, Jésus se soumet au baptême de Jean pour satisfaire à la volonté de Dieu (cf. *Matth.* 3, 13 s. ; *Jn.* 1, 29 s.). *Tinguere :* comme on sait, par purisme littéraire, Tert. préfère ce néologisme sémantique à l'emprunt *baptizare*. – **temptatoris :** avec le sens neutre de la langue commune en *An.*, 48, 1 (*autumnus temptator... ualetudinum*), ailleurs (*Marc.*, III, 7, 6 ; IV, 26, 5 *bis ; Carn.*, 7, 4) pour désigner, comme ici, Satan. L'influence de l'Écriture est évidente (*Matth.* 4, 3 : ὁ πειράζων ; cf. *Prax.*, 1, 2 ; 26, 8), mais *temptator* n'apparaît pas chez Tert. en citation biblique.

3, 3. domino : sur ce titre appliqué au Christ, cf. Braun, p. 93 s. – **fit :** prés., mais *contendit, reclamauit, audiuit* : sur ce type de discordance temporelle (*cum* + prés. – pale au pft.), cf. Lœfstedt, *Spr. Tert.*, p. 24 ; Fredouille, *SC* 281, p. 316. – **magister :** = διδάσκαλος (hébr. *rabbi*), titre souvent donné au Christ par ses disciples (*Matth.* 8, 19 ; *Mc* 4, 38 ; etc.). D'où le thème du « Christ enseignant » : *Mart. Polyc.*, 17 : βασιλέα καὶ διδάσκαλον ; *Mart. Apoll.*, 41 : τοῦ καθ᾽ἡμᾶς διδασκάλου ; Just., *I Apol.*, 12, 9 ; Clem. Alex., *Protr.*, 11, 112, 1 ; etc. ; Orig., *C. Celse*, I, 30, 14 ; 31, 5 ; 37, 19 ; etc. ; pour l'iconographie : J. Kollwitz, *Das Christusbild des dritten Jahrhunderts*, Münster Westf. 1953, p. 12 s. ; Id., art. « Christusbild », *RLAC* 3 (1957), col. 7 : « Lehrer ». En ce qui concerne Tert., *Apol.*, 21, 7 : « Huius... gratiae disciplinaeque arbiter et magister, illuminator atque deductor generis humani filius Dei annuntiabatur » ; 45, 1 : « Innocentiam a Deo edocti, et perfecte eam nouimus, ut a perfecto magistro reuelatam et fideliter custodimus... » ; *Pal.*, 6 ; *infra*, 6, 4 ; 12, 10. – **absolutam... eruditus :** texte peu sûr ;

nous suivons Oehler. – **absolutam :** Tert. n'apporte que
rarement une qualification à *uenia* : sauf erreur, uniquement à
Apol., 50, 15 : *omnis uenia* (expression proche de celle que
nous aurions ici, puisque *omnis = perfecta, absoluta*) ; *Paen.*,
6, 3 : *indubitata uenia* ; *Pud.*, 13, 4 : *specialis uenia*, d'où
sans doute *scilicet*, moins justifié si nous lisions *ob salutem*,
expression qui elle-même manquerait ici de pertinence. –
offensae : plutôt que le part. p. pass. (car ce tour, équivalent
d'un abstrait, conserverait une valeur passive ou subjective :
or, « on ne pardonne pas » le fait que sa patience ait été mise
à l'épreuve), le subst., bien attesté chez Tert., qui le construit
régulièrement avec un gén. obj. (sauf une fois + *in* : *Paen.*,
12, 9 : « offensae in Dominum »).– **eruditus :** comme les
auteurs néo-testamentaires, Tert. reconnaît Jésus dans le
« Serviteur de Yahvé » (*Marc.*, III, 5, 2-3 : « Duas... causas
prophetici eloquii adlego agnoscendas... unam, qua futura
interdum pro iam transactis enuntiantur... sicut per Esaiam :
' dorsum meum posui in flagella, maxillas autem meas in
palmas, faciem meam uero non auerti a sputaminibus ' (*Is.*
50, 6). Siue enim Christus iam tunc in semetipsum, secundum
nos... pronuntiabat... »). Yahvé l'a « formé » (*Is.* 42, 6 ; 49, 5),
lui a donné une « langue de disciple » (*Is.* 50, 4 : régulièrement traduit par Tert. : « Dominus dat mihi linguam disciplinae... » (*Marc.*, IV, 39, 7. 19 ; etc.), Vulg. : « Dominus dedit
mihi linguam eruditam... ») : c'est cette idée que rend peut-
être ici *eruditus*. Pour la constr. de ce vb. + double acc.,
transposée au passif (type *doctus rem*), cf. *Marc.*, II, 16, 2 :
« Deum nos a prophetis et a Christo... erudimur » ; *Pal.*, 3, 7 :
« litteras earum... eruditus » ; déjà Aul. Gel., *Nuits*, 19, 12, 9.

3, 4. mentitus fuerat : sur l'emploi de la forme surcom-
posée, cf. Fredouille, *SC* 281, p. 242. – **contestatio :** sens qui
apparaît dans Aul. Gel., *Nuits*, 10, 3, 4 ; cf. *infra*, 6, 1 ; *TLL*,
s.u. col. 688, 22. – **tota :** = *summa, maxima* ; cf. Bulhart,
Praef., § 119. – **collocantis :** la patience est condition et

garantie de la présence en nous de l'Esprit (*infra*, 13, 1 ;
15, 4-7) ; inversement, l'impatience chasse l'Esprit de nos
cœurs (*infra*, 5, 21 ; 7, 7), cf. W. Bender, *Die Lehre über den
Heiligen Geist bei Tertullian*, München 1961, p. 139-141.
D'autre part, pour les conceptions exégétiques sous-jacentes
à cette remarque, cf. *Marc.*, III, 5, 2 s. (cité *supra*, 3, 3) ;
J.E.L. Van der Geest, *Le Christ et l'Ancien Testament chez
Tertullien*, Nijmegen 1972, p. 99 s. : « Le Christ, accomplissement de la prophétie ».

3, 5. atquin : = *immo*, cf. *Nat.*, I, 4, 6 ; *Apol.*, 2, 6 ; etc. –
lauandis... pedibus : plus que de patience, exemple d'humilité
et de charité (cf. Jean Chrys., *In Ioan. hom.*, 70-71 *PG* 59,
col. 381-396), souvent interprété en un sens pénitentiel
(Origène, Ambroise, Augustin), cf. P. Grelot, *Mélanges P.H.
de Lubac*, t. 1, Paris 1963, p. 75 s.

3, 6. peccatores... publicanos : Tert. suit généralement
l'ordre inverse (quasi stéréotypé dans le Nouveau Testament :
Matth. 11, 19 ; etc.), cf. *Pud.*, 7, 2 ; etc. – **non saltim :** = *ne...
quidem*, cf. Hoppe, *Synt.*, p. 107.

3, 7. Parum hoc, si... : discordance modale (*Parum hoc* sc.
esset ou *fuisset, si... habuit... denotauit*) en système condition-
nel (par souci d'expressivité ?) : = « Ce serait insuffisant, s'il
n'(y avait eu ce fait qu'il) eut encore avec lui... » ; cf. *Apol.*,
16, 4 : « si id colebatur, ... in sacrario suo exhiberetur » ;
33, 4 : « Minor erat, si tunc deus diceretur » ; etc. Les autres
emplois de ce syntagme (*parum, si*) chez Tert. sont soit ellip-
tiques (*Apol.*, 6, 3 : « parum est [= esset], si senatorum et non
libertorum [*sc.* lances essent] ; 21, 18 : « parum hoc [*sc.*
esset], si non et [*sc.* praedixissent] prophetae retro »), soit en
concordance (*Idol.*, 7, 2 : « Parum sit, si... accipiant » ; *Fug.*,
13, 3 : « Parum... est, si unus aut alius ita eruitur » ; *Nat.*,
II, 8, 9 n'est pas établi avec certitude). – **constanter :**

= *patienter, aequanimiter,* cf. *infra,* 7, 8 ; 13, 8 ; *supra,*
p. 29. – **denotauit :** = *uituperauit, reprehendit,* sens attesté à
partir de Sén., *Ben.,* 4, 30, 2, fréquent chez Tert. (*Test.,* 1, 3 ;
Orat., 2, 7 ; etc. *TLL* s.u. col. 536, 78). – **ad uictimam :** cf.
Iud. 10, 6 ; *Fug.,* 12, 2. La passion et la mort du Christ sont
un sacrifice de rédemption, pour lequel Tert. utilise également
hostia (*Iud.,* 14, 8) ou *sacrificium* (*Iud.,* 13, 21). Cf. M. Fini,
« *Sacrificium spiritale* » in *Tertulliano,* Bologna 1978, p. 20. –
« non magis aperit os... » : texte soulignant la résignation et
l'humilité du Serviteur de Yahvé (cf. *supra,* 3, 3). – **discentis :**
= *discipuli* (Tert. substantive volontiers le part. prés. sing. :
infra, 15, 3 ; *Nat.,* I, 3, 7 ; *Spec.,* 30, 6 ; etc. Hoppe, *Synt.,*
p. 97). – **ultorem :** sur l'emploi des substantifs, et spéciale-
ment des noms d'agent, en fonction adjective, cf. Hoppe,
Synt., p. 94-95.

3, 8. Patientia ... uulnerata est : cf. *infra,* 8, 7 : *offendere
patientiam.* – **gladii opera :** cf. *Marc.,* IV, 29, 14 : *opus ...
machaerae.* C'est essentiellement en poésie qu'*opus* est ainsi
rapporté à un inanimé : cf. Ov., *Mét.,* 12, 112 : « opusque
meae ... hastae » ; *Fast.,* 1, 348 : « in sacris nullum culter
habebat opus » ; etc. Toutefois, Cic., *Top.,* 62 : « suum quasi
opus (causae) efficiant » ; cf. *TLL* s.u. col. 842, 72. – **maledixit :** + acc., construction non class., fréquente chez Tert.
(Hoppe, *Synt.,* p. 13). – **satisfecit :** conformément à l'esprit du
passage, il y a ici renversement des situations : c'est le
Seigneur lui-même qui assume la « satisfaction » due à
l'homme. Cf. sur cette notion *infra,* 13, 4. – **misericordiae :**
comme plus haut l'humilité (3, 2 s.) et plus bas la charité
(12, 8 s.), Tert. annexe à la « patience » cette autre vertu typiquement biblique (cf. J. Cambier - X. Léon-Dufour, art.
« Miséricorde », ap. *Vocab. Théol. Biblique,* col. 626 s.). Les
stoïciens la considèrent normalement comme une « maladie »
(avec parfois des nuances : ainsi il arrive à Sénèque d'indiquer un rapprochement entre « miséricorde » et « clémence »,

Cons. Pol., 13, 3 ; Ben., 3, 7, 5), cf. G.J. Ten Veldhuys, De misericordiae et clementiae apud Senecam philosophum usu atque ratione, Groningae 1935 ; les péripatéticiens, conformément à leur théorie des « passions moyennes », y voient une forme utile de chagrin (cf. Cic., Tusc., 4, 46) ; seul Cicéron en définitive juge favorablement la misericordia (Mur., 61 : « neminem misericordem esse, nisi stultum et leuem » n'exprime pas sa pensée, mais reflète le stoïcisme de Caton) ; cf. Aug., Ciu. Dei, IX, 5 : « misericordiam Stoicorum est solere culpare... Longe melius et humanius et piorum sensibus accommodatius Cicero in Caesaris laude locutus est, ubi ait : ' Nulla de uirtutibus tuis nec admirabilior nec gratior misericordia est ' (Lig., 37) ...Hanc Cicero... non dubitauit appellare uirtutem, quam Stoicos inter uitia numerare non pudet... ». – matrem : métaphore usuelle, cf. Cic., Leg., 1, 47 : « uoluptas malorum... mater omnium » ; 1, 58 : « mater omnium bonarum artium sapientia » ; etc., mais avec cette valeur matrix est plus caractéristique du style de Tert., cf. infra, 5, 18.

3, 9. Taceo quod : constr. attestée à partir de Valère Max. (L.H.S., p. 576). – figitur : sc. cruci. Déjà, Mart., 2, 82, 1 : « seruum quid figis ? » ; fréquent chez les auteurs chrétiens ; TLL s.u. col. 712, 49. – in hoc : = ob eam rem. Sur l'extension de in final (Marc., II, 6, 7 : « In hoc et lex constituta est » ; An., 55, 3 ; etc.), cf. Hoppe, Synt., p. 39. – subiendae morti : pour la forme en -iendus, cf. Pl., Amph. frg. 3 : « abiendi nunc tibi etiam occasio est » ; TLL s.u. « abeo », col. 66, 29. Pour l'adj. vb. à valeur finale en construction autonome, cf. infra, 4, 2 ; Hoppe, Synt., p. 55 s. – saginari : sur les métaphores de la faim et de la soif chez Tert., cf. Hoppe, Synt., p. 181-182. Par ex. : Mart., 1, 1 : « Carnem... saginari et spiritum esurire non prodest » ; Spec., 27, 5-28, 1 : « Omnia illic seu fortia seu honesta seu sonora seu canora seu subtilia proinde habe ac si stillicidia mellis de libacun-

culo uenenato nec tanti gulam facias uoluptatis quanti periculum per suauitatem. Saginentur eiusmodi dulcibus
conuiuae sui : et loca et tempora et inuitator ipsorum est.
Nostrae coenae... nondum sunt ». Sans doute ici à l'origine de
la *iunctura* une réminiscence de *Matth.* 5, 6 : μακάριοι οἱ
πεινῶντες καὶ διψῶντες τὴν δικαιοσύνην, ὅτι αὐτοὶ χορτασ
θήσονται. Cf. *infra*, 8, 7. — **foedis... foedioribus :** cf. *Spec.*,
23, 6 : « qui muliebribus uestietur » ; Hoppe, *Synt.*, p. 97
(nombreux ex. d'adj. et part. au neutre).

3, 10. aequanimitatis fides : sans doute pourrait-on traduire : « Admirable témoignage, preuve d'équanimité ! », ou
encore : « Admirable fidélité à l'équanimité ! ». Notre choix
vise à harmoniser ce passage et *infra*, 14, 2 : « quem... non...
cruciatus a patientiae fide domino debita exclusit ». *Aequanimitatis* : cf. *supra*, p. 32. – **in hominis figura :** cf. *supra*, § 2. –
nihil de inpatientia : à la constr. nominale au gén. (*nihil
inpatientiae*), Tert. substitue volontiers le tour prépos. *de* +
abl. (*Praes.*, 26, 5 : *aliquid de lumine* ; *Spec.*, 2, 2 : *aliquid
eiusmodi de gaudiis* ; Hoppe, *Synt.*, p. 38) ; cf. *infra*, 12, 6. –
pharisaei : s. ent. : « au lieu de lui poser des questions destinées ʻà le mettre à l'épreuveʼ » (cf. *Matth.* 16, 1 ; 19, 3 ; etc.
Marc., IV, 38, 1 : « si quid Pharisaei ad interrogationem
renuntiassent »). Qualifiés d'*aemuli fidei* en *Bapt.*, 12, 4. Sur
ce trait de polémique antijuive, cf. *infra*, 5, 22-23. – **perpetraret :** cf. *supra*, 1, 6 ; *infra*, 14, 3.

3, 11. documenta : employé très exactement avec la valeur
qu'il a dans la langue classique, cf. A. Hus, *Docere et les
mots de la famille de docere*, Paris 1965, p. 360. – **penes :** cf.
infra, 15, 1. – **nationes :** sur le choix de ce terme, que Tert.
préfère à *gentes*, cf. Schneider, p. 10. Mais l'incarnation du
Christ était aussi un argument utilisé par les hérétiques (cf.
précisément le *De carne Christi*). – **detrectatio :** selon *TLL*
s.u. col. 834, 24, ce sens (= *obtrectatio, detractio*) apparaît ici

pour la première fois, le sens classique étant *recusatio, tergiversatio, contumacia*. – **structio** : Tert. ne recourt pas ailleurs à ce terme. – **passionibus** : H.A.M. Hoppenbrouwers, *Recherches sur la terminologie du martyre...*, Nijmegen 1961, p. 49 : « Quand Tertullien veut exprimer la passion du Christ, c.-à-d. les différents supplices et tourments que cette passion comporte, sans inclure sa mort, il exprime toujours le fait par le pluriel ». Si Tert. souligne le couple *sermones - passiones (Christi)*, il n'est pas sûr que le rapprochement (d'ailleurs relatif et de toute manière unique dans le traité) entre *passiones* et *patientia (Christi)* soit intentionnel, comme si sa conception de la *patientia* lui faisait oublier les liens étymologiques ; dans ces conditions (on devrait même dire : a fortiori), on comprend que Tert. n'ait guère songé à présenter explicitement la patience du chrétien comme une imitation de la passion du Christ (cf. *supra*, p. 32 ; d'autre part, nuancer en conséquence J. Fontaine, *Aspects et problèmes de la prose d'art latine au IIIe siècle*, Torino 1968, p. 123 s.). – **sustinendo** : substitué à *pati*, qui, selon Hoppenbrouwers, *op. cit.*, p. 50, « sous-entend trop l'idée de mourir », tandis que *sustinere* « répond mieux à la notion de *patientia* ». L'addition < *in* > *sustinendo*, que les éditeurs ont souvent introduite pour respecter la symétrie avec *in praecipiendo*, n'est sans doute pas indispensable (cf. *infra*, 9, 2 s.u. « credere »). – **credere** : en emploi absolu, fréquent chez Tert. et après lui (*TLL* s.u. col. 1147, 72). – **Dei ... naturam** : sur ce sens de *natura* (= « caractère particulier »), cf. Moingt, IV, p. 125. – **effectum** : cf. *Pud.*, 10, 14 : « Quid... ex paenitentia maturescit quam emendationis effectus ? » ; déjà Cic., *Tusc.*, 2, 3 : « effectus eloquentiae est audientium adprobatio » ; etc. *TLL* s.u. col. 130, 28. – **praestantiam** : sur ce sens, cf. Braun, p. 124-125. – **ingenitae** : cf. *infra*, 5, 3 : « patientia in Deo... nata ». Participe de *ingigno*, correspondant au gr. φυσικός (cf. Braun, p. 51, n. 3), appliqué aux attributs naturels et éternels de Dieu ou aux propriétés innées de l'âme (cf. Moingt, IV,

p. 108), s'oppose à *accidens*, cf. *Marc.*, II, 11, 2 : « Ita prior bonitas dei secundum naturam, seueritas posterior secundum causam. Illa ingenita, haec accidens » ; *An.*, 38, 1 : « Quamquam... praestruxerimus, omnia naturalia animae ipsi substantiae inesse pertinentia ad sensum et intellectum ex ingenito animae censu, sed paulatim per aetatis spatia procedere et uarie per accidentia euadere pro artibus, pro institutis... ». – **proprietatis :** « réalité propre, particulière » ; la patience surhumaine dont a fait preuve le Christ fait apparaître en lui un caractère divin, une réalité propre, différente de la nôtre, qui n'a pas été engendrée humainement, et qui est l'Esprit de Dieu (cf. Moingt, II, p. 524 ; IV, p. 169).

    2. Brève digression sur le rôle de la patience dans l'obéissance et la soumission dues à Dieu (chap. IV).

    L'évocation précédente de la vie du Christ appelle une réflexion concernant la vie du chrétien. Nous devons nous soumettre aux volontés du Seigneur et faire preuve d'empressement dans notre obéissance, comme nous le voyons faire à notre égard par les meilleurs de nos serviteurs (§ 1-2). Nous sommes également obéis de nos obligés, et des animaux, domestiques ou sauvages (§ 3). Nous commettrions donc une faute si nous ne donnions pas à Dieu des marques d'obéissance, alors que c'est à lui précisément que nous devons celles que nous recevons (§ 4). Mais cette réflexion se rattache étroitement au sujet : en effet, sans patience, pas d'obéissance ni de déférence (§ 5). Et l'on a vu ce qu'était la patience du Seigneur, sur laquelle on ne s'étendra jamais assez. Qui se réclame de lui doit donc rechercher de tout son cœur un bien qui lui appartient en propre. C'est là un argument abrégé mais décisif en faveur de la patience (§ 6).

4, 1. Igitur : sens affaibli pour introduire une remarque, un exemple (cf. *TLL* s.u. col. 264, 83 s. ; 265, 35 s.), ici une digression. On aurait pu attendre, plutôt, prolongeant cette évocation, une réflexion sur la notion d'imitation de la vie du Christ (cf. Fredouille, p. 401 ; *infra*, 8, 3). – **probos... et bonae mentis :** sur la coordination (ou la juxtaposition) d'un gén. (ou abl.) de qualité à un adj., ancienne dans la langue, cf. L.H.S., p. 818. – **quosque :** sur cet emploi de *quisque* avec un positif (sing. ou pluriel) chez Tert., cf. Waltzing, p. 53, chez les poètes et dans la prose impériale, cf. L.H.S., p. 170. – **conuersari :** selon *TLL* s.u. col. 857, 26, ce sens (= *se gerere, agere* ; cf. *supra*, 1, 1 *conuersatio*) se rencontrerait presque uniquement d'abord chez Ulp., *Dig.*, 1, 16, 9, 3 : « qui (filius) non ut oportet conuersari dicatur » ; etc., puis chez Tert., ici et *Marc.*, II, 27, 7, enfin dans les traductions de la Bible. – **obsequium... obsequii :** cf. *Paen.*, 4, 4 : « Obsequii... ratio in similitudine animorum constituta est ». Comme Tacite et Apulée, Tert. a une certaine prédilection pour ce terme, qui désigne normalement le devoir général de déférence de l'affranchi envers son patron (cf. *TLL* s.u. col. 181, 4). La vie du chrétien sera donc un « uerum obsequium erga uerum Deum » (*Spec.*, 1, 4) : cf. *infra*, § 2-5 ; M. Fini, *op. cit.*, p. 19. – **disciplina :** « l'observation (d'une loi, d'un précepte) comme telle », cf. *supra*, 1, 5 ; *infra*, 12, 1 ; Morel, *art. cit.*, p. 40. – **morigera :** adj. de la langue archaïque et, sans doute, familière. – **seruos... Dei :** biblisme (*Esd.* 5, 11 ; *Act.* 16, 17 ; *I Pierre* 2, 16 ; etc.). Les *serui Dei* sont opposés aux *serui diaboli*, les païens (cf. *Vx.*, II, 4, 1), de même que les *ancillae Dei* aux *ancillae diaboli* (cf. *Vx.*, II, 6, 1 ; *Cult.*, I, 4, 2 ; II, 11, 2) ; si les *serui Dei* englobent normalement les catéchumènes, les baptisés sont parfois appelés *perfecti serui Dei* (cf. *Spec.*, 1, 1 ; *Paen.*, 6, 15) ; à côté de ces désignations, l'expression *seruus Christi* est toujours un sing. collectif ; sur cette terminologie de Tert., cf. St. W.J. Teeuwen, *Sprachlicher Bedeutungswandel bei Tertullian,* Paderborn 1926,

p. 126-127 ; P. Van der Nat, Comm. au *De idol.*, p. 46-47. −
Dei uiui : expression qui prédomine dans les traités pastoraux
(*Mart.*, 3, 1 ; *Bapt.*, 5, 2 ; etc. Cf. Braun, p. 76 s.). − **in
compede aut pilleo :** la non-reprise de la préposition devant le
second terme coordonné est caractéristique du style de Tert.
(cf. Löfstedt, *Spr. Tert.*, p. 62-63 ; Fredouille, *SC* 281,
p. 345). − **in aeternitate aut poenae aut salutis :** = *in poena aut
in salute aeterna,* cf. Hoppe, *Synt.*, p. 85 s.

4, 2. seueritati... liberalitati... : cf. *Nat.*, I, 7, 29 : « uitam
aeternam sectatoribus et conseruatoribus suis spondet (disciplina nostra), e contrario profanis et aemulis supplicium
aeternum aeterno igni comminatur » ; *Apol.*, 49, 2 : « melio-
res fieri coguntur qui eis (= les vérités chrétiennes) credunt,
metu aeterni supplicii et spe aeterni refrigerii » ; *Res.*, 32, 6 :
« Aut... nihil in hominem destinatur, non liberalitas regni,
non seueritas iudicii..., aut, si in hominem destinatur, necesse
est in eas substantias destinetur... » ; *An.*, 33, 2 : « uolo iudicii... diuini iustitiam grauitatem maiestatem dignitatem recensere, si non sublimiore fastigio praesidet humana censura,
plenior utriusque sententiae honore, poenarum et gratiarum,
seuerior in ulciscendo et liberalior in largiendo » ; *Pud.*, 1, 5 :
« Christianae pudicitiae ratio... coacta constantius ex metu et
uoto aeterni ignis et regni » ; 2, 7 : « Deus... licet patiens,
tamen... comminatur patientiae finem » ; etc. mais surtout
Marc., II, 13, 5 : « Vsque adeo iustitia etiam plenitudo est
diuinitatis ipsius, exhibens deum perfectum, et patrem et
dominum, patrem clementia dominum disciplina, patrem
potestate blanda dominum seuera, patrem diligendum pie
dominum timendum necessarie, diligendum quia malit misericordiam quam sacrificium, et timendum quia nolit peccatum, diligendum quia malit paenitentiam peccatoris quam
mortem, et timendum quia nolit peccatores sui iam non
paenitentes... ». Fréquente chez Tert. (aux passages cités,
joindre encore *Orat.*, 7, 1, où elle est associée à la *clementia* ;
Paen., 6, 11 ; *Scorp.*, 6, 1 ; etc.), la notion de *liberalitas Dei*

n'est pas proprement scripturaire (le mot est d'ailleurs absent
de la Vulgate). La *Liberalitas principis* occupe en revanche
une place importante dans la mystique impériale (cf. W. Be-
ringer, art. « Princeps », *RE* 22 col. 2231 ; J. Beaujeu,
Religion romaine, Paris 1955, p. 424). – **declinandae...**
inuitandae : cf. *supra,* 3, 9 : *subiendae morti* et *infra,* 13, 8 :
ei firmandae.

4, 3. seruitute subnixis : cf. *infra,* 15, 3. Sur les devoirs
réciproques des maîtres et des esclaves chez s. Paul et dans
l'Église ancienne, mises au point de J. Dauvillier, *Les temps*
apostoliques, Paris 1970, p. 437 s. (riche bibliographie) ;
C. Munier, *L'Église dans l'Empire romain (IIe-IIIe siècles),*
Paris 1979, p. 80-81 ; J. Gaudemet, *L'Église dans l'Empire*
romain (IVe-Ve siècles), Paris 1958, p. 564 s. – **debitoribus**
obsequii : cf. *Bapt.,* 12, 4 : *paenitentiae debitor* ; *Mon.,* 7, 9 :
monogamiae debitores ; etc. Cette constr. de *debitor* au figuré
avec gén. abstrait apparaît, selon *TLL* s.u. col. 114, 28, chez
Ovide, Sénèque Rh., etc. Cf. *infra,* 15, 1. – **de pecudibus... :**
thème de la domination de l'homme sur un univers créé pour
lui : *infra,* 5, 5. Noter la distinction très « romaine » entre animaux domestiques et sauvages.

4, 4. Agnoscunt... oboediunt : soupçonnant une lacune,
Kroymann suggère, dans l'apparat critique de son édition, de
lire : « agnoscunt denique < primi cuiuslibet dominum
eidem > que oboediunt ». Pour sa part, G. Thörnell, *Studia*
Tertullianea, II, UUÅ 1921, p. 67-68, estime qu'on peut conserver le texte transmis par la tradition en comprenant
« agnoscunt *sc.* se nobis a deo subdita esse » et en donnant à
quae (*oboediunt*) la valeur de *quod, cum* (de même, *Apol.,*
23, 8 : *quae* = *quia* ; 50, 2 : *qui* = *etsi* ; *An.,* 31, 5 : *quae* =
quando ; etc., avec alternance *Apol.,* 7, 2 : « aut eruite, *si* cre-
ditis, aut nolite credere, *qui* non eruitis ») ; cf. *infra,* 15, 1. A
son tour, Hoppe, *Beitr.,* p. 89 a repoussé cette explication, et

considère, à juste titre, *agnoscunt* et *oboediunt* comme
employés absolument, d'où son interprétation : « die Wesen,
welche gehorchen, erkennen damit an d.h. schon in dem
Gehorsam der Wesen liegt ein Anerkennen ». Formulation
comparable, par ex. *Val.*, 1, 1 : « si tamen praedicant qui
occultant ». Sur ce thème, que les animaux peuvent nous servir de modèles (à la fois « diatribique » et vétéro-
testamentaire), cf. Pétré, *Exemplum*, p. 45 s. – **denique :**
= *enim, nam, namque*. Équivalence attestée depuis Fronton,
fréquente chez Tert. (cf. *TLL* s.u. col. 533, 52). – **de temetipso :** omis par inadvertance dans l'édition Borleffs. – **rependere :** s.-ent. *te,* comme souvent chez Tert. (cf. *SC* 281, p. 360).
Également employé *infra,* 10, 3 ; 16, 5.

4, 5. Nec pluribus : s. ent. *dicam, agam* (cf. *Apol.*, 10, 11 :
« Satis iam de Saturno, licet paucis » ; *Marc.*, II, 28, 3 : « uirtus ueritatis paucis amat » ; etc. Hoppe, *Synt.*, p. 145 s.). –
exhibitione : apparaît chez Aul. Gel., *Nuits,* 14, 2, 7 et Gaius,
Dig., 50, 16, 22 (*TLL* s.u. col. 53 ; 59). Cf. *Cult.*, II, 1, 1 :
« salus... in exhibitione... pudicitiae statuta est » ; *Paen.*, 4, 6 :
« Ad exhibitionem obsequii prior est maiestas diuinae potestatis, prior est auctoritas imperantis quam utilitas seruien-
tis ». – **domino Deo :** cf. *supra,* 1, 1. – **agnitio Dei :** beaucoup
plus fréquent chez Tert. que *cognitio,* alors que *cognoscere* y
est presque aussi souvent employé qu'*agnoscere.* Cf. *Apol.*,
21, 30 : *agnitio ueritatis* ; *Marc.*, V, 20, 6 : *agnitio Christi* ;
Pud., 9, 14 : *naturalis agnitio in deum ;* etc. – **sibi :** = *ei* (sc.
Deo), cf. Hoppe, *Synt.*, p. 102 s. – **incumbat :** = *congruat, pla-
ceat* (cf., avec des nuances voisines, *Bapt.*, 17, 2 : « laicis
disciplina uerecundiae et modestiae incumbit » ; *Iud.*, 6, 2 :
« necessitas nobis incumbit, ut... » ; *Marc.*, V, 15, 5 : « incumbit Marcioni exhibere... »), et non, comme l'indique *TLL* s.u.
col. 1077, 3, équivalent de *iniunctum, officium sit.* Même
idée, d'un point de vue plus particulier, dans *Paen.*, 3, 2 :
« Domino enim cognito, ultro spiritus a suo auctore respectus

emergit ad notitiam ueritatis, et admissus ad dominica praecepta ex ipsis statim eruditur id peccato deputandum a quo
deus arceat... » ; 4, 4 : « paeniteat amasse quae deus non
amat, quando ne nos quidem ipsi seruulis nostris ea quibus
offendimur non odisse permittimus. Obsequii enim ratio in
similitudine animorum constituta est ». – **Ne... uideamur interiecisse** : mêmes prévenances en *Nat.*, I, 13, 5 : « Quare, ut ab
excessu reuertar... » ; *Praes.*, 31, 1 : « Sed ab excessu reuertar... » ; *Virg.*, 11, 1 : « Sed quod supra intermisimus ex parte
subsecutae disputationis, ne cohaerentiam eius disperge-
remus, nunc responso expungemus » ; etc. Plus généralement,
sur le soin mis par Tert. à guider son lecteur, cf. Fredouille,
p. 37-38. *Interiecisse* : l'*interiectio* est, dans la langue de la
rhétorique, une « parenthèse » plutôt qu'une « digression », cf.
Fredouille, p. 365, n. 4 ; *Val.*, 33, 1 *SC* 281, p. 350. – **obluctatur** : seule occurrence de ce vb. chez Tert.

4, 6. demonstrator : deux autres occurrences du mot chez
Tert., *Apol.*, 23, 6 : « iste ipse Aesculapius medicinarum
demonstrator », et *An.*, 1, 6 : « (sapientia de schola caeli)
certa nullum alium potiorem animae demonstratorem quam
auctorem ». – **acceptator** : création de Tert. (cf. Hoppe, *Beitr.*,
p. 133), qui y recourt en deux autres passages : *Paen.*, 2, 9 :
« Deus... bonorum... necesse est... acceptator, si acceptator,
etiam remunerator », et *Iei.*, 11, 2 : « uotum, cum a Deo
acceptatum est, legem in posterum facit per auctoritatem
acceptatoris ». – **de bono eius** : cf. *supra*, 1, 7. – **late retractet** : cf. *infra*, 5, 1 s.u. « loquacitas ». – **in expedito** : même si,
sémantiquement, l'expression a valeur d'adjectif (cf. *Vx.*,
II, 2, 5 : *expedita sententia* ; *Marc.*, II, 28, 3 : *expedita uirtus* ; etc. *TLL* s.u. « expedio », col. 1619, 65) ou d'adverbe (cf.
Apol., 47, 10 : *expedite... praescribimus*), syntaxiquement
adj. neutre substantivé (cf. *supra*, 3, 1 : *de longinquo, de
supernis*), sur le même plan que *in... compendio* et, comme
lui, dépendant de *constituta est* (cf. *infra*, 7, 5 ; 10, 1 ; 13, 1 ;

Paen., 4, 4 [cité *supra*, § 5] ; etc.). – **in expedito et ...compendio** : cf. Fredouille, p. 195 s. – **commendatio et exhortatio** : cf. *supra,* 1, 1 et p. 11 s.

3. Vice opposé, l'impatience a Satan pour auteur (chap. V).

> a. Apparition de l'impatience. Sa dégénérescence
> en colère, puis en crime (chap. V, 1-17).

Un tel argument ne rend pas pour autant inutile une réflexion plus approfondie. En particulier, s'interroger sur le vice contraire à la patience aidera à mieux connaître les comportements qu'il faut adopter et ceux qu'il faut éviter (§ 1-2). De fait, de même que la patience a Dieu pour « auteur », l'impatience a Satan pour « auteur » : il y a donc entre l'une et l'autre la même opposition et la même distance qu'entre Dieu, le Très Bon, et son adversaire, Satan, le Très Mauvais (§ 3-4). En effet, le premier mouvement d'impatience fut la réaction de Satan, incapable de supporter que Dieu eût soumis la création à l'homme (§ 5). Faute d'accepter cette situation avec patience, Satan en fut éprouvé, et il prit l'homme en aversion (§ 6). Peu importe, au demeurant, de savoir si en Satan c'est la méchanceté qui fut antérieure à l'impatience, ou l'inverse, du moment que c'est avec lui qu'apparut l'impatience et qu'il sut en faire l'instrument du péché (§ 7-8). Satan apprit à Ève l'impatience, et le péché des deux premières créatures fut commis par impatience. Ce fut la cause du jugement de Dieu, qui manifesta sa patience en se contentant de maudire Satan, sans le châtier (§ 9-12). Au Paradis, l'homme vivait dans l'innocence et l'amitié de Dieu ; sur la terre, loin du regard de Dieu, il se montra encore impatient, et fit ce qui déplaisait à Dieu (§ 13-14). Et chez Caïn l'impatience suscita la colère, qui le poussa au crime (§ 15-17).

5, 1. Verumtamen : si probante et décisive soit-elle, la *praescriptio* ne dispense pas *cependant* d'une réflexion plus approfondie (et, dans la polémique, d'une réfutation plus circonstanciée), cf. *Nat.,* I, 12, 14 ; II, 1, 4 ; *Herm.,* 1, 1-2 ; *Marc.,* I, 1, 6-7 ; III, 1, 1-2 ; etc. Fredouille, p. 184 s. ; 195 s. Deux autres occurrences seulement de cet adv. chez Tert. : *Mart.,* 1, 2 et, en citation, *Cast.,* 4, 2 (= *I Cor.* 7, 28 : δέ). — **procedere disputationem... :** litt. « le fait que le débat fasse des progrès n'est pas... ». Cf. Cic., *Fin.,* 1, 29 : « ut ratione et uia procedat oratio » (*Tusc.,* 2, 42 : « quo facilius oratio progredi possit longius ») ; Sén., *Const. sap.,* 7, 1 : « haec disputatio processit ». La correction (*procudere*) proposée par Scaliger ne s'impose donc pas, cf. Pellegrino, *RFIC* 28 (1950), p. 76. – **de necessariis fidei :** reprise de l'analyse après la « digression » du chap. IV (cf. Fredouille, *SC* 281, p. 247 ; 350). – **loquacitas... turpis :** en dépit du silence des éditeurs et des traducteurs, la duplication *turpis... turpis,* peu conforme, semble-t-il, aux habitudes de Tert. dans des formulations de ce type, nous paraît être une dittographie. Nous comprenons : *si quando* sc. *non turpis est* (= « si jamais la prolixité n'est pas condamnable, c'est bien quand il s'agit pour elle d'édifier »). Cf. pour le tour elliptique *An.* 45, 6 : « Ideo et prudentes, si quando, sumus » ; pour *nullă = non,* cf. *Apol.* 8, 8 ; 21, 9 ; etc. La phrase trahit l'embarras de Tert. pris entre une conception théorique des moyens de la vérité et les exigences pratiques de toute ˜ persuasion, cf. Fredouille, p. 32 s. ; 184 s. ; également, « L'esthétique théorique des écrivains paléochrétiens », dans *Varron, grammaire antique et stylistique latine* (= Mélanges J. Collart), Paris 1978, p. 365 s. Cf. aussi cette remarque contemporaine de *Paen.,* 4, 5 : « De bono paenitentiae enumerando diffusa et pro hoc

magno eloquio committenda materia est » ; et *supra*, 4, 6 s.u.
« late retractet ». Peut-être, sous-jacente, une réminiscence
d'*Éphés*. 4, 29(πᾶς λογος σαπρὸς ἐκ τοῦ στόματος ὑμῶν μὴ
ἐκπορευέσθω, ἀλλὰ εἴ τις ἀγαθὸς πρὸς οἰκοδομὴν τῇ χρείας.
Partiellement cité en *Pud.*, 17, 16) ?

5, 2. res postulat contrarium : cf. *Idol.*, 2, 5 : « quomodo
abundabit iustitia nostra... nisi abundantiam aduersariae eius,
id est iniustitiae, perspexerimus ? » ; Cypr., *De b. pat.*, 19 :
« ut magis... patientiae bonum luceat, quid mali e contrario
inpatientia inportet consideremus » ; Lact., *Inst.*, I, 23, 8 :
« primus... sapientiae gradus est falsa intellegere, secundus
uera cognoscere ». Démarche usuelle, aussi bien en philosophie (cf. Chrysippe ap. Aul. Gel., *Nuits*, 7, 1, 3-4 : « Nullum
adeo contrarium est sine contrario altero. Quo enim pacto
iustitiae sensus esse potest, nisi essent iniuriae ?... Quid item
fortitudo intellegi posset, nisi ex ignauiae adpositione ? Quid
continentia, nisi ex intemperantiae ?... » ; Sén., *Clem.*, 2, 3, 1 :
« Et ne forte decipiat nos speciosum clementiae nomen ali-
quando et in contrarium abducat, uideamus quid sit clementia qualisque sit et quos fines habeat » ; *Luc.*, 45, 7 ; 95, 65 ;
etc.), qu'en rhétorique (cf. Cic., *Top.*, 47 : « Deinceps locus
est qui a contrario dicitur. Contrariorum autem genera sunt
plura, unum eorum quae in eodem genere plurimum dif-
ferunt, ut sapientia et stultitia... » ; etc. Pour les *exempla
contraria* : Quint., *Inst. or.*, 5, 11, 5 ; chez Tert., cf. Pétré, *op.
laud.*, p. 100, et par suite en exégèse (*Res.*, 21, 2 : « aequum
sit... incerta de certis et obscura de manifestis praeiudicari » ;
Pud., 17, 18 : « Pauca multis, dubia certis, obscura manifestis
adumbrantur »). – **inluminabis** : cf. *Res.*, 37, 6 : « Ostendens
(dominus)... quid prosit et quid non prosit, pariter inlumi-
nauit quid cui prosit, spiritum scilicet carni... » ; *Herm.*,
15, 6 : « ... mala necessaria fuisse ad inluminationem bonorum ex contrariis intellegendorum » ; etc. Hoppe, *Synt.*,
p. 189. De même, *Iei.*, 3, 3 : « Ostendens... unde sit occisus

Adam, mihi reliquerat intellegenda remedia offensae, qui
offensam demonstrarat... certus hoc Deum uelle cuius contrarium noluit ». - **digesseris** : sens (= *enarrare, exponere, descri-
bere*) fréquent chez Tert. (*Nat.,* I, 7, 30 ; 11, 2 ; etc. *Infra*,
13, 5, mais avec un sens différent *supra*, 1, 5), attesté depuis
Val. Max., 1 Praef. (cf. *TLL* s.u. col. 1119, 45 s.).

5, 3. inpatientia : le mot apparaît chez Val. Max., 6, 7, 1
(« Tertia Aemilia, Africani prioris uxor... tantae fuit comitatis
et patientiae ut... dissimulauerit, ne domitorem orbis Africa-
num femina magnum uirum inpatientiae (*incontinentiae D*)
reum ageret... ») et Sén., *Luc.,* 9, 2, avec le sens opposé,
jamais repris (« ...si exprimere ἀπάθειαν uno uerbo cito uolue-
rimus et inpatientiam dicere : poterit... contrarium ei, quod
significare uolumus, intelligi »). En dehors de *Pat.,* Tert.
n'emploie le mot qu'en *Nat.,* I, 7, 16. Cf. *infra*, § 5 *inpatienter,* et § 7 *inpatiens*. Tert. innove donc en substituant l'opposition *patientia-inpatientia* (sur ce choix, cf. *supra*, p. 29) au
couple *patientia-ira* (cf. Sén., *De ira,* 2, 12, 6 : « nos... aduocabimus patientiam... Quantum est effugere maximum
malum, iram... ! » ; etc.), qui du reste, grâce en grande partie
à la *Psychomachia* de Prudence, se perpétuera à travers tout
le Moyen-Age, cf. A. Katzenellenbogen, *Allegories of the
Virtues and Vices in mediaeval Art from early Christian
Times to the thirteenth Century,* London 1939, qui p. 83
signale le seul cas où le vice opposé à *Patientia* n'est pas *Ira*
(Vitrail du chœur de la cathédrale d'Auxerre : *Patientia* associée à *Desperatio*) ; p. 12, mentionne la seule représentation
figurée d'*Inpatientia* (un mss de Moissac) ; G.T. Schiffhorst
(ed.), *The Triumph of Patience. Medieval and Renaissance
Studies,* Orlando 1978, p. 81. - **aduersario** : Jérôme, *In Eph.,*
4, 27 : « Lingua... Hebraea Satan appellatur, id est aduersarius siue contrarius » ; cf. *Test.,* 5, 2 ; *Scorp.,* 6, 1 ; etc. En
fonction adjective : *Idol.,* 7, 1 : « de aduersaria officina in
domum Dei uenire » ; *Mon.,* 2, 3 : « Aduersarius... spiritus ex

diuersitate praedicationis... ». Cf. *infra*, § 4 s.u. « aemulo » et
« diabolus ». – **principaliter** : ce sens (cf. *Apol.*, 6, 10 ; etc.)
trahit peut-être une influence de la langue juridique
(Waszink, p. 265).

5, 4. ab aemulo Dei : Tert. utilise fréquemment *aemulus*
ou *aemulus Dei* pour désigner Satan (cf. *supra*, § 3 s.u.
« aduersario ») : *Apol.*, 27, 4 ; *Spec.*, 2, 12 ; *Cor.*, 6, 2 ; etc. ;
également *aemulator* : *Spec.*, 2, 12 ; *Iei.*, 16, 7 ; pour la forme
verbale : *Prax.*, 1, 1 : « Varie diabolus aemulatus est ueritatem » ; *infra*, 16, 2 ; pour la forme adverbiale : *Praes*, 40, 7
(*aemulanter* est un hapax, cf. Hoppe, *Beitr.*, p. 145). – **Eadem discordia... auctorum** : ce qui ne veut pas dire que
deux choses opposées ne puissent pas avoir le même auteur,
en qui ces oppositions trouvent leur conciliation ou leur
cohérence, cf. *Marc.*, V, 3, 9 : « Proinde si in lege maledictio
est, in fide uero benedictio, utrumque habes propositum apud
creatorem : ' Ecce posui, inquit, ante te maledictionem et
benedictionem ' (*Deut.* 11, 26). Non potes distantiam uindicare – quae etsi rerum est, non ideo auctorum – quae ab uno
auctore proponitur... ». Formulation comparable en *An.*,
16, 2 : « ...a diabolo inrationale, a quo et delictum, extraneum
a Deo, a quo est inrationale alienum. Proinde delicti diuersitas horum ex distantia auctorum ». – **diabolus** : sur ce calque
du gr. διάβολος (= calomniateur) utilisé dans la LXX pour
traduire l'hbr. śātān (= l'adversaire), cf. L.W. Förster - G.
Von der Rad, art. « διάβολος », *TWNT* t. 2, p. 70-71 ; *TLL*
s.u. « diabolus », col. 940, 65 s. – **alteri facere** : cette construction de *facio* (+ dat.) employé absolument est rapprochée par
Löfstedt, *Spr. Tert.*, p. 95-96 de Symm., *Lettres*, 1, 60 :
« Cui ego propterea factum uolo, ut... », et par Thörnell,
Studia Tert., II (1921), p. 42 s. du tour *agere alicui* (*Marc.*,
IV, 23, 1) = *negotium gerere alicui* (*Marc.*, IV, 25, 6) et des
nombreux emplois absolus, chez Tert., de *facio* + prép., en
particulier *ad* (cf. *Apol.* 5, 1 : « Facit et hoc ad causam,

quod... » ; 23, 8 ; 29, 3 ; etc.). – **a malo... a bono :** tout laisse
penser, dans ce contexte (*auctorum, Deus optimus, diabolus,
testantur*), que les deux adj. sont ici substantivés, le premier
a malo ayant entraîné le second. En effet, si *malus* est usuel
pour désigner le Malin (trad. du scripturaire πονηρός), cela
n'est pas vrai de *bonus* pour désigner Dieu. A joué également en faveur de la substantivation de *bonus* l'opposition
qu'elle permettait entre le neutre (*aliquid boni, mali*) et le masculin.

5, 5. natales inpatientiae... deprehendo... : la source du mal
est donc l'impatience, péché commis par Satan le premier,
incapable de résister à l'orgueil et à la jalousie (*inpatienter
tulit*) ; au § suivant, Tert. assimile d'ailleurs *malus* et *inpatiens* ; cf. K. Wölfl, *Das Heilswirken Gottes durch den Sohn
nach Tertullian,* Roma 1960, p. 183 s. – **deprehendo :** cf.
Marc., IV, 13, 4 : « Huius... numeri (= duodecim) figuras apud
creatorem deprehendo » ; *An.,* 16, 3 : « ea quae in Christo
deprehenduntur » ; etc. – **dominum Deum :** cf. *supra,* 1, 1. –
uniuersa opera... homini subiecisse : Dieu a créé le monde
non pour lui, mais pour l'homme, qui en a la maîtrise : ce
thème revêt une importance particulière chez Tert., sans
doute sous l'influence du stoïcisme, cf. *Marc.,* I, 13, 2 ;
II, 4, 3 ; 4, 5 ; *Spec.,* 2, 4 ; etc. M. Spanneut, *Le stoïcisme des
pères de l'Église,* Paris 1969[2], p. 382-383. Cf. *supra,* 4, 3. –
opera... fecisset : sur ce syntagme appliqué à la création, cf.
Iud., 4, 1 : « ab omnibus operibus suis quae (Deus) fecit » ;
Prax., 16, 1 : « opera mundi per filium facta » ; Braun,
p. 346 s. – **imagini suae :** cf. S. Otto, « Der Mensch als Bild
Gottes bei Tertullian », *MThZ* 10 (1959), p. 276-282 ;
G.L. Bray, *Holiness and the Will of God. Perspectives on the
Theology of Tertullian,* London 1979, p. 66 s. – **inpatienter :**
premières attestations de cet adv. chez Tac., *Germ.,* 8, 1 (au
comparatif) et Plin., *Lettres,* 2, 7, 6 ; etc. (*TLL* s.u. col.
526, 12). Tert. n'y recourt que dans ce traité (*infra,* § 16 et
23 ; 7, 6 ; 9, 3 ; 9, 7) ; cf. *supra,* 5, 3 *inpatientia.*

5, 6. Nec enim... : sous une formulation qui pourrait sembler n'être qu'un cliquetis de mots, Tert. analyse en fait, dans ce §, les composantes de la « passion » dont Satan s'est rendu coupable, allant d'abord de la cause aux effets, puis en remontant (*adeo*...), des effets à la cause : *inpatientia* → *dolor* → *inuidia* → *deceptio* ← *inuidia* ← *dolor* ← *inpatientia* (cf. *infra*, § 17). D'autre part, cette explication « psychologique » repose sur un schéma d'inspiration stoïcisante (peut-être même, plus précisément, posidonienne, si la partie étiologique de l'éthique se rapporte bien aux passions : cf. Sén., *Luc.*, 95, 65 : « Posidonius... adicit causarum inquisitionem, aetiologian quam quare nos dicere non audeamus... non uideo » ; C.J. de Vogel, *Greek Philosophy*, III, p. 265 ; Fredouille, c.r. de R. Braun, « Les règles de la parénèse... », *REAug.*, 28, 1982, p. 294), formulable, au prix de quelques simplifications, de la manière suivante : emporté par un mouvement de l'âme qu'il n'a pas dompté faute de vouloir ou de savoir obéir à la raison en acceptant que Dieu soumît la création à l'homme (*inpatientia*), Satan s'est cru lésé et en a conçu un profond ressentiment (*dolor*), ce qui l'a conduit à prendre l'homme en haine (*inuidia*) et à vouloir s'en venger en le trompant (*deceptio*). Cf. Sén., *De ira*, 2, 1, 4-5 : « ... speciem capere acceptae iniuriae et ultionem eius concupiscere et utrumque coniugere nec laedi se debuisse et uindicari debere, non est eius impetus qui sine uoluntate nostra concitatur... hic (impetus) compositus et plura continens : intellexit aliquid, indignatus est, damnauit, ulciscitur ; haec non possunt fieri, nisi animus eis quibus tangebatur assensus est » (pour un commentaire approfondi de ces pages de Sénèque, cf. A.-J. Völke, *L'idée de volonté dans le stoïcisme*, Paris 1973, p. 163 s.). Comme dans toute « passion », l'*inpatientia* est en même temps l'origine et l'ensemble du processus.

5, 7. ille angelus perditionis : seul passage où Tert. qualifie ainsi Satan (à rapprocher toutefois de *Test.*, 3, 2 : « Satanam... quem nos dicimus malitiae angelum... » et *Praes.*, 6, 6 : « Prouiderat... spiritus sanctus futurum in uirgine quadam Philumene angelum seductionis transfigurantem se in angelum lucis [cf. *II Cor.* 11, 14] ... »). Sur ce gén. de qualité (sans adj.), qui s'est développé sous l'influence de la Bible (ex. *II Cor.* 11, 14 : *angelus lucis* = *Praes.*, 6, 6 [*supra*] ; *Res.*, 55, 12 ; *An.*, 57, 8 ; *II Thess.* 2, 3 : *filius perditionis* = *Marc.*, V, 16, 4 ; *Res.*, 24, 12), cf. Blaise, *Manuel*, § 85. – **malus an inpatiens :** cf. *supra*, § 3. En dehors des 8 occurrences d'*inpatiens* dans *Pat.*, Tert. ne recourt à cet adj. qu'en *Vx.*, II, 5, 1 et *Scorp.*, 3, 2. – **palam cum sit :** sans doute la *lectio difficilior* (= *cum palam sit*) ; sur ce type de disjonction, qui ne se rencontre pas seulement en poésie, cf. Marouzeau, *L'ordre des mots*, III, p. 132 ; pour Tert., Löfstedt, *Spr. Tert.*, p. 41 s. ; Bulhart, *Praef.*, § 90-92. – **cum (malitia) :** si *TLL* s.u. « auspicor », col. 1550, 64 s. ne mentionne pas de constr. de ce vb. + *cum*, il faut toutefois observer qu'en dehors de la constr. usuelle + *ab* on rencontre l'abl. seul ou *per* + acc. (cf. Plin., *Nat.*, 7, 3 : « a suppliciis uitam auspicatur », mais Tert. écrit *Marc.*, IV, 21, 11 : « nec statim (Christus Marcionis) lucem lacrimis auspicatus » ; de même *Bapt.*, 9, 4 : « (Christus) prima rudimenta potestatis suae...aquā auspicatur ». Mais Sén., *Luc.*, 47, 10 : « senatorium per militiam auspicantes gradum ») ; dans ces conditions, *auspicor* + *cum* (analogique de *incipio* + *cum* : cf. Tit. Liv., 1 praef. 13 ; Plin., *Nat.*, 2, 124 : Quint., *Inst. or.*, 11, 3, 106 ; etc.) ne paraît pas exclu ; à quoi se joint le goût de Tert. pour ce type de *uariatio* (cf. *Prax.*, 25, 2 : « post resurrectionem et de [= *post*] uictae gloria mortis » ; Bulhart, *Praef.*, § 111 ; également, *infra*, 9, 2), puisqu'il recourt ensuite à la construction habituelle *auspicor* + *ab*. – **malitia... malitiam :** cf. Cic., *Fin.*, 3, 39 : « Quas enim κακίας Graeci appellant, uitia malo quam malitias nominare » ; *Tusc.*, 4, 34 : « sic (*sc.* uitiositatem) malo quam malitiam appellare eam quam Graeci κακίαν appellant ; nam malitia certi cuiusdam uiti nomen est, uitio-

COMMENTAIRE 5, 7-8   155

sitas omnium ». Naturellement, Tert. n'ignore pas que, en toute rigueur, c'est l'*inpatientia* qui dérive de la *malitia*, non l'inverse (cf. Cic., *Tusc.*, 4, 34 : « ex qua (uitiositate) concitantur perturbationes, quae sunt... turbidi animorum concitatique motus, auersi a ratione et inimicissimi mentis uitaeque tranquillae »). Cf. du reste *infra,* § 15. – **auspicatam (esse) :** Tert. n'hésite pas à utiliser ce verbe depuis longtemps dépouillé de résonance religieuse, cf. Fredouille, *SC* 281, p. 197. – **indiuiduas :** cf. *Val.,* 14, 1 ; *infra,* 15, 7. Ce sens (« inséparable ») apparaît chez Sén., *Prou.,* 5, 9 ; *Luc.,* 67, 10 (cf. *TLL* s.u. col. 1210, 6). – **in uno patris sinu :** = *in unius patris sinu.*

5, 8. primus... primus : thème de « blâme », cf. Quint., *Inst. or.,* 3, 7, 16. 19 : « ... sciamus gratiora esse audientibus quae solus quis aut primus... fecisse dicetur... Qui omnis etiam in uituperatione ordo constabit, tantum in diuersum... » ; Fredouille, *SC* 281, p. 220. – **delinquere intrauerat :** hésitation sur l'analyse de ce syntagme : *intrauerat* + inf., d'après *incipio* + inf. (cf. *TLL* s.u. col. 65, 8, qui ne donne que cet exemple ; de toute manière, cette construction ne se retrouve pas ailleurs chez Tert.) ? ou bien (comme l'indique Kroymann, *CSEL* 47, p. 7 app. crit.) *delinquere = delictum* (nombreux ex. d'inf. substantivés dans Hoppe, *Synt.,* p. 42) ? – **inpingendo :** sens figuré attesté depuis Val. Max., 9, 14, 3 (cf. *TLL* s.u. 617, 67 s.). *Inpingendo homini* : sur ce datif final, cf. *SC* 281, p. 257. – **crimen :** Evans, *Tert.'s Homily on Baptism,* p. 45, fait observer que dans ce chapitre Tert. emploie indifféremment *delictum, peccatum* et *crimen* pour désigner la faute d'Adam et ses conséquences, alors que d'une manière générale c'est *delictum* qui chez lui signifie « péché ». Réminiscence stoïcienne ? Selon Cic., *Mur.,* 60-66, en effet, en vertu de l'égalité des fautes, les stoïciens ne distinguaient pas entre *facinus, peccatum, delictum, scelus* et *nefas.*

5, 9. illi : « datiuus auctoris » (fréquent chez Tert., cf. Hoppe, *Synt., p. 25).* – **mulier :** Ève. Cf. *Virg.,* 5, 1 : « Cum hoc genus secundi hominis a Deo factum est in adiutorium hominis, femina illa, statim mulier est cognominata... ' Vocabitur, inquit, mulier ' (*Gen.* 2, 23)... ». – **non temere dixerim :** parce que Tert. se réfère au récit de la Chute dans *Gen.* – **spiritu... infecto :** cf. *Res.,* 16, 6 : « ... calicem... frictricis uel archigalli uel gladiatoris aut carnificis spiritu infectum... ». – **interdicto :** trois autres occurrences seulement de ce mot chez Tert. (*Marc.,* IV, 24, 8 ; *Mon.,* 7, 9 ; *Pud.,* 12, 5), chaque fois, comme ici, en contexte scripturaire pour désigner un interdit divin. – **praeseruasset :** = *obseruasset, conseruasset* (sur cette indifférence au préverbe, cf. *supra,* 1, 7 : *subsignant* ; de même : *Vx.,* I, 1, 4 : « carnis... integritatem mihi perseruandam [*A* : reseruandam *NFR*]) ».

5, 10. Adam nondum maritum : pour Tert., comme pour Justin, *Dial.,* 100, 5 et Irén., *Haer.,* III, 22, 4, Adam et Ève étaient vierges avant leur faute : *Carn.,* 17, 5 : « In uirginem enim adhuc Euam irrepserat uerbum aedificatorium mortis » ; *Mon.,* 5, 5 : « ... nouissimus Adam, id est Christus, innuptus in totum, quod etiam primus Adam ante exilium » ; *infra,* § 13 *innocens.* – **nondum aures sibi debentem :** cf. *Spec.,* 27, 3 : « ... quis aures diabolo aduersus Deum ministrauerit ? ». Déjà Pl., *Pseud.,* 153 : « huc adhibete auris quae ego loquor » ; etc. Cf. *TLL* s.u. col. 1518, 73, qui mentionne notre passage sous la rubrique n° 11 « oboedientia ». – **est... facit :** présents, succédant à un pft. (*sustinuit*) ; sur ces variations temporelles, cf. Fredouille, *SC* 281, p. 247. – **traducem :** cf. *Test.,* 3, 2 : « ... per quem (Satanam) homo, a primordio circumuentus, ut praeceptum Dei excederet, et propterea in mortem datus, exinde totum genus de suo semine infectum suae etiam damnationis traducem fecit ». Sur ce terme très souvent employé par Tert. avec une valeur métaphorique, cf. Hoppe, *Synt.,* p. 177-178 ; Moingt, IV, p. 240-241.

5, 11. alius (homo)... alterius : = *alter (homo)... alterius,*
substitution fréquente dans la langue impériale (cf. *TLL* s.u.
« alter », col. 1742, 5). *Alius homo* renvoie naturellement à
illum (= Adam), *alterius* à *mulier* (= Ève), sujet non exprimé
de *hauserat* et *facit*. *Homo* : pour ce sens, cf. Juv., *Sat.,*
6, 284, qui fait dire à son héroïne : « homo sum » ; dans le
même contexte : *Virg.,* 5, 1 (cité *supra,* § 9 s.u. « mulier ») ;
Aug., *Enarr. Ps.,* 103 s. 1, 8 (*CCL* 40, p. 1479) : « illi duo
homines primi, parentes nostri... ». – **immo :** la leçon des mss
(*mox*) ne nous paraît guère offrir un sens satisfaisant, dans la
mesure où cet adv. suppose une seconde « faute » (un second
acte d'impatience) d'Adam, absente du récit de la *Gen.* ainsi
que de l'apocryphe *Vie d'Adam et Ève* (que, selon Daniélou,
Origines du Christianisme latin, p. 147, Tert. aurait connue).
Au demeurant, si les éditeurs sont unanimes à conserver cette
leçon, les traducteurs sont, pour leur part, plus embarrassés :
par ex., Thelwall tourne la difficulté en rendant *mox* par
« presently, too... » ; Sciuto lui donne un sens (« tosto »)
attesté seulement beaucoup plus tard (cf. L.H.S., p. 637) ;
Genoude ne le traduit pas, lui donnant par là-même implicitement la valeur, non attestée, mais en accord avec le récit
biblique, de « en effet »... L'objection que l'on peut faire à
notre correction (l'altération *immo → mox* étant paléographiquement explicable, surtout si l'on admet l'orthographe *imo*)
est la place occupée ici par l'adverbe. Elle est sérieuse, mais
non dirimante : 1. Cette « règle » de la position initiale n'est
plus, depuis Tite-Live, scrupuleusement respectée par les pro-
sateurs (cf. L.H.S., p. 492) ; 2. Exceptionnellement Tert. aussi
y déroge (cf. *An.,* 18, 9 ; 46, 5) ; 3. Le souci de l'anaphore
(*Perit... perit...*) a pu prévaloir ici sur l'usage. – **circa :** = *de +*
abl., cf. *SC* 281, p. 205. – **diaboli :** cf. *supra,* 5, 4.

5, 12. Hinc... unde... : *TLL* s.u. « hinc », col. 2806, 56 ne
signale qu'un seul exemple antérieur de cette corrélation
(Tér., *Phorm.,* 604 : « Petam hinc unde a primo institi ». Cf.

Praes., 43, 5 : « At ubi Deus, ibi metus in Deum qui est initium sapientiae ; ubi metus in Deum, ibi grauitas honesta... » ; *Virg.,* 14, 1 : « Porro ubi gloria, illic sollicitatio, ubi
sollicitatio, illic coactio... ; etc. – **prima... origo :** type de
pléonasme (*prima exordia, origo initialis,* etc.) particulièrement fréquent chez Apulée (cf. Bernhard, *Der Stil des
Apuleius,* p. 175). – **iudicii... irasci... :** dans le prolongement
de l'A.T. et du N.T., thème de la « justice vindicative » : la
colère de Dieu est la manifestation de son jugement (*Marc.,*
II, 11, 1 : « usque ad delictum hominis Deus a primordio
tantum bonus, exinde iudex et seuerus et, quod Marcionitae
uolunt, saeuus »), elle est l'un de ses attributs au même titre
que la bonté et la justice, dont elle est indissociable (cf. *Test.,*
2, 3-4 ; *Marc.,* I, 25-26), mais ne saurait être impatience. On
sait que, par la suite, Tert. sera conduit à concéder même
l'impassibilité du Père, reportant sur le Fils des mouvements
de colère dont Dieu doit être exempt (cf. *Marc.,* II, 27, 6 ;
Fredouille, p. 160 s.). – **offendere :** cf. *infra,* § 14 et 22 ; 8, 7 ;
10, 5 ; 10, 8 ; 13, 4 ; *supra,* 3, 3. – **in diabolo :** cf. *supra,* § 4.
On attendrait plutôt que Tert. fît référence à la malédiction
de l'homme, qui en *Gen.* 3, 17 vient après celle du serpent
(*Gen.* 3, 14). Deux questions peuvent donc se poser : d'une
part, Tert. a-t-il interverti l'ordre des deux malédictions ?
d'autre part, *in diabolo* n'est-il pas une glose suscitée par
l'expression *indignatio prima* ? Le sens exact de *in* (« à
propos de » ou « contre » [= *in* + acc., cf. Bulhart, *Praef.,*
§ 60 h]) n'est pas sûr.

5, 13. crimen : cf. *supra,* § 8. – **istud inpatientiae admissum :** cf. *supra,* § 11 : « per inpatientiam suam... commissam ». – **Innocens :** cf. *supra,* § 10. – **de proximo :** cf. *supra,*
3, 1 : *de longinquo.* – **amicus :** bien qu'elle n'y soit pas explicitement exprimée, l'idée d'une grande familiarité d'Adam
avec Dieu dans le Paradis ressort très clairement du récit
yahviste (cf. *Marc.,* II, 2, 6: « ... paradisi gratia et familiaritas

Dei, per quam omnia Dei (homo) cognouisset, si oboedisset ». Peut-être toutefois la formulation trahit-elle quelques souvenirs sénéquisants (cf. *De const. sap.*, 8, 2 : « sapiens... uicinus proximusque diis consistit » ; *De prou.*, 1, 5 : « Inter bonos uiros ac deos amicitia est » ; etc.) ? – **paradisi colonus :** cf. *Iud.*, 2, 11 : « (Deus) in paradiso constituens eum (= Adam) incircumcisum colonum paradiso praefecit ». A rapprocher de *CIL* XIII, 2414 (= Diehl, *ILCV* 612, 5-6) : « Conditor omnipotens paradysi quem esse colonum / Iusserat, hanc tribuit culpa nefanda uicem » (cf. Braun, p. 352 ; G. Sanders, *Licht en duisternis in de christelijke grafschriften*, t. 2, Brussel 1965, p. 391). Sur cette conception (sens « topographique » et « moral »), voir *An.*, 38, 2 ; *Mon.*, 17, 5 ; H. Fine, *Die Terminologie der Jenseitsvorstellungen bei Tertullian,* Bonn 1958, p. 224 ; K. Wölfl, *Das Heilswirken Gottes durch den Sohn nach Tertullian,* Roma 1960, P. 184. – **succidit :** avec ce sens et cette constr. (+ dat.), cf. *Apol.*, 27, 6 : « (daemones) condicioni suae parent et succidunt [-ced- *F*] » ; *Cor.*, 6, 2 : « apostolus... ait uanitati (uniuersam conditionem) succidisse » ; *infra*, 14, 3 ; Hoppe, *Synt.*, p. 30. – **Deo sapere :** « datiuus commodi » (Thörnell, *Studia Tertullianea*, II, p. 44 ; cf. *supra*, § 4 : alteri facere). En ce sens : + *cum (Bapt.*, 12, 5), + *contra (Cast.*, 3, 4) ; cf. P.G. Van der Nat, Comm. au *De idololatria*, p. 41-42 (tableau des sens et constr. de *sapere* chez Tert.).

5, 14. terrae datus : après avoir créé l'homme sur la terre, Dieu le transporta au Paradis (*Marc.*, II, 4, 4 : « Bonitas (Dei) finxit (hominem) de limo... ; bonitas praefecit uniuersis fruendis atque regnandis... ; bonitas amplius delicias adiecit homini, ut, quamquam totius orbis possidens, in amoenioribus moraretur, translatus in paradisum... » ; II, 10, 3 : « quod nemo hominum in paradiso Dei natus sit, ne ipse quidem Adam, translatus potius illuc »), d'où, après sa faute, il le chassa et le renvoya sur terre (*Marc.*, II, 2, 6 : « redhi-

bitus materiae suae et in ergastulum terrae laborandae relega-
tus in ipso opere prono et deuexo ad terram »). Tert. ne paraît
pas distinguer entre ce Paradis et celui où séjournent les
âmes des martyrs en attendant la Résurrection (*Marc.,*
II, 10, 6 : « (Deus) sustinens hominem gloriosiorem in paradisum ad licentiam decerpendae arboris uitae iam de uita
regressurum »). Sur sa situation, cf. *Apol.,* 47, 13 : « paradisum... locum diuinae amoenitatis recipiendis sanctorum
spiritibus destinatum, maceria quadam igneae illius zonae a
notitia orbis communis segregatum... » ; *Mart.,* 3, 3 ; *An.,*
55, 4 ; *infra,* 13, 7 ; Waszink, p. 554 ; Fine, *op. laud.,* p. 227.
Le syntagme *terrae datus* est ancien dans la langue, mais
avec un autre sens, cf. Acc., *Trag.,* 72 W : « qui neque
terraest datus, nec cineris causa umquam euasit uapos » ;
Apul., *Mét.* 7, 26, 3 : « cadauer... terrae dedere » ; Vulg., *II
Macc.* 13, 7 : nec terrae dari Menelaum » (*LXX* : τῆς γῆς
τυχόντα). En revanche, + *ad* : Pl., *Capt.,* 797 ; T. Liv.,
31, 37, 9 ; etc. « jeter à terre ». – **eiectus :** cf. *Paen.,* 2, 3 :
« post eiectum (hominem) paradiso ». Terme usuel (en particulier chez Cicéron) pour désigner le rejet, l'exil de quelqu'un
(cf. *TLL* s.u. col. 305, 71. – **in :** final (cf. Hoppe, *Synt.,*
p. 39). – **offenderet :** cf. *supra,* § 12.

5, 15. semine... concepta : cf. *Carn.,* 17, 5-6 : « Sed Eua
nihil tunc concepit in utero ex diaboli uerbo. Immo concepit.
Nam exinde ut abiecta părēret et in doloribus părēret uerbum
diaboli semen illi fuit ». Ces deux passages (de *Pat.* et *Carn.*)
laissent transparaître des conceptions (que l'on rencontre
dans les écrits juifs et rabbiniques, dans les apocryphes et
chez certains gnostiques) selon lesquels Caïn serait né d'une
union d'Ève avec Satan (le serpent), cf. L. Ginzberg, *The
Legends of the Jews,* t. 1, Philadelphia 1954[10], p. 105 ; t. 5,
Philadelphia 1955[7], p. 133 (qui écarte le témoignage de *Pat.,*
5, 15 parce qu'il lit *iram filium,* « anger as herson », cf.
infra) ; Mahé, *SC* 217, p. 405. Pour l'expression, cf. Ov.,

Mét., 10, 347-348 : « ipsaque, cuius / semine concepta est, ex illo concipit ales ». – **malitiae** : cf. *supra,* § 7. – **irae filium** : Caïn. L'expression (si *irae* est la bonne leçon), est une réminiscence (consciente ou inconsciente) d'*Éphésiens,* 2, 3 : « ἤμεθα τέκνα φύσει ὀργῆς », mais il ne semble pas qu'elle puisse être versée au dossier de la doctrine du péché originel, comme paraît le faire J. Mehlmann, *Natura filii irae. Historia interpretationis Eph. 2, 3 eiusque cum doctrina de Peccato Originali nexus,* Romae 1957, p. 63 s. (et p. 80, n. 1 en particulier). – **inmerserat** : usuel avec cette valeur métaphorique, cf. *An.,* 24, 11 : « animae... nondum inmersae domesticis ac publicis curis ». *Morti* : ici donc l'éloignement de Dieu et l'expulsion du Paradis (cf. *supra,* § 14). – **homicidio** : cf. *infra,* § 16 et 19.

5, 16. adscripserim : subj. d'« affirmation atténuée ». – **primus... primus** : cf. *supra,* § 8 et *infra,* § 18. – **aequanimiter** : = *nec inpatienter* (sc. *patienter*), cf. *supra,* p. 32.

5, 17. Cum ergo : attaque de phrase fréquente (*infra,* 8, 5 ; *Apol.,* 1, 5 ; 23, 10 ; 48, 2 ; etc.). Démontage du mécanisme passionnel comparable à *supra,* § 6, mais présenté ici de façon plus recherchée, sur le mode hypothético-négatif, dans l'analyse de la phase descendante, des causes aux effets (§ 16). On a donc le schéma suivant : impatience → colère → meurtre ← colère ← impatience.

b. Les méfaits ultérieurs de l'impatience : tout péché est imputable à l'impatience. Les révoltes d'Israël (chap. V, 18-25).

L'impatience est la cause, médiate ou immédiate, de toute faute. Cela est clair dans le cas du crime (§ 18-19). Mais c'est aussi vrai de l'adultère, le

second péché capital, et de façon générale de tous
les maux (§ 20-21). De même, le peuple d'Israël a
péché contre Dieu, faute de savoir être patient : son
histoire est celle de ses impatiences (§ 22-25).

5, 18. incunabula : métaphore fréquente (= *initium,* cf.
Cic., *De orat.,* 1, 23 ; etc. *TLL* s.u. col. 1078, 19), ici
préparée par *infantis* (cf. *supra,* § 5 *natales*), et souvent
accompagnée d'un terme d'atténuation comme ici (*quasi,
uelut,* etc., cf. Cic., *Orat.,* 42 ; Val. Max., 6, 3, 11 ; etc.), mais
non nécessairement : *Praes.,* 22, 11 : « quibus incunabulis
institutum est hoc corpus (= ecclesia) ». – **Ceterum :** = *sed, at*
(cf. Hoppe, *Synt.,* p. 108). – **si prima... quia prima :** cf. *supra,*
§ 16. – **matrix :** se rencontre à partir de Varron, mais ce sens
abstrait (= *causa, origo*) apparaît chez Tert. (cf. Moingt, IV,
p. 112 ; Fredouille, *SC* 281, p. 229 ; *Iud.,* 2, 4 : « Primor-
dialis... lex data est Adae et Euae in paradiso quasi matrix
omnium praeceptorum Dei » ; *Marc.,* IV, 35, 10 : « ut scirent
Hierosolymis esse... matricem religionis et fontem », et
surtout II, 16, 6 : « patientiam, misericordiam ipsamque
matricem earum bonitatem » ; sur ce dernier texte, cf. *supra,*
p. 26, n. 13). Cf. *supra,* 3, 8 s.u. *matrem.* Le syntagme
matrix in + acc. (substitué au génit.) ne se rencontre pas
ailleurs chez Tert. et *TLL* s.u. col. 481, 77 s. n'en signale pas
d'autres exemples. – **delictum... criminum :** cf. *supra,* § 8 et
infra, § 21. – **defundens :** = *(ef)fundens* (cf. *infra,* § 23 s.u.
defundit ; sur l'indifférence au préverbe et l'emploi du vb.
simple pour le composé ou inversement, cf. Fredouille, *SC*
281, p. 391 ; *supra,* § 9 ; *infra,* § 19 et 8, 5 ; 8, 6 ; 8, 9).
Métaphore classique : cf. Cic., *Fin.,* 2, 34 : « Ab isto capite
(= primis naturalibus) fluere necesse est omnem rationem
bonorum et malorum ». – **fonte :** dans cet emploi métaphorique *fons,* contrairement à *matrix* (cf. *supra*), est ancien dans
la langue (dès Plaute, *TLL* s.u. col. 1025, 8). En revanche
TLL ib. 1026, 51, ne cite pas d'autre ex. de « iunctura » *fons-*

uena en ce sens figuré. – **criminum uenas :** *Idol.,* 2, 1 : « tam locuples substantia criminis (= idololatria) quae tot ramos porrigit, tot uenas defundit... ».

5, 19. homicidio : cf. *supra,* § 15. – **a primordio :** litt. « originairement », c'est-à-dire : « la colère est l'origine, la cause première (= immédiate) de l'homicide, non sa raison dernière, profonde, réelle ». – **postmodum :** causal et temporel : il s'agit des raisons qui expliquent la colère, et que l'on peut découvrir ensuite ; mais elles s'expliquent elles-mêmes par un mouvement d'impatience. Tert. rappelle le mécanisme de la colère (cf. *supra,* § 17), avant de le généraliser et de l'étendre à toute « passion », conformément à la thèse qu'il soutient dans ce traité (*supra,* p. 29 ; 152). – **(originem) sui :** = *suam.* Substitution du gén. subj. du pron. pers. à l'adj. poss. bien attestée chez Sénèque, fréquente chez Tert. (cf. Hoppe, *Synt.,* p. 18 ; *Beitr.,* p. 18). En revanche, *infra,* § 20 (« sine inpatientia sui »), l'emploi de *sui* est régulier, dans la mesure où il prend une valeur objective (cf. Ernout-Thomas, *Synt. lat.,* § 208). – **confert :** = *refert* (cf. *supra,* § 18), qui est du reste la forme utilisée *supra,* § 17. – **prius est ut :** *Idol.,* 2, 5 : « prius est uti (= ut) aduersus abundantiam idololatriae praemuniamur ». Tour de la langue tardive (comme *ante omnia est ut* en *Marc.,* III, 24, 13) : cf. Hoppe, *Synt.,* p. 82 ; L.H.S., p. 644-645. A rapprocher des tours (classiques) *consequens est ut* (§ 18) et *(non) est ut* (§ 20).

5, 20. Quidquid compellit... : inspiré des distinctions stoïciennes entre l'*apatheia* du sage et l'insensibilité du cynique : la domination des passions et des émotions n'est pas l'*indolentia* de la pierre ou du vermisseau (cf. Sén., *Luc.,* 71, 27 ; 87, 19 ; etc. A. Glibert-Thirry, « La théorie de la passion chez Chrysippe et chez Posidonius », *RPhL* 75, 1977, p. 396), elle est victoire sur *quidquid compellit.* Comprendre naturellement : « non est ut (id) [= quidquid compellit] perfici possit ». – **(sine inpatienti) sui :** cf.*supra*, § 19. – **in (feminis) :** litt. « dans le cas de, s'agissant de... ». – **cogitur :** s. ent. *adulterium.* Cf. Ov., *Ars,* 2, 367 : « Cogis (Menelae) adulterium dando tempusque locumque ». – **uenditio :** seule occurrence de ce vocable chez Tert.

5, 21. principalia... delicta : pour Tert. l'ordre décroissant de gravité des péchés « capitaux » est celui-ci : l'idolâtrie (non mentionnée ici), l'adultère (et la fornication), l'homicide, cf. *Pud.*, 5, 1 s. Cet ordre suit celui du Décalogue (*LXX*), de *Marc,* 10, 19 (Vulg.), de *Luc,* 18, 20 (gr.) et de *Rom.* 13, 9 ; cf. W.P. Le Saint, *Tertullian, Treatises on Penance,* London 1959, p. 210. Leur désignation est variable (*exitiosa, capitalia, maxima, ... peccata, delicta,* mais l'adj. *principalia* n'apparaît qu'ici et en *Pud.*, 5, 5 ; c'est aussi l'adj. qui qualifie l'idolâtrie en *Idol.,* 1, 1 : *principale crimen.* Mais *principalis* désigne aussi le grand précepte de *Matth.* 5, 44 (*infra,* 7, 1). Sur ces questions, cf. Le Saint, *ibid.,* p. 46, 196, 268, 274, etc. – **penes :** cf. *infra,* 15, 1. – **Iam uero :** sans doute la bonne leçon ; cf. *infra,* 7, 1 la même transition après une phrase commençant par un démonstratif (« Hoc... Iam uero »), comme ici (« Haec... Iam uero »). – **compendio :** « abl. modi » (= *compendiose, breuiter*), d'emploi fréquent chez Tert. (*temeritate = temere, iniustitia = iniuste,* etc., cf. Hoppe, *Synt.,* p. 30 ; L.H.S., p. 116), attesté en l'occurrence depuis Quint., *Inst. or.,* 1, 4, 22 (cf. *TLL* s.u. col. 2042, 57). Tert. associe volontiers ce terme, ou même le substitue, à celui de *praescriptio* (cf. Fredouille, p. 218). – **Malum... boni :** cette *sententia* réunit harmonieusement la thèse défendue dans ce chapitre (l'impatience : le pire et la source de tous les vices) et le principe général également rappelé *supra* § 2. – **ut malus... non poterit :** le sens ne peut être : « celui qui devient méchant ne peut persévérer dans le bien » (ce qui serait un truisme ou une tautologie), mais seulement : « devenir méchant, c'est être incapable de persévérer dans le bien » (cf. *su-*

pra : « Malum inpatientia est boni »), c'est-à-dire que, ontologiquement (et chronologiquement) postérieur au bien, le mal se définit par rapport à lui, comme perte, manque ou rupture (sur l'application que Tert. fait de ce schéma antérieur-postérieur dans ses polémiques, cf. Fredouille, p. 274 s.). C'est d'ailleurs ce sens que proposent généralement les traducteurs, mais qu'il nous paraît difficile de justifier si l'on adopte le texte des manuscrits et la ponctuation tradition- nelle (ponctuation forte avant *ut*). – **perseuerare** : constr. + attr. (*bonus*) comme un vb. d'état (*persto, (per)maneo*, etc., cf. *Virg.*, 17, 4 : « illae quae inter psalmos... retectae perseue- rant »). – **poterit** : sur ce futur à valeur affirmative chez Tert., cf. *SC* 281, p. 213.

5, 22. excetra : terme fréquent à toute époque au sens figuré (cf. *TLL* s.u. 1231, 15) ; seule occurrence chez Tert. (si toutefois *excetra* est la leçon authentique). Glosé par Engel- brecht (Kroymann, *CSEL* 47, p. 9 app. crit.) : « hydra quae semper noua ex se parit delicta ». – **inprobatorem** : *TLL* s.u. col. 685, 16, ne mentionne, en dehors de ce passage, qu'une seule autre occurrence de ce mot, avec du reste le même déterminant et dans un contexte comparable : Apul., *De deo Socr.*, 16, 156 : « (daemon) malorum inprobator, bono- rum probator ». Sur le goût de Tert. pour les noms d'agent en *-tor* (*-trix*), et leur emploi, comme ici, en fonction de prop. relative, cf. Waltzing, p. 70. – **An...** : pour enchaîner et répon- dre par une question à une question précédente (tour de la langue dialoguée). – **Israel per inpatientiam...** : l'histoire d'Israël sert donc à illustrer la thèse de Tert. : l'impatience contient et résume toutes les fautes, et cela est vrai d'un peuple comme d'un individu. Cette polémique sur l'impa- tience d'Israël doit être complétée par *Marc.*, II, 18, 1 et IV, 16, 1-7 (la loi du talion était justifiée par l'état d'esprit d'un peuple encore mal préparé à faire preuve de patience, in- capable d'attendre d'être vengé par le Seigneur) et *Pud.*, 10, 7 (non seulement les juifs sont impatients, mais ils se moquent de la patience de Dieu) ; elle est, d'autre part, la contrepartie de l'évocation de la « patience » de Dieu et du Christ, *supra*, 2-3. Cf. D.P. Efroymson, *Tertulian's Anti-Judaism and its Role in his Theology*, Diss. Temple Univ. Philadelphie, 1976 (Univ. Microfilms Intern. p. 36).

5, 23. Exinde : s. ent. « Exinde (in Deum deliquit), cum... », sur ce type d'ellipses, cf. Bulhart, *Praef.*, § 97. – **adflictationibus :** si Tert. connaît la définition classique du mot (cf. *infra*, 13, 2 ; *Paen.*, 9, 5 ; mais *Pud.*, 2, 5 [= *Jér.* 11, 14] et 2, 6 ont *adflictio*), il est ici, semble-t-il, le premier à lui donner un sens actif (= *actus adflictandi, adficiendi*), comme en *Marc.*, V, 16, 1 ; cf. *TLL* s.u. col. 1230, 2. Ce sont d'ailleurs les seules occurrences du mot chez Tert. – **fuerat extractus :** sur le recours aux formes surcomposées, cf. Fredouille, *SC* 281, p. 278. – **de... postulat :** au lieu de la constr. class. + *ab* (cf. *Cult.*, II, 5, 4 : « de aduersario... aliquid usui postulare transgressio est »). Sur l'extension de *de* au détriment de *ab*, *ex*, et du gén., cf. Hoppe, *Synt.*, p. 38 ; *supra*, 3, 10. – **defundit :** = *fundit*. Cf. *Nat.*, I, 12, 6 : « omne simulacrum seu ligno seu lapide desculpitur, seu aere defunditur » ; *Apol.*, 50, 11 ; *Scorp.*, 3, 3 ; pour le composé substitué au simple, *supra*, 5, 18. – **enim :** en 3ᵉ position, exceptionnel chez Cic., plus souvent chez Varron, fréquent chez Tert. (cf. *TLL* s.u. col. 575, 26 s.). – **exceperat** = *acceperat, receperat*, cf. *supra*, 5, 18 ; mais, dans ce cas précis, déjà dans la langue classique (*TLL* s.u. col. 1252, 19 s.).

5, 24. escatilem... aquatilem : le premier est sans doute un néologisme propre à Tert., qui ne l'utilise qu'en un autre passage (*Marc.*, I, 1, 3 : « Qui (= Pontici) non ita decesserint, ut escatiles fuerint, maledicta mors est »), cf. *TLL* s.u. col. 856, 46 ; le second en revanche est attesté depuis Varron et Cicéron, appliqué à la flore et à la faune marines (*TLL* s.u.

col. 367, 83) ; seule occurrence chez Tert. – **sequellam :**
employé par Tert. en deux autres passages, *Carn.*, 20, 5 (naissance du Christ) : « ... sequellam quamdam abruptae unitatis
et traducis mutui coitus », et *Iei.*, 7, 4 : « inedia maeroris
sequella est... Per hanc maeroris sequellam et inediam etiam
ciuitas illa peccatrix Niniue de exitio praedicato liberatur ».
Aquatilem sequellam = aquam sequacem, cf. *Iei.*, 2, 2 :
« abolitis legalibus et propheticis uetustatibus » (= *legibus et
prophetiis ueteribus*) ; etc. – **sustinendo :** = *sustinentes*, cf.
infra, 7, 7, s.u. *anteponendo ;* Hoppe, *Synt.*, p. 56-57.

5, 25. autem : la correction proposée par Borleffs (*enim*)
est inutile puisque l'équivalence *autem = enim* est attestée à
toutes les époques, plus particulièrement dans la langue tardive (cf. *TLL* s.u. col. 1591, 18 s. ; L.H.S., p. 490). Pour
l'inverse (*enim = autem ; nam = iam*), cf. *infra*, 10, 7 ; 11, 6 ;
12, 8. – **manus prophetis intulerunt :** le plus souvent, comme
ici, Tert. joint, dans ses développements de polémique antijuive, le thème de la persécution des prophètes et celui du
rejet et de la mort du Christ (cf. *Orat.*, 14 ; *Marc.*,
V, 15, 1-2 ; *Res.*, 26, 13 ; etc.) ; thème de la persécution des
prophètes seul en *Marc.*, IV, 15, 1-2 et 39, 9. Cf. Efroymson,
op. laud., p. 22 s. – **domino autem... per inpatientiam... :** il
nous paraît préférable d'interpréter cette phrase comme
symétrique de la précédente (s. ent. « Quomodo... intulerunt...
nisi... »), plutôt que comme affirmative. – **ipso :** = *ipsi* ; de
même *illo* pour *illi* en *Mon.*, 9, 8 ; *alio* pour *alii* en *Idol.*,
11, 2 ; *Mon.*, 3, 5 ; peut-être *isto* pour *isti* en *Prax.*, 23, 3
(Scarpat, comm. *ad loc.*, p. 261) ; cf. Bulhart, *Praef.*, § 8. –
patientiam inissent : cf. *infra*, 12, 5. 7 ; *supra*, § 20 : *adulterium... subiit ; infra*, 8, 1 : *patientiam subimus*.

4. Patience et « foi » (chap. VI).

a. La patience d'Abraham.

S'ils avaient su se montrer patients, les Juifs auraient été sauvés. Tant il est vrai que la patience révèle la foi. L'exemple d'Abraham le prouve : en acceptant avec patience l'ordre du Seigneur, il révéla sa foi, et l'ayant révélée, il fut béni (§ 1-2).

b. La patience dans la Loi nouvelle.

Par la suite, avec le Christ, la foi accorda à la patience une place qu'elle n'avait pas eue jusque-là dans la Loi ancienne. En particulier, grâce à la patience, l'ancienne loi du talion fut abrogée (§ 3-4). Le moindre mouvement d'impatience n'est même plus permis (§ 5). En effet pour être les fils de notre Père spirituel, nous devons, selon les mots mêmes du Christ, aimer nos ennemis, bénir ceux qui nous maudissent, prier pour ceux qui nous persécutent (§ 6).

6, 1. fidem et subsequitur et antecedit : façon de dire que « foi » et « patience » sont, pour reprendre une métaphore classique (cf. *infra,* 12, 10 ; 15, 7), « compagnes », et ne peuvent exister réellement indépendamment l'une de l'autre, ou plus exactement : c'est à la patience que la foi doit son épanouissement et sa force (cf. ensore *supra,* 1, 5) ; tel est le sens général de ce chapitre, dans lequel Tert. hésite malgré tout à donner la préséance à la patience sur la foi (d'où l'ordre retenu : *subsequitur - antecedit*) ; en revanche il n'hésite pas à subordonner la charité à la patience (*infra,* 12, 9). De toute manière, Tert. souligne le lien entre foi et patience, qui fait l'originalité de la patience chrétienne dans ses fonde-

ments théoriques (c'est-à-dire : théologiques et historiques),
cf. *supra*, p. 31. Pour l'expression, rapprocher la formulation d'une idée comparable (avec toutefois une notion de
hiérarchie plus nettement affirmée), *Pud.*, 5, 6 : « Pompam
quandam atque suggestum aspicio moechiae, hinc ducatum
idololatriae antecedentis, hinc comitatum homicidii insequen-
tis » (sur ce texte, cf. *supra*, 5, 21). – **Denique :** « ainsi, par
exemple », sens fréquent chez Tert. (cf. *SC* 281, p. 197). –
Deo credidit : mais *supra*, 2, 3, *credere* + acc. – **iustitiae
deputatus :** cf. *infra*, § 2, mais *supra*, 1, 7. En citation textuelle, *Mon.*, 6, 1 : « ... ut apostolus docet, dicens ad Galatas :
' Cognoscitis nempe, quia qui ex fide, isti sunt filii Abrahae ',
quando ' credidit Abraham Deo, et deputatum est ei in iustitiam ' ? » (cf. *Marc.*, V, 3, 12). Sur les diverses constructions
de ce vb., cf. Löfstedt, *Spr. Tert.*, p. 93-94 ; *SC* 281,
p. 343. – **ad fidei non temptationem... sed contestationem :**
place insolite de la négation (= *non ad... temptationem*) et
ellipse de la prép. dans le second membre (= *sed ad contestationem*), fréquente d'ailleurs chez Tert. (cf. Löfstedt, *Spr.
Tert.*, p. 62-63 ; *SC* 281, p. 337), permettant la mise en facteur commun de *(ad) fidei*. Mais le rapport déterminant-
déterminé n'est pas le même dans les deux cas : *fidei (tempta-
tio)* est un gén. obj. (= Dieu [ne] met [pas] à l'épreuve la foi
d'Abraham), *fidei (contestatio)* un gén. subj. (= Abraham
témoigne de sa foi). Pour ce sens de *contestatio*, cf. *supra*,
3, 4. – **typicam :** Tert. écarte ici le sens obvie du récit biblique, qui présente l'ordre divin donné à Abraham comme une
mise à l'épreuve de sa foi (*Gen.* 22, 1 : « ὁ θεὸς ἐπείραζεν τὸν
Ἀβραάμ » ; cf. *Prax.*, 16, 4 : « temptans Abraham »). Tout en
admettant que, pour Tert., la patience du patriarche est
d'abord une *réalité historique* qui a valeur *exemplaire*, J.E.
Van der Geest, *Le Christ et l'Ancien Testament chez Tertullien*, Nijmegen 1972, p. 170, estime qu'il lui attribue aussi un
sens, la patience d'Abraham *préfigurant* la patience et la passion du Christ. Est-ce sûr ? Dans le commentaire que, sensi-

blement à la même époque (cf. *supra*, p. 9), Tert. propose
de la sixième demande du *Pater* (« Ne nos inducas in temptationem »), il repousse, comme ici, le sens obvie de *Gen.* 22, 1,
et présente explicitement la patience d'Abraham comme un
exemplum : Orat., 8, 2-3 : « ...loin de nous l'idée que le
Seigneur paraisse nous mettre à l'épreuve *(temptare)*, comme
s'il ignorait la foi de chacun de nous ou se montrait désireux
de la renverser. Impuissance et méchanceté sont le fait du
Diable. En réalité, le Seigneur avait ordonné à Abraham de
faire le sacrifice de son fils, non pas pour mettre sa foi à
l'épreuve *(non temptandae fidei gratia)*, mais pour la révéler
(sed probandae), afin d'en faire un exemple *(ut per eum faceret exemplum)* pour son précepte, celui qu'il allait bientôt
formuler, le précepte selon lequel Dieu doit nous être plus
cher que nos enfants ». On rapprochera en particulier : *Pat.,*
6, 1 : « fidem eius patientia probauit » = *Orat.,* 8, 3 : « sed
fidei probandae gratia » ; *Pat.,* 6, 1 : « ad fidei non temptationem » = *Orat.,* 8, 3 : « non temptandae fidei gratia » ; *Pat.,*
6, 1 : « sed (ad fidei) typicam contestationem » = *Orat.,* 8, 3 :
« ut per eum faceret exemplum ». Tert. ne recourt pas ailleurs
à l'adj. *typicus*. L'équivalent exégétique de τύπος (sens typologique) est normalement pour lui *figura* (Van der Geest, *op.
laud.,* p. 160 s.), mais avec ce sens, *typus* est attesté, sûrement, en *Cast.,* 6, 1 : « si qui adhuc typi futuri alicuius sacra-
menti supersunt, quod nuptiae tuae figurent » (allusion aux
deux épouses d'Abraham, selon l'interprétation de *Gal.*
4, 22-26 ; cf. T.P. O'Malley, *Tertullian and the Bible,* Nijmegen-Utrecht 1967, p. 161), et, vraisemblablement, en *Idol.,*
24, 4 *(bis)* : l'arche de Noé comme *typus* (seules occurrences).

6, 2. Deus... domino... Deus : le *nomen proprium* enclave
le titre de puissance (cf. *supra,* 1, 1). – **iustitiae deputasset :**
cf. *supra*, § 1. – **nec (domino) :** = *non* (cf. Bulhart, *Praef.,*
§ 75). – **benedictus... fidelis... fidelis... patiens :** sur cette figure

de *reduplicatio* dans la *gradatio*, cf. F. Sciuto, *La « gradatio »
in Tertulliano,* Catania 1966, p. 70.

6, 3. Ita : = *deinde* (cf. *SC* 281, p. 353). – **fides :** l'enseignement du Christ objet de *foi* ; mais *supra*, § 1 : la démarche de l'esprit et du cœur de qui a *foi* en Dieu ; cf. *TLL* s.u.
col. 689, 43 s. ; Braun, p. 443-445 ; 715. – **nationes :** ici les
« peuples » et non les « païens » (sur la dualité de sens du mot
chez Tert., parfois à quelques lignes d'intervalle, Schneider,
p. 288). – **semen Abrahae... Christus :** cf. *Carn.,* 22, 2-6 :
« ... quid aliud quam caro ipsa Abrahae et Dauid, per singu-
los traducem sui faciens in uirginem usque describitur infe-
rens Christum, immo ipse Christus prodit de uirgine ?...
Paulus... confirmat Christum ex semine Dauid secundum
carnem... apostolus ipsum (= Christum) definiens esse
Abrahae semen... Retexens enim promissionem benedictionis
nationum in semine Abrahae : ' Et in semine tuo benedi-
centur omnes nationes : non, inquit « seminibus » tamquam
de pluribus, sed « semine » de uno, quod est Christus ' (*Gal.*
3, 8. 16)... semen Abrahae Christus » ; cf. Mahé, *SC* 217,
p. 428-429. – **gratiam legi :** comme déjà les écrivains
néo-testamentaires (cf. *Rom.* 6, 14), Tert. rapproche volontiers les deux termes, soit pour les opposer, soit comme ici
pour indiquer leur complémentarité et le progrès impliqué
par l'un (*gratia*) sur l'autre (*lex*) ; cf. Fredouille, p. 256 s. –
superduceret : cf. *infra*, 11, 3. – **ampliandae :** cf. *Orat.,* 11, 3 :
« Dominus amplians legem iram in fratrem homicidio super-
ponit » ; 22, 8 : « nostra lex ampliata atque suppleta » ; 29, 1 :
« oratio Christiana... uirtute ampliat gratiam, ut sciat fides
quid a Domino consequatur, intellegens quid pro Dei nomine
patiatur » ; etc. – **adimplendaeque :** *Marc.,* IV, 7, 4 : « non ut
(Christus) legem et prophetas dissolueret, sed ut potius
adimpleret » (cf. *Matth.* 5, 17) ; *Mon.,* 7, 1 : « quam (legem)
Christus non dissoluit, sed adimpleuit » ; etc. (= gr.
πληροῦν). – **adiutricem :** cf. *Scorp.,* 14, 2 : « ... illarum (potes-

tatum)... quasi adiutricum iustitiae... ». Classique dans cet
emploi, cf. Cic., *Fin.*, 4, 17 : « quae (sapientia) esset naturae
comes et adiutrix » ; *Lael.*, 88 : « uirtutum amicitia adiutrix...
data est » ; etc.

6, 4. oculum pro oculo... : si, contre les Juifs, Tert. souligne la nouveauté de la loi évangélique (cf. *Iud.*, 3, 10 : « la loi
ancienne se vengeait par le châtiment du glaive, elle arrachait
œil pour œil, elle vengeait l'injustice et rendait la pareille ; au
contraire, la loi nouvelle indiquait la clémence, de féroces
qu'ils étaient elle rendait pacifiques les glaives et les
lances... »), contre les marcionites il est tenté d'atténuer la
différence entre les deux lois et d'insister sur leur complémentarité, compte tenu des temps et des hommes (cf. *Marc.*,
IV, 16, 2-3. 6 : « Bien sûr, le Christ enseigne une patience
nouvelle, allant même jusqu'à empêcher de rendre l'injustice
comme l'avait permis le Créateur, qui exigeait œil pour œil,
dent pour dent, et ordonnant, au contraire, d'offrir l'autre
joue et de céder notre manteau en plus de notre tunique. –
Bien sûr, mais le Christ a ajouté ces préceptes comme des
compléments en accord avec la discipline du Créateur. D'où
la nécessité de montrer ce point sans tarder : la discipline de
la patience (*disciplina patientiae*) ne se trouve-t-elle pas
enseignée chez le Créateur ?... Quand il dit : « Votre vengeance, donnez-la moi, et j'exercerai la mienne ! » (*Deut.* 32, 35),
il enseigne pareillement la patience, qui attend la vengeance...
Ainsi, si le Christ a apporté quelque chose, le précepte
n'étant pas opposé mais auxiliaire, il n'a pas détruit le contenu de la discipline du Créateur. Car si nous venons à examiner la raison du précepte de patience (*rationem patientiae
praecipiendae*), d'une patience assurément si totale et si
parfaite, elle ne saurait exister si elle n'appartient pas au
Créateur, qui promet la vengeance, qui se présente comme
juge. D'ailleurs si le poids si lourd de la patience (*patientiae
pondus*), consistant non seulement à ne pas rendre coup pour

coup, mais encore à tendre l'autre joue, non seulement à ne
pas rendre malédiction pour malédiction, mais encore à
bénir, et non seulement à ne pas garder sa tunique mais
encore à donner en plus son manteau, si ce poids m'est
imposé par celui qui ne doit pas me venger, il formule inutile-
ment le précepte de patience en ne me montrant pas la
récompense du précepte, je veux dire le fruit de la patience
(*patientiae fructum*)... »). On aura noté dans ce passage, qui
n'est pourtant pas une réflexion systématique sur la patience,
la tendance de Tert. à envisager celle-ci sous trois angles : la
ratio - la *disciplina* (ou le métaphorique *pondus*) — le *fructus*,
qui sont, précisément, ceux du *De patientia* ; cf. *supra*,
p. 13 ; *infra*, 16, 1) ; en revanche, quand, devenu montaniste, Tert. s'adresse aux fidèles, il insiste, plus qu'il ne l'avait
fait contre les Juifs, sur l'abrogation de la loi ancienne (cf.
Cast., 6, 3 : « ... initia laxantur, fines contrahuntur... Sic et
' oculum pro oculo dentem pro dente ' iam senuit, ex quo
inuenit ' malum pro malo nemo reddat '... »). Sur cette
« accommodation » des points de vue en fonction des destina-
taires, cf. Fredouille, p. 235 s. D'autre part, sur la règle du
talion, dans l'Orient ancien, en Grèce et à Rome (cf. *Lois des
XII Tables*, 8, 2 ; Sén., *De ira*, 2, 32, 1), cf. A. Dihle, *Die
goldene Regel. Eine Einführung in die Geschichte der antiken
und frühchristlichen Vulgärethik*, Göttingen 1962, p. 12 s. ;
en dernier lieu, du même auteur, art. « Goldene Regel »,
RLAC XI, col. 930 s. – **fenerabant :** = *compensabant. TLL*
s.u. col. 477, 75 n'indique que cet exemple de cette synony-
mie ; toutefois, au sens neutre et dérivé de *praebere, praestare, donare*, etc. *fenerare* est relativement fréquent à partir
de Sén. Rh., *Suas.*, 7, 14. – **nec :** = *ne... quidem* (Hoppe,
Synt., p. 106). – **occasionibus :** cf. *Marc.*, V, 13, 14 : « Non
lex seduxit, sed peccatum per praecepti occasionem (cf. *Rom.*
7, 11) » ; sur ce terme, cf. Fredouille, *SC* 281, p. 176. *Occasionibus... facile* : rapprochement comparable (*facilitate...
occasione*) en *Val.*, 1, 3, *SC* 281, p. 175. – **fruebatur :** ici +

abl., mais *supra,* 1, 4 + acc. – **domino patientiae et magistro :**
cf. *Marc.,* I, 20, 1 : « O Christe, patientissime domine... »
(l'invocation au Christ n'y est pas, naturellement, affectée
par le ton ironique du passage) ; *supra,* 3, 3 ; *infra,* 12, 10.
Cette désignation du Christ ne se retrouve pas ailleurs sous
la plume de Tert. ; on en rapprochera toutefois les appella-
tions suivantes : d'une part, *dominus salutis (Vx.,* I, 7, 1 ; cf.
Braun, p. 482), *dominus uirtutum (Marc.,* IV, 18, 4 ; *Fug.,*
12, 2 ; *Prax.,* 17, 2-3 (d'après LXX : κύριος τῶν δυνάμεων ;
cf. Braun, p. 102-103) ; etc., d'autre part : « huius gratiae disciplinaeque arbiter et magister » (*Apol.,* 21, 7), *magister et
dominus (Scorp.,* 9, 6), *praedicator et magister (Marc.,*
IV, 11, 6).

6, 5. superuenit : = *uenit, aduenit* (cf. *supra,* 5, 18). C'est
par *uenit* que généralement Tert. désigne la manifestation
terrestre du Christ (cf. Braun, p. 322 s.) ; dans ses emplois tri-
nitaires, *superuenit* est plutôt réservé à la Troisième personne
(*Bapt.,* 4, 4 : « superuenit... spiritus de caelis » ; 6, 1 ; *Paen.,*
2, 6 ; *Prax.,* 26, 2 (= *Lc* 1, 35). – **gratiam fidei :** cf. Cypr.,
Vnit. eccl., 11 CSEL 3, 1 p. 219, 24 : « de perfidia procreati
fidei gratiam perdunt » ; cf. *supra,* 1, 2 : « gratia diuinae inspirationis » ; *Res.,* 38, 1 : « gratia redanimationis » ; sur ce
gén. épexégétique, *supra,* 1, 7. – **composuit :** = *coniunxit*
(*CCL,* t. 2, p. 1527, s.u.), plutôt que = *auxit* (*TLL* s.u. col.
2114, 3 ; sans doute pour justifier l'abl. *patientia*). L'interprétation de Blaise, *Dict.,* p. 184, s.u. « compono », qui analyse
fidei comme un dat. et *patientia* comme un nom. – d'où sa
trad. : « ... et quand la résignation (personnifiée en lui [= le
Christ]), eut réunit la grâce à la foi » – ne nous paraît guère
recevable. Sur la constr. (+ dat., + abl., + *cum*) des verbes de
sens « unir, joindre », cf. L.H.S., p. 115). – **« fatue » :** ici en
quasi citation (ὃς δ᾽ἂν εἴπῃ μωρέ... Vulg. : « Qui autem
dixerit : ' fatue '... ») ; mais également usuel dans la comédie
(Pl., *Amph.,* 1026 ; Ter., *Eun.,* 604 ; etc. J.B. Hofmann, *Lat.*

Umgangssprache, Heidelberg 1951³, p. 87). – **linguae uenenum** : cf. Pl. Anc., *Nat.,* 18, 4 : « Atra ceu serpentium lingua (hominum) uibrat » ; également *Ps.* 139, 4 (Vulg.) : « Acuerunt linguas suas sicut serpentis ; uenenum aspidum sub labiis eorum ».

6, 6. « **Diligite inimicos...** » : seul passage de son œuvre où Tert. cite textuellement et intégralement ces paroles du Christ. – **adquirat** : selon *TLL* s.u. col. 427, 54 la constr. de ce vb. + *aliquem* apparaît dans les textes juridiques (Paul, Ulpien). Avec cette citation de *Matth.* s'achève donc le développement consacré à la *ratio patientiae.* Ces versets constituent en effet l'une des composantes du fondement de la patience : pour pouvoir observer ce précepte évangélique, les chrétiens doivent se montrer patients. Ce précepte est par conséquent une « raison » pour eux d'être patients.

II. La *disciplina patientiae* (chap. VII-XIV).

1. La « *patientia animi* ». Les principaux motifs qui la mettent à l'épreuve (chap. VII-XII) :

a. La perte de biens matériels (chap. VII).

Le précepte évangélique qui vient d'être rappelé nous fait un devoir d'être patients. D'autres en dérivent, qui nous permettent d'affronter certaines épreuves sans céder à l'impatience (§ 1). Et d'abord la perte de nos biens matériels. En effet, le Seigneur lui-même était démuni de toute richesse, il nous a enseigné à mépriser l'argent (§ 2-3) : nous ne devons donc pas nous affliger de perdre ce que nous ne devions pas rechercher (§ 4). De plus, ces biens dont nous pleurons la perte ne nous appartenaient pas :

en les regrettant nous nous rendons coupables de
convoitise (§ 5-6) et nous préférons les biens terrestres aux biens célestes (§ 7). Et si nous ne savons pas
supporter avec patience le préjudice d'un vol,
comment serons-nous capables d'un geste d'aumône ? La patience est une école de bienfaisance
(§ 8-9). Il nous faut savoir offrir notre manteau à qui
nous prend notre tunique (§ 10). L'impatience dans
les revers de fortune est, en revanche, caractéristique
des païens (§ 11). Et leur passion du gain, quels que
soient les dangers que cette passion leur fait courir,
est également impatience de la pauvreté (§ 12). Au
contraire les chrétiens, parce qu'ils préfèrent leur
âme à l'argent, supportent avec patience la perte de
leurs biens (§ 13).

7, 1. principali praecepto : l'expression sert également à
désigner (avec *principalia consulta*) les « grands commandements » d'*Ex*. 20, 12-16, de *Deut*. 6, 5, de *Lév*. 19, 18 (*Lc*
10, 27 ; *Rom*. 13, 9) en *Marc.*, II, 17, 4 ; V, 8, 9-10 ; 14, 13.
Principalis caractérise parfois les péchés « capitaux » (*supra*,
5, 21). – **patientiae disciplina :** moins ici la doctrine patientielle, l'enseignement théorique relatif à la patience, que les
obligations morales et « disciplinaires » qui en découlent (cf.
infra : « cetera... praecepta »). Le Saint, *Treatises on Penance*,
p. 163, en rapproche *Paen.*, 7, 1 (*paenitentiae disciplina*) pour
la même complexité de sens (cf. aussi sans doute Cic., *Off.*,
2, 6 : « Si autem est aliqua disciplina uirtutis... »). A noter que
Tert., comme il l'a fait *supra*, 2, 1 pour le premier point de
son *argumentatio* (la *ratio*, l'*auctoritas patientiae*), annonce
son second point (la *disciplina patientiae*) ; cf. *infra*, 16, 1. –
succincta : métaphore à double ascendance, classique (cf.
Quint., *Inst. or.*, 12, 5, 1 : « Haec arma [= *morale, droit, histoire*] habere ad manum, horum scientia (orator) debet esse
succinctus ») et paulinienne (*Éphés*. 6, 14 Vulg. : « State...

succincti lumbos uestros in ueritate et induti loricam iustitiae » : cf. *Cor.*, 1, 3 : « calciatus de euangelii paratura, succinctus acutiore uerbo Dei... »). – **nec... quidem :** = *ne... quidem* (L.H.S., p. 448). – **digne :** au sens fort, d'ailleurs classique, de *iure*. – **malefacere :** en emploi absolu (cf. *Apol.*,
36, 4 : « Male enim uelle, male facere, male dicere, male cogi-
tare de quoquam ex aequo uetamur »), attesté dès Plaute
(*Capt.*, 996 ; *Poen.*, 359 ; etc.). – **concessum est :** nous main-
tenons cette leçon, malgré Löfstedt, *Spr. Tert.*, p. 57, qui
approuve le choix de Kroymann, et cite à l'appui de nombreux passages où diverses formes de *esse* sont sous-
entendues (en principales comme en subordonnées). Mais
d'une part, la leçon de *F* est isolée ; d'autre part, l'ellipse de
esse n'est pas pour Tert. un principe constant (cf. *supra*, 4, 1
app. crit. l. 4). Par ailleurs, s'il est exact que Tert. construit
le plus souvent *quando* causal avec le subj., cet usage,
contrairement à ce qu'affirme Hoppe, *Synt.*, p. 78, suivi par
Kroymann (cf. app. crit. *ad loc.*), n'est pas absolument constant (cf. Schneider, p. 254). – **Iam uero :** renchérissement
après un démonstratif (*Hoc... praecepto*), cf. *supra*, 5, 21. –
percurrentibus nobis : cf. *infra*, 11, 1, s.u. « Post ». – **cetera...
praecepta :** du *principale praeceptum* (= *Matth.* 5, 44-45), qui
caractérise la foi dans la Nouvelle Alliance et fait la force
(*succincta*) de la patience, dérivent les préceptes particuliers
destinés à guider le lecteur dans les diverses occasions où il
aura à faire preuve de cette vertu : c'est l'objet du second
point du traité. La morale pratique complète donc les
considérations théoriques (cf. Sén., *Luc.*, 94 ; *supra*, p. 16 ;
Fredouille, p. 380). *Cetera* opposé à *principali,* comme *infra*,
11, 1, *ceteras* à *principales.*

7, 2. detrimento rei familiaris : comme les trois autres
thèmes passés en revue dans ce développement (chap. 8 :
iniuriae ; chap. 9 : *amissio nostrorum* ; chap. 10 : *ultionis
libido*), celui-ci est traditionnel dans la parénétique, cf. par

ex. Sén., *De rem. fort.,* 11 (Haase, p. 51) : « Pecuniam perdidi ». – **de contemnendo saeculo... ad pecuniae contemptum :**
plus qu'il n'enseigne le mépris des richesses, le Nouveau
Testament met en garde contre les dangers et le mauvais
usage des biens. A plus forte raison n'enseigne-t-il pas le
mépris du « siècle ». Même infléchissement *infra,* 11, 9. Cf.
supra, p. 32 ; Fredouille, p. 396. Mais, plus justement, *Cult.,*
II, 9, 6 : « Non enim, quaesitis, utemur nostris ? Quis autem
prohibet uti ? – Secundum tamen apostolum (cf. *I Cor.* 7, 31)
qui nos uti monet mundo isto quasi non abutamur » ; *infra,*
§ 13. Cf. C. Munier, *L'Église dans l'Empire romain
(II⁰-III⁰ siècles),* Paris 1979, p. 90 s. *Saeculo :* sur la valeur
péjorative du mot (de même *supra,* 1,8, 1, 9 ; 2,3 ; *infra,* 8, 1 ;
pour *saecularis : supra,* 1, 8 ; *infra,* 7, 7), cf. A.P. Orbán, *Les
dénominations du monde chez les premiers auteurs chrétiens,*
Nijmegen 1970, p. 165 s. En revanche, *infra,* 7, 8 *saeculum* et
14, 3 *saecularis* ont un sens plus neutre, plus technique
(« monde, univers, temps du monde, théâtre de la vie », « relatif à... »), de même que *mundus, infra* 13, 6 (Orbán, *Ibid.,*
p. 216). – **scripturis dominicis :** seule occurrence assurée
chez Tert. de cette expression pour désigner le Nouveau
Testament (cf. *Praes.,* 44, 7 ; Braun, p. 457-458). – **inuenitur :**
cf. *supra,* 1, 1 s.u. *deprehendi* ; 4, 1.

7, 3. iustificat : ce sens apparaît avec les trad. de la Bible
et chez Tert. (= δικαιοῦν); cf. *Marc.,* IV, 18, 9 ; etc. *TLL* s.u.
col. 712, 48. – **fastidium (opulentiae) :** tour usuel (cf. Cic.,
Fin., 1, 10 : « domesticarum rerum fastidium » ; etc.) ; *Nat.,*
I, 19, 2 ; *infra,* 10, 4. – **laesuras :** *TLL* s.u. col. 871, 64, ne
signale que cet exemple du mot appliqué à la perte de richesses. – **quoque... non :** comme équivalent intensif de *ne... quidem,* attesté depuis Lucilius (L.H.S., p. 448). – **computandas :** = *aestimandas, magni habendas.* Cf. *Carn.,* 7, 10 : « non
computantes... quid intus ageretur » ; *Pud.,* 8, 6 : « Iudaei...
qui non computauerint dominum » ; selon *TLL* s.u.

col. 2181, 73, sens attesté à partir de Martial, assez fréquent
chez les juristes.

7, 4. nec : = *ne... quidem* (à toutes les époques, cf. L.H.S.,
p. 449 s.). – **detruncatum :** de cet emploi métaphorique
(= *amputatum, sublatum*) *TLL* s.u. col. 845, 67, ne mentionne, antérieurement à Jérôme où il est relativement
fréquent, que cet exemple. – **non aegre sustinere :** cf. *infra*,
§ 8.

7, 5. Cupiditatem... radicem : cf. *I Tim*. 6, 10 : « ῥίζα γὰρ
πάντων τῶν κακῶν ἐστιν ἡ φιλαργυρία » (Vulg. : « Radix enim
omnium malorum est cupiditas ») ; cf. *Idol.*, 11, 1. Mais
également Diog. Laer., *Vies*, 6, 50 : « τὴν φιλαργυρίαν εἶπε
(Διογένης) μητρόπολιν πάντων τῶν κακῶν ; Stobée, 3, 10,
37 Hense p. 417 ; etc. *Cupiditatem* : ce sens (= *auaritia*) est
usuel depuis Cicéron (*TLL* s.u. col. 1415, 79) ; cf. *Nat.*, II,
14, 12 : « ... cupiditatem et auaritiam lucri... » ; etc. – **spiritus
domini :** l'Esprit Saint, inspirateur des écrivains sacrés
(*Orat.*, 22, 1 : « apostolus eodem utique spiritu actus, quo
cum omnis scriptura diuina, tum et illa Genesis digesta est » ;
Apol., 20, 4 ; *Marc.*, IV, 28, 8 ; etc. W. Bender, *Die Lehre
über den Heiligen Geist bei Tertullian,* München 1961,
p. 118 s. ; *Val.*, 3, 4 *SC* 281, p. 195. – **per apostolum :** Paul,
l'Apôtre par excellence, cf. *infra*, 9, 1 ; 9, 5 ; 12, 8 ; *Val.*, 3, 4
ibid. – **pronuntiauit :** dans cet emploi, emprunté au vocabulaire juridique (« prononcer une sentence »), pour souligner
l'autorité surnaturelle des Écritures qui font entendre la voix
de Dieu, du Christ ou de l'Esprit (Braun, p. 462). – **non...
(interpretemur) :** = *ne*, assez fréquent chez Tert., mais déjà en
poésie et dans la langue impériale (Hoppe, *Synt.*, p. 107 ;
Ernout-Thomas, *Synt. lat.*, p. 233). – **concupiscentia :** apparaît avec les trad. de la Bible (= gr. ἐπιθυμία) et chez Tert., en
citation (*Marc.*, IV, 40, 1 = *Lc* 22, 15 ; *Pud.*, 17, 2 = *I Thess*.
4, 5 ; etc.) et, plus fréquemment, en dehors de toute citation,

180 DE PATIENTIA

comme ici. – **constitutam** : = *positam, uersantem* ; emploi et
sens fréquents à partir de Sénèque (*TLL* s.u. col. 523, 45 s.) ;
Pud., 9, 8 : « statum salutis in tenore disciplinae constitu-
tum » ; *infra*, 13, 1.

7, 6. inpatienter senserimus : = *inpatientiam senserimus*. –
non de nostro : = *quod non de nostro est*. Type fréquent de
brachylogie (cf. Hoppe, *Synt.*, p. 142). – **adfines** : + gén., tour
usuel, cf. *infra*, 11, 8 ; *TLL* s.u. col. 1218, 70 s. ; Waszink,
p. 308). – **cupiditatis** : cf. *supra*, § 5. – **deprehendemur** : cf.
surpa, 1, 1. – **aegre sustinemus** : cf. *supra*, § 4, et p. 32 ;
Fredouille, p. 397.

7, 7. concitatur : cf. *supra*, § 2. – **anteponendo** : cf. *supra*,
5, 24 s.u. *sustinendo*. – **de proximo** : cf., *supra*, 3, 1 s.u. *de
longinquo*. – **spiritum... concutit** : cf., pour l'inspiration
(= *Éphés.* 4, 30-31 : « Ne contristez pas l'Esprit Saint de Dieu
qui vous a marqué de son sceau... ») et le vocabulaire, *Spec.*,
15, 2-8 : « Deus praecepit spiritum sanctum, utpote pro
naturae suae bono, tenerum et delicatum, tranquillitate et
lenitate et quiete et pace tractare, non furore, non bile, non
ira, non dolore inquietare... Omne enim spectaculum sine
concussione spiritus non est... Nam et si qui modeste et probe
spectaculis fruitur pro dignitatis uel aetatis uel etiam naturae
suae condicione, non tamen immobili animo et sine tacita
spiritus passione... Vtinam ne in saeculo quidem simul cum
illis (= les amateurs de spectacles) moraremur. Sed tamen in
saecularibus separamur, quia saeculum Dei est, saecularia
autem diaboli » ; *infra*, 15, 7 ; Bender, *op. laud.*, p. 136 s.
Concutere, concussio : cf. *An.*, 1, 2 : « (anima Socratis) ipsā
constantiā concussa est aduersus inconstantiae concussio-
nem » ; 3, 1 : « ab apostolo iam tunc philosophia concussio
ueritatis prouidebatur » ; *Fug.*, 2, 4 : « per quod (= *Lc*
22, 31-32) ostenditur utrumque apud Deum esse, et concus-
sionem fidei et protectionem, cum utrumque ab eo petitur,

concussio a diabolo, protectio a filio » ; *Pud.*, 1, 5 : « Christianae pudicitiae ratio concutitur » ; 12, 3 : « Cum primum intonuit euangelium et uetera concussit... » ; etc. Tert. montre donc une grande prédilection pour ces deux termes, mais seul le verbe était usuel dans son emploi métaphorique (Cicéron, Salluste, Virgile, etc.).

7, 8. Libenter : ou *libentes* ? Notre choix est fondé sur le fait que Tert. n'emploie pas la forme déclinée en contexte exhortatif, en revanche *Nat.*, I, 7, 31 (= *Apol.*, 8, 2) : *uescere libenter.* – **lucrifaciam :** cf. *Scorp.*, 11, 1-2 : « ...' Qui pluris, inquit, fecerit etiam animam suam quam me, non est me dignus (*Lc* 14, 26), ' id est qui maluerit uiuere me negando quam mori confitendo, et ' qui animam suam inuenerit, perdet illam, qui uero perdiderit mei causa, inueniet illam (*Matth.* 10, 39)'. Perinde enim inuenit eam qui negat lucri faciendo uitam, ut perdet in gehennam qui se putat negando lucri facere eam ». – **minutum sibi aliquid :** s. ent. *esse*. – **non constanter sustinere :** cf. *supra*, § 6 ; 3, 7. – **constituit :** le secours de la grâce peut être nécessaire, mais faire preuve de patience est une décision libre (cf. *supra*, 1, 2-3). – **nescio an... :** sens également négatif en *An.*, 1, 2 ; 10, 4 ; etc. *Marc.*, I, 29, 7 ; II, 27, 7 ; etc. *infra*, 15, 7. Sens positif (« peut-être »), le seul attesté dans la langue classique, en *Nat.*, I, 7, 9 ; *Paen.*, 6, 20 (cf. Waszink, p. 84 ; L.H.S., p. 543). – **ex animo :** au sens de *uere, sincere, libenter*, attesté à toutes les époques (*TLL* s.u. col. 90, 43). – **possit :** nous conservons la correction de Kroymann, déjà adoptée par Borleffs, pour deux raisons : d'une part, *infra*, § 10 Tert. écrit *possit* (et non *posset*) ; d'autre part, et surtout, parce que dans tous les passages que nous avons réunis où Tert. recourt au syntagme *nescio an*, celui-ci est construit avec le subj. présent ou parfait. Toutefois il est fréquent de rencontrer chez Tert. *quale est ut..., uerissimile est ut...*, etc. + subj. impft. (Hoppe, *Synt.*, p. 67-68). – **in causa :** redondance (= *in* + abl., ou

bien *causā* + gén. suffirait ; cf. *Mart.*, 6, 2 cité p. 198). –
elemosinae : apparaît dans les trad. de la Bible (ἐλεημοσύνη)
et chez Tert., et désigne soit l'acte de bienfaisance, soit l'aumône elle-même (ambivalence comparable du lat. *beneficium* : Sén., *De ben.*, 2, 34, 5). Tert. l'évite dans ses ouvrages
destinés aux païens (cf. *TLL* s.u. col. 350, 64 ; H. Pétré, *Caritas,* Louvain 1948, p. 224 s.).

7, 9. exercitatio... largiendi et communicandi : m. à m. :
« (la patience) est un exercice de... », c'est-à-dire : « (nous)
exerce à... ». Au sens de « faire l'aumône », *communicare* est
bien attesté chez les auteurs chrétiens, même si les exemples
ne sont pas très nombreux (pour Tert., outre ce passage-ci, cf.
Apol., 39, 11 : « nihil de rei communicatione dubitamus.
Omnia indiscreta sunt apud nos... ») ; cf. Pétré, *op. laud.*,
p. 267 s. Pour le sens d'*exercitatio* et la formulation, cf. Cic.,
Tusc., 2, 9 : « (philosophia) maxima dicendi exercitatio ».

7, 10. Quomodo amicos... : *Lc* 16, 9 : « καὶ ἐγὼ ὑμῖν λέγω,
ἑαυτοῖς ποιήσατε φίλους ἐκ τοῦ μαμωνᾶ τῆς ἀδικίας (Vulg. :
« Et ego uobis dico : Facite uobis amicos de mammona iniqui-
tatis »). X. Léon-Dufour, ap. *Introduction à la Bible*, III, 2,
Paris 1976, p. 135, commente : « Donc, de soi, Mammon est
injuste. Luc retient sans doute qu'on peut s'en servir avec
habileté en le distribuant aux pauvres dont on se fera des
amis ». La référence est ici tronquée, comme en *Fug.*, 13, 2 :
« Facite autem uobis amicos de mammona », en revanche elle
est littéralement exacte en *Marc.*, IV, 33, 1 : « '... facite uobis
amicos de mammona iniustitiae ', de nummo scilicet... ».
Mammona : rare dans la Bible (*Sir.* 31, 8 ; *Matth.* 6, 24 = *Lc*
16, 13 ; *Lc* 16, 9.11), mais fréquent dans la littérature rabbi-
nique, signifie « biens, richesses » ; personnifié par Jésus
(*Matth.* 6, 24) ; l'existence d'un dieu Mammon n'est pas sûre ;
cf. *TWNT* IV, 390 s. En *Fug.*, 13, 2, Tert. propose une
interprétation allégorique de ce même *logion*. Calquée sur le

grec, l'expression *facere* (ou ici *fabricare*) *sibi amicos* n'est pas usuelle dans la langue (*parare, sibi instituere amicos*). – **in tantum... ut :** = *ita... ut*, attesté depuis Sénèque et Velléius Paterculus (L.H.S., p. 640). – **amissum :** s. ent. *eum* (= *amissionem eius*).

7, 11. Quid... amittere ? : éclairé par *Matth.* 10, 39 : « Qui aura trouvé sa vie la perdra et qui aura perdu sa vie à cause de moi la trouvera » (cf. *supra*, § 8). *Inuenire* (εὑρίσκω), « trouver », avec, comme souvent, la nuance de « gagner, obtenir », qui d'ailleurs se rencontre également dans la langue classique, grecque et latine. – **habemus :** sens et constr. (+ inf.) fréquents chez Tert. (Hoppe, *Synt.*, p. 44). – **Gentilium :** cf. Aug., *Serm.*, 17, 6, *CCL* 41, p. 242 : « gentilis ille est qui in Christum non credit ». Le mot (adj. et subst.) apparaît chez Tert. avec le sens qu'a ἔθνη (ou son dérivé ἐθνικοί) dans la LXX et le N.T., qu'il rend également par *gentes* ou *ethnici*, mais le plus souvent par *nationes* ; cf. Schneider, p. 10 s. – **omnibus detrimentis (inpatientiam) :** mais, *supra*, § 9, tour prépositionnel : (*patientia*) *in detrimentis*.

7, 12. lucri cupiditatibus : *iunctura* usuelle dans la déclamation (cf. Ps. Quint., *Decl.*, 312, 6 ; 334, 26 ; Apul., *Apol.*, 66, 1). – **mercimoniorum :** avec ce sens (= *commercium, negotiatio*), déjà chez Pl., *Stich.*, 404. Sur les *pericula* de l'activité commerciale, cf. Cat., *Agr.*, praef. 1 : « Est interdum praestare mercaturis rem quaerere nisi tam periculosum sit » ; *ibid.*, 3 : « Mercatorem... strenuum studiosumque rei quaerendae existimo, uerum, ut supra dixi, periculosum et calamitosum », et plus particulièrement sur les périls de la mer (tempêtes et pirates) : Hor., *Carm.*, 3, 24, 40 ; *Epist.*, 1, 1, 45 ; Juv., *Sat.*, 14, 265-302 ; Sén., *Breu. uit.*, 2, 1 : « alium mercandi praeceps cupiditas circa omnis terras, omnia maria spe lucri ducit » : etc. Sur la politique impériale pour assainir terres et mers : Suét., *César*, 32 ; *Tibère*, 8 ;

etc., et l'on connaît la formule d'Auguste dans les *Res gestae*,
25, 1 : « mare pacaui a praedonibus ». Cf. H.A. Ormerod,
Piracy in the Ancient World, Liverpool 1978[2], p. 248 s.
Quaestuosa pericula mercimoniorum = *quaestuosa et pericu-
losa mercimonia*, cf. *Spec.*, 16, 4 : « conuicia sine iustitia odii
(= *iusto odio*), etiam suffragia sine merito amoris (= *merito
amore*) » ; *infra*, 8, 4 ; etc. Hoppe, *Synt.*, p. 85 s. – **pecuniae
causa...** : cf. Juv., *Sat.*, 14, 176-178 : « ... Nam qui diues fieri
uult, / et cito uult fieri ; sed quae reuerentia legum, / quis
metus aut pudor est umquam properantis auari ? ». – **damnationi timendum** : cette extension de la construction au datif
(cf. Cés., *BG.*, 7, 44, 4 : « huic illos loco timere » ; Cic., *Leg.*,
2, 41 : « cum rebus timeret suis » ; etc.) à un complément de
sens négatif n'est pas sans autres exemples (ainsi, Apul.,
Mét., 1, 9, 2 : « ea bestia captiuitati [*F Helm* : -tatis *Vulca-
nius, Robertson*] metuens » ; 11, 21, 5 : « cum auiditati contu-
maciaeque summe cauere... deberem » ; cf. *TLL* s.u.
« metuo », col. 905, 28 ; s.u. « caueo », col. 633, 15 ; de même,
TLL s.u. « doleo », col. 1824, 71 s. mentionne Ruric., *Epist.*,
2, 39, p. 423, 24 : *dolere casui* ; noter aussi à côté de Sil.
Ital., 2, 594 *sperare saluti* le tour inverse Cic., *Cluent*. 68 *des-
perare saluti*). – **ludo et castris sese locant** : idée comparable
en *Nat.*, I, 14, 1 : « ... quidam perditissimus... ut ad quas
(= bestias) se locando quotidie toto iam corpore decuti-
tur... » ; *Mart.*, 5, 1. Cf. Pl., *Rud.*, 535 : « Quid, si ad ludos me
pro manduco locem ? » ; Cat., *Or. frg.*, 57, 1 (212 M) : « qui...
se lenoni locauisset » ; Sén., *Luc.*, 87, 9 : « ... dubitat utrum se
ad gladium locet an ad cultrum » ; etc. – **per uias** : texte
incertain. De toute manière, la correction *per inuia* (Rigault,
Borleffs) ne paraît guère recevable : le trafic commercial
passe, autant que possible, par les voies déjà ouvertes plutôt
que par des chemins inpraticables (*inuia*), qui ne feraient
qu'accroître l'insécurité et les difficultés de tous ordres ; c'est
sur ces routes que les brigands guettent et attaquent voya-
geurs et commerçants, en dépit des mesures de sécurité prises

régulièrement sous l'Empire (cf. *supra*). La leçon des mss
(*peruia*), conservée par Kroymann, est certainement mieux
accordée au contexte, mais appelle contre elle diverses objections, que l'on pense au subst. ou à l'adj. neutre subst. *Peruium*
(= « passage ») nous paraît, en effet, trop technique et trop
précisément géographique pour convenir véritablement ici ;
au demeurant, ce subst. n'apparaît pas ailleurs chez Tert.
Mais celui-ci a deux exemples de *peruius* (en fonction adjective) : en *Paen.*, 12, 8 Tert., en référence à *Ex.* 14, 15 s.,
évoque la mer Rouge rendue guéable pour permettre le
passage des Hébreux ; en *An.*, 30, 3, dans un éloge de la politique économique et agricole de l'Empire, il mentionne les
territoires défrichés, rendus propres à la culture et à l'urbani-
sation ; dans les deux cas, le terme désigne des endroits ou
territoires « devenus accessibles » en des circonstances bien
précises, conformément du reste à sa valeur usuelle ; le neutre
plur. subst. *peruia* désignerait donc plutôt des « espaces prati-
cables » que des « routes, chemins », signification requise ici
par le contexte. Notre correction s'appuie sur celle de Beatus
Rhenanus (*per uiam*), d'après Pl., *Cist.,* 774 : « omnes homines (id) fabulantur per uias », et, pour Tert., *Bapt.,* 4, 3
et *Marc.,* IV, 24, 3 : *inter uias.* – **inmemores bestiarum :** les
corrections parfois proposées (*more* ou *in morem, in mores*)
ne sont certes pas étrangères à l'esprit du passage (les termes
de la comparaison y seraient seulement inversés par rapport
à telle « histoire » d'Apul., *Mét.,* 8, 15, 6 : « lupos... ipsas uias
obsidere et in modum latronum praetereuntes adgredi »),
mais n'ont aucun caractère de nécessité : l'appât du gain fait
de certains hommes des brigands de grand chemin, et il est si
fort qu'ils oublient les dangers que peut leur faire courir la
rencontre d'animaux féroces. Cf. Sén., *De ira,* 3, 43, 3 :
« interuentus ferae latronem uiatoremque diducit ». *Bestiarum* : ce peuvent être des loups (cf. *supra*) ou toute espèce
d'animaux sauvages, mais aussi des chiens dressés pour la
défense des fermes : Apul., *Mét.,* 8, 17, 1-2 : « Villae uero,

quam tunc forte praeteribamus, coloni multitudinem nostram
latrones rati... canes rabidos et immanes et quibusuis lupis et
ursis saeuiores, quos ad tutelae praesidia curiose fuerant
alumnati, iubilationibus solitis et cuiusce modi uocibus nobis
inhortantur... » ; 9, 36, 4 : « canes pastoricios uillaticos feros
atque immanes, adsuetos abiecta per agros essitare cadauera,
praeterea etiam transeuntium uiatorum passiuis morsibus
alumnatos... ». – **latrocinantur** : employé absolument (usuel).
TLL s.u. col. 1019, 1, retenant la leçon des mss (*peruia...
latrocinantur*), y voit donc une constr. trans., rapprochée de
Sén. Rh., *Contr.*, 1, 2, 8 : « piratas... terras et maria latroci-
nantes ».

7, 13. diuersitatem : même *iunctura* (+ *cum*) en *Marc.*,
IV, 1, 8 ; *TLL* s.u. « diuersitas », col. 1574, 67 n'en signale
aucun exemple antérieur à Tert., et deux seulement postérieurs. On a vu (*supra*, § 12) que ces comportements étaient
tout autant condamnés par les moralistes païens (cf. *infra*,
16, 3-4). – **stamus** : *lectio difficilior*. Équivalent de *existimus*,
exstamus (cf. *supra*, 5, 18), ou, plus probablement et plus
simplement encore, de *sumus*. Déjà en poésie : Prop., 3,
22, 21-22 : « ...pietate potentes / stamus » ; à époque tardive :
Peregr. Aeth., 2, 2 : « lapis... ibi fixus stat » (cf. fr.
ester / *être* ; esp. *estar* / *ser* ; it. *essere* / *stare*). – **animam...
anima** : si *supra*, § 11, en contexte païen (« rem pecuniariam... animae anteponant »), *anima* a son sens « organique »
(« souffle vital », « vie », « âme »), ici en revanche, en contexte
chrétien, se superpose à ce sens fondamental la valeur spirituelle et théologique du mot (« âme »). – **largiendo** : cf. *supra*,
§ 9. Contrairement à tel ou tel développement du chapitre
(par ex. *supra*, § 2-3), cette conclusion est pleinement conforme à l'enseignement néotestamentaire.

b. Les outrages (chap. VIII).

Mais le chrétien se trouvera nécessairement conduit à connaître des situations plus pénibles, comme l'outrage par exemple. Il ne doit donc pas pleurer la disparition de ses biens matériels, si son âme est forgée pour affronter des épreuves plus redoutables (§ 1). Subit-on un outrage physique ? Le Seigneur demande de tendre l'autre joue (§ 2). Un outrage verbal ? Le Seigneur invite à se réjouir (§ 3). Se montrer incapable d'entendre sans impatience une parole méchante, c'est faire preuve à son tour de méchanceté (§ 4), et ne pas respecter l'enseignement évangélique (§ 5-6). Il y a du reste un véritable plaisir à opposer sa patience à l'outrage : l'offenseur veut faire souffrir celui qu'il offense ; mais s'il échoue, c"est lui-même qui en concevra du dépit (§ 7-8). En étant patient, non seulement, donc, on n'est pas éprouvé, mais encore on tire une satisfaction légitime de la frustration de son offenseur (§ 9).

8, 1. animam ipsumque corpus... gerimus : cet emploi de *gero* est, semble-t-il, surtout poétique (Lucr., *De rer. nat.*, 6, 1145-1146 : « caput incensum feruore gerebant / et duplicis oculos... rubentes » ; Virg., *En.*, 2, 277-278 : « squalentem barbam et concretos sanguine crinis / uolneraque illa gerens, quae... » ; Ov., *Fast.*, 2, 299 : « corpora nuda gerebant » ; etc. – **omnibus :** = *per omnia, in omnibus* (Löfstedt, *Philolog. Komm. Peregr. Aeth.*, p. 49 ; *TLL* s.u. « omnis », col. 624, 4). – **ad iniuriam :** second motif d'impatience (cf. *supra*, 7, 2). Le développement que lui consacre ici Tert. est largement tributaire des analyses de Sénèque et en particulier de celles du *De constantia sapientis*, qui a pour titre principal : *Ad Serenum. Nec iniuriam nec contumeliam accipere sapientem.* – **iniuriae patientiam :** *iunctura* ancienne et

fréquente : Pacuv., *Trag.*, 304 W : « Patior facile iniuriam si
est uacua a contumelia » ; Phaedr., *Fab.*, 1, 5, 3 : « patiens...
iniuriae » ; Sén., *Ben.*, 3, 12, 4 : « ad patientiam iniuriarum
omnium adstringor » ; *Const. sap.*, 5, 3 : « Si iniuria alicuius
mali patientia est, sapiens autem nullius mali est patiens,
nulla ad sapientem iniuria pertinet » ; 9, 4 : « ... ut ille
(patiens) omnes iniurias inultas dimittat patientiaque se...
defendat ». Pour l'expression *patientiam subimus,* cf. *supra,*
5, 25. – **et minorum delibatione laedemur ? :** transition
soignée, et même affectée. Le § 1 présente comme acquis et
allant de soi (*iniuriae patientiam subimus*) un comportement
auquel Tert. va exhorter son lecteur dans ce chapitre, et qui,
bien entendu, n'est pas aussi naturellement assumé qu'il feint
de le croire en ce début. Mais cette présentation permet à
Tert. de revenir sur le développement précédent par un argument *a fortiori,* établissant du même coup une hiérarchie
entre les deux motifs d'impatience (perte de ses biens-
outrages) et assurant la transition entre les deux chapitres. –
minorum delibatione : la perte des richesses (*supra,* 7, 1 :
detrimento rei familiaris). *Minorum* est repris, phrase
suivante, par *in friuolis,* et opposé à *maioribus temptationibus,* c'est-à-dire : les circonstances où l'on éprouve le désir de
répondre violemment à un outrage, et qui est un motif d'impatience plus puissant que celui qui pousse à regretter la
perte de ses biens. *Delibatione* : au sens propre de « prélève-
ment » en *Marc.,* I, 22, 8 et *Res.,* 7, 2 ; métaphoriquement, en
Val., 6, 2 ; sur ce terme rare, cf. *TLL* s.u.col. 437, 68 ;
Fredouille, *SC* 281, p. 217. – **laedemur :** reprise de *laesuras*
(*supra,* 7, 2). – **Absit :** cf. *Cult.,* II, 6, 3 : « Absit a sapientiae
filiabus stultitia tanta... » ; *Pud.,* 1, 8 : « Absit, absit a sponsa
Christi tale praeconium ! ». Le syntagme *absit ut...* est plus
fréquent (*Apol.,* 37, 3 ; *An.,* 57, 8 ; *Scap.,* 2, 10 ; etc.). –
seruo Christi : cf. *supra,* 4, 2. – **inquinamentum :** terme qui
apparaît chez Vitruve (« ordure »), mais le sens figuré
(« péché, souillure ») n'est attesté qu'à partir des trad. de la

Bible et de Tert. (*TLL* s.u. col. 1810, 7) ; cf. *infra*, § 5. – **in friuolis** : attesté à partir de la *Rhét. à Hérennius,* fréquent chez les écrivains chrétiens (cf. *TLL* s.u. col. 1341, 66). *Test.,* 5, 1 : *friuola et ridicula* ; *Vx.,* I, 1, 5 : *tam friuola, tam spurca* ; etc. – **excidat** : = *succidat* (cf. *supra*, 5, 18) ; même équivalence *Praes.,* 3, 3 ; *Pud.,* 20, 3 (= *Hébr.* 6, 4) ; etc.

8, 2. monela : attesté pour la première fois chez Tert., ici et *Marc.,* IV, 34, 15 ; *TLL* s.u. col. 1405, 76 ne mentionne qu'une troisième occurrence (Lucif., *Athan.,* 2, 5, p. 154, 28) ; dans ces trois cas, en contexte scripturaire. – **« Verberanti... obuerte »** : seul passage où Tert. cite textuellement ce verset (ἀλλ᾿ὅστις σε ῥάπιξει εἰς τὴν δεξιὰν σιαγόνα, στρέψον αὐτῷ καὶ τὴν ἄλλην = Vulg. « Sed si quis te percusserit in dexteram maxillam offerri iubens » ; IV, 16, 4 : « mandans alterius contente d'allusions précises, avec du reste une grande liberté de formulation : *Spec.,* 23, 4 : « Docet... uerberandam maxillam patienter offerre » ; *Marc.,* IV, 16, 2 : « alteram amplius maxillam offerri iubens » ; IV, 16, 4 : « mandans alterius quoque maxillae oblationem » ; IV, 16, 6 : « tantum patientiae pondus... aliam maxillam praebendi ». On sait que Jésus substitue explicitement ce précepte à la Loi du talion (*Matth.* 5, 38-39). En *Marc.,* IV, 16, 2 s. Tert joint les deux préceptes, en cherchant à montrer d'ailleurs que cette nouvelle discipline de la patience est en réalité un « complément harmonieux » (*supplementa consentanea*) apporté à l'ancienne discipline qui, cependant, enseignait, à sa façon, déjà, la patience (cf. *supra*, 6, 4) ; en revanche, dans *Pat.* comme on le voit, il les disjoint, les citant et les commentant séparément. – **Fatigetur inprobitas patientiā tuā** : réminiscence sénéquisante, cf. *Const. sap.,* 9, 5 : « in certaminibus... plerique uicerunt, caedentium manus obstinatā patientiā fatigando : ex hoc puta genere sapientem, eorum qui exercitatione longa ac fideli robur perpetiendi lassandique omnem inimicam uim consecuti sunt » ; *Luc.,* 53, 13 : « quaedam

(tela) defetigat (philosohiă) » ; *infra,* § 7-9. – **quiuis ictus ille :**
m. à m. « tel coup, n'importe lequel », « un coup, quel qu'il
soit », etc. Même rapprochement *ille* + indéf. en *An.,* 37, 1 :
« quamcumque illam rationem agitare », mais déjà : Cic.,
Fin., 1, 61 : « negant esse bonum quicquam nisi nescio quam
illam umbram quod appellant honestum » ; Val. Max., *Mem.,*
8, 14, 6 : « sordido studio deditum ingenium qualemcumque
illum laborem suum silentio oblitterari noluit ». *Sit... constrictus* : subj. de supposition. Cette interprétation nous paraît
préférable à celle qui interprèterait *quiuis* comme un relat.
d'indétermination (d'où le subj. *sit... constrictus,* comme
assez souvent en dehors de la prose classique) : mais, outre
qu'on attendrait dans ce cas plutôt *quouis... dolore,* un relevé
exhaustif des emplois de *quiuis* dans l'œuvre de Tert. fait
apparaître que celui-ci donne régulièrement à *quiuis* sa valeur
d'indéfini et n'en fait jamais le substitut de *quicumque. Constrictus* : = *coniunctus, conexus, copulatus,* déjà chez Cicéron
(cf. *TLL* s.u. col. 542, 44 s.). – **a domino uapulabit :** légère
anacoluthe (le sujet est naturellement *is qui icit). Domino* :
Dieu (cf. *Rom.* 14, 19, citant *Deut.* 32, 35)) : le thème sera
développé plus longuement, *infra,* 10, 6 s. La « patience »,
sinon l' «impassibilité », du chrétien face à l'outrage est soute-
nue par la conviction que justice lui sera rendue ; il y a donc
là une différence entre la « patience » chrétienne et sa
« rivale » stoïcienne (cf. *supra,* p. 31). – **plus... sustinendo :
ab eo... sustines :** juxtaposition de deux composantes de l'attitude patientielle : l'une (« plus improbum illum caedes sustinendo ») stoïcienne, et même sénéquisante, faisant de la
patience une vertu « autarcique » ; l'autre (« ab eo enim uapulabit cuius gratia sustines ») biblique, mettant l'accent sur le
« théocentrisme » ou le « christocentrisme » de la patience.

8, 3. linguae amaritudo : cf. Sén. Rh., *Contr.,* 9, 2,
28 : « illud genus cacozeliae est, quod amaritudine uerborum
quasi adgrauaturam res petit » ; 10, 3, 10 : « uerbi amaritudi-

nem » ; surtout, Sén., *De ira,* 1, 4, 3 : « quaedam (irae) in uerborum maledictorumque amaritudinem effusae ». A rapprocher de *Nat.,* I, 4, 4 : « cum (philosophi) in mores ritus cultus
uictusque uestros palam ac publice omnem eloquii amaritudinem elatrent ». *Infra,* 8, 4 et 12, 2, *amaritudo,* sans déterminant ; *supra,* 6, 5 : *linguae uenenum.* – **eruperit :** avec ce sens
souvent construit + *ad* ou *in* (Tac., *An.,* 11, 35, 4 ; Suét., *Tib.,*
61, 1 ; etc., comme du reste *An.,* 41, 3 : « diuinitas animae in
praesagia erumpit ») ; *TLL* s.u. col. 840, 65, ne cite que cet
exemple de constr. + datif. – **respice :** cf. *infra,* 14, 3, s.u.
respectu. – **« Cum uos maledixerint gaudete » :** cité, avec
quelques différences de traduction, *infra,* 11, 9 ; *Scorp.,* 9, 2 ;
cf. *supra,* 8, 2 ; G.J.D. Aalders, *Tertullianus' citaten uit de
Evangeliën en de oud-latijnsche Bibelvertalingen,* Amsterdam
1932, p. 115 s. – **Dominus... maledictus in lege :** à la suite de
Gal. 3, 13, exégèse typologique de *Deut.* 21, 23 (« ... un
pendu est une malédiction de Dieu ») souvent reprise par
Tert. (*Iud.,* 10, 1 s. ; *Marc.,* I, 11, 8 ; III, 18, 1 ; IV, 21, 11 ;
V, 3, 10 ; *Prax.,* 29, 3 ; *Fug.,* 12, 2). – **solus... benedictus :**
inexact littéralement (cf. du reste *supra,* 6, 2 : « Merito...
(Abraham) benedictus quia et fidelis... ») ; il faut donc
comprendre κατ᾽ ἐξοχην, peut-être d'après *Rom.* 9, 5 :
« Χριστός... ὁ ὤν ἐπὶ πάντων Θεὸς εὐλογητός εἰς τοὺς
αἰῶνας », cité textuellement en *Prax.,* 13, 9 et 15, 7 (« Deus
super omnia, benedictus in aeuum omne »). – **serui :** cf. *supra,*
4, 1. – **consequamur :** = *sequamur* (cf. *infra,* § 5 : *secutus* ;
supra, 5, 18). Seul passage du traité où Tert. évoque le thème
de l'« imitation » et de la « suite » du Christ (cf. sur le sujet
H. Crouzel, « L' ' imitation ' et la ' suite ' de Dieu et du Christ
dans les premiers siècles chrétiens ainsi que leurs sources
gréco-romaines et hébraïques », *JbAC* 21 [1978], p. 7-41). La
formule *sequi dominum* n'apparaît d'ailleurs chez Tert. qu'en
deux autres passages : *Idol.,* 12, 2 et *An.,* 55, 5 (cf.
S. Déléani, *Christum sequi. Étude d'un thème dans l'œuvre
de saint Cyprien,* Paris 1979, p. 14). Le *De bono patientiae*

de Cyprien fait en revanche une large place à ce thème spirituel (cf. Déléani, *passim* ; *supra*, p. 34-35).

8, 4. aequanimiter : cf. *supra*, 2, 1. – **in me proteruum :** cf. Sén., *Const. sap.*, 4, 2 : « quicquid fit in sapientem proterue... frustra tentatur ». – **et (ipse) :** pléonastique, cf. *Val.*, 17, 1 ; etc., *SC* 281, p. 292. – **amaritudinis :** cf. *supra*, § 3. – **cruciabor :** métaphore et construction attestées à toutes les époques depuis Pl., *Merc.*, 247 : *cura cruciabar*. – **muta :** cf. Publ. Syr., *Sent.*, 457 (P 8) : *mutus dolor ;* Lucr., *De rer. nat.*, 4, 1057 : *muta cupido* ; Sén., *Tranq. anim.*, 4, 7 : (*uirtus*) *muta* ; etc.

8, 5. Cum ergo : cf. *supra*, 5, 17. – **percussero :** = *repercussero* (cf. *supra*, 5, 18). – **secutus... (doctrinam domini) :** à rapprocher de *supra*, § 3, mais ici Tert. infléchit la présentation du thème au détriment de son contenu spirituel. Sur *doctrina*, cf. Braun, p. 419 s. – **inueniar :** cf. *supra*, 4, 1. – **traditum est :** rapproché de *doctrina domini* souligne bien l'importance ici accordée à l'aspect « doctrinal », intellectuel de cet enseignement (cf. Braun, p. 426 s.). – **uasculorum :** cf. *Cult.*, I, 5, 2 : « quaedam esui et potui uascula ex aere adhuc seruat memoria antiquitatis ». – **inquinamentis :** sur les deux sens du mot (propre et figuré), sur lesquels d'ailleurs Tert. joue ici, cf. *supra*, § 1. – **communicari :** ce sens (*commune, profanum reddi ; coinquinari ; contaminari*) apparaît dans les trad. du N.T. (= κοινοῦν) et chez Tert. Cf. *Spec.*, 17, 5 : « Cur quae ore prolata communicant hominem, ea per oculos et aures admissa non uideantur hominem communicare, cum spiritui appareant aures et oculi, nec possit mundus praestari cuius apparitores inquinantur ? » ; *Iei.*, 2, 6 : « et ipsum dominum in euangelio ad omnem circa uictum scrupulositatem compendio respondisse, non his communicari hominem quae in os inferantur, sed quae ex ore proferantur... » ; Castorina, éd. *Spec.*, p. 298. – **uani et superuacui dicti :** en fait le gr.

ῥῆμα ἀργόν signifie sans doute « parole dépourvue de fondement, calomnieuse », plus que « oiseuse » : c'est toutefois ce
dernier sens que retient Tert. (comme d'ailleurs la Vulgate :
otiosum uerbum), cf. *Spec.*, 17, 5 : « cum etiam scurrilitatem
et omne uanum uerbum iudicatum a Deo sciamus », où sont
fondus ensemble *Matth.* 12, 36 et *Éphés.* 5, 3. Pour la redondance *uani et superuacui*, cf. *infra*, 11, 4.

8, 6. Sequitur ergo : plus apparente ici, cette volonté de
rigueur et de logique dans la démonstration (et l'exhortation)
caractérise tout le traité. – **aequanimiter pati :** cf. *supra*, 2, 1.

8, 7. Hic iam de... : s. ent. *dico* ou *dicam* (cf. Hoppe,
Synt., p. 145-146). Formule de transition tout à fait classique
(cf. Cic., *Sest.*, 78 : « Hic iam de ipso accusatore quaero »). –
patientiae uoluptate : Tert. a déjà prêté ce plaisir de la patience au Christ, *supra*, 3, 9. S'y ajoute ici une réminiscence probable de Sén., *Const. sap.*, 14, 1 : « Quidam se a cinerario
impulsos moleste ferunt et contumeliam uocant ostiarii diffi-
cultatem, nomenclatoris superbiam, cubicularii supercilium.
O quantus inter ista risus tollendus est, quanta uoluptate
implendus animus ex alienorum errorum tumultu contem-
planti quietem suam ! » (la joie, c.-à-d. la satisfaction intellec-
tuelle — χαρά — constitue, avec la précaution raisonnable
— εὐλάβεια — et la volonté raisonnable — βούλησις —, l'une
des « bonnes affections » — εὐπάθειαι — permises au sage ; cf.
supra, 1, 1) ; *infra*, § 9. – **iniuria... incussa :** l'expression la
plus courante est *facere iniuriam* ; mais cette *iunctura* se rencontre déjà dans Quint., *Inst. or.*, 6, 2, 23. – **patientiam offenderit :** cf. *supra*, 3, 8. – **dispungetur :** verbe pour lequel Tert. a
une grande prédilection, et qui prend chez lui trois sens principaux : 1) *examinare* 2) *repensare* 3) *complere, absoluere*,
qui est sa signification la plus fréquente. Cf. Waszink, p.
394. – **telum aliquod... :** cf. Sén., *Const. sap.*, 3, 5 : « ... dico
sapientem nulli esse iniuriae obnoxium. Itaque non refert

quam multa in illum coiciantur tela, cum sit nulli penetrabilis. Quomodo quorundam lapidum inexpugnabilis ferro duritia est nec secari adamas aut caedi uel deteri potest, sed incurrentia ultro retundit, ... ita sapientis animus solidus est et id roboris collegit, ut tam tutus sit ab iniuria quam illa quae rettuli » (cf. *ibid.*, 7, 6 ; 19, 4) ; *Luc.*, 53, 12 : « Nullum telum in corpore eius (= philosophiae) sedet, munita est, solida est : quaedam defetigat et uelut leuia tela laxo sinu eludit, quaedam discutit et in eum usque, qui miserat, respuit » (cf. *supra*, § 2) ; *De ira*, 3, 5, 8 : « Vt tela a duro resiliunt et cum dolore caedentis solida feriuntur, ita nulla magnum animum iniuria ad sensum sui adducit, fragilior eo quod petit ». – **constantissimae :** dans cette page où les réminiscences du *De constantia sapientis* sont si nombreuses, il n'est pas exclu que cet adjectif (ici au sens concret) soit précisément une manière de renvoyer le lecteur au traité de Sénèque, d'autant que *duritia* est un mot que le philosophe y utilise à plusieurs reprises, au propre comme au figuré (cf. *supra*). – **ibidem :** sens local (et non temporel = *statim*, cf. *Val.*, 3, 4, *SC* 281, p. 195) par opposition à la seconde éventualité : « repercussum... reciproco impetu ». – **nonnumquam... :** deux éventualités, comme Sén., *Luc.*, 53, 12 (*supra*) : « quaedam... quaedam... ». – **remisit :** sans doute la bonne leçon (= *emisit, misit*, cf. *supra*, 5, 18). Sén., *Const. sap.*, 7, 6 : « ... emissa tela declinare ». – **reciproco :** deux autres occurrences de l'adj. chez Tert., *Marc.*, I, 13, 5 : « (Osirim) reciprocarum frugum... fidem argumentantur », et *An.*, 28, 1 « uetus sermo... de animarum reciproco discursu ».

8, 8. fructus laedentis in dolore laesi est : Sén., *Const. sap.*, 17, 4 : « ... genus ultionis est eripere ei qui fecit factae contumeliae uoluptatem... Adeo fructus contumeliae in sensu et indignatione patientis est » ; cf. Fredouille, p. 371. Pour l'opposition *laedentis-laesi*, cf. *infra*, 10, 2. – **non dolendo :** = *non dolens* (cf. *supra*, 5, 24). – **fructus :** employé à trois reprises

dans ce même paragraphe (et *supra*, § 7 : *infructuosa*),
annonce, comme en négatif, ce qui sera l'objet de la troisième
partie (chap. 15) : les « fruits » de la patience (déjà § 9 :
patientiae utilitas). La métaphore est usuelle (*fructus uirtutis,
diligentiae*, etc. *Supra*, Sén. *Const. sap.*, 17, 4 : *fructus contumeliae*).

8, 9. non modo... sed insuper : attesté à partir de la *Rhét.
Hér.*, 4, 23, 33. – **ibis** : = *abibis* (cf. *supra*, 5, 18). – **frustratione** : cf. *An.*, 1, 3 : « (Socrates) immortalitatem uindicat
animae, necessaria praesumptione ad iniuriae frustrationem ». Ce sens est rare, mais attesté bien avant Tert. :
Plancus, ap. Cic., *Fam.*, 10, 23, 5 : « maiorem eis frustratio
dolorem attulit » ; Colum., *De re rust.*, 11, 1, 14 ; « animus
nec praemium iucundius quam fructum libidinis, nec supplicium grauius quam frustrationem cupiditatis existimat ». –
oblectatus : *infra*, « uoluptas » et *supra*, § 7 : « de patientiae
uoluptate ». – **dolore** : cf. *Nat.*, II, 7, 16 : « adulescens libidinis frustratae dolore castratus est ». De même Sén., *Tranq.
an.*, 13, 3 : « ... ad animum peruenire destitutae cupiditatis
dolorem ». – **defensus** : ce sens de *defendo* (= *punio, ulciscor*)
se rencontre chez Ennius, puis dans les trad. de la Bible et
chez Tert. (cf. *infra*, 10, 7 : *defendi* ; 10, 8 : *defensionem* ;
Apol., 4, 11 ; *Spec.*, 2, 7 ; etc.). – **patientiae... utilitas et
uoluptas** : concluant ce développement, Tert. joint donc à la
uoluptas patientiae (cf. *supra*, § 7) l'*utilitas*. Le vocabulaire et
le mode de pensée sont stoïciens : il s'agit, en effet, naturellement, de satisfaction et d'avantage d'ordre moral et intellectuel. En opposant sa patience au désir de nuire de l'offenseur,
l'offensé sort indemne (*inlaesus*) de cette agression, c'est-à-
dire sans en être réellement affecté : l'attitude de patience est
donc en soi une attitude avantageuse, en même temps que, ou
plutôt parce que, morale (*honestum* et *utile* sont confondus) ;
d'autre part, l'offensé éprouve la satisfaction légitime de se
montrer (intellectuellement et moralement) supérieur à un

adversaire désappointé par une telle équanimité (on sait que les dernières analyses du *De constantia sapientis* sont consacrées à l'« utilité » de l'attitude du sage, dont l'indifférence exaspère l'insulteur et qui trouve dans cette exaspération même sa vengeance et sa satisfaction ; cf. *supra*, § 7). Esquissé ici, le thème de l'*utilitas patientiae* sera repris avec plus d'ampleur *infra,* chap. 15.

c. Les deuils (chap. IX).

Il n'y a pas non plus d'excuse à cette forme d'impatience qu'est la douleur que nous manifestons lorsque nous perdons nos proches. Le Seigneur nous a demandé de ne pas nous affliger et de ne pas nous comporter comme les païens sans espérance (§ 1). En effet, croire à la résurrection du Christ, c'est croire à celle des nôtres (§ 2). La mort n'est qu'un départ, et nous n'avons pas à pleurer celui qui ne fait que nous précéder (§ 3). En le pleurant, nous trahissons notre foi (§ 4), puisque notre souhait devrait être d'être reçus dès à présent par le Seigneur (§ 5).

9, 1. illa... species : cf. *supra,* 3, 1. – **in amissione nostrorum :** troisième motif d'impatience : on ne supporte pas la perte des siens. Également thème de la parénétique (cf. Sén., *De rem. fort.,* 13 : « Amisi liberos » ; 15 : « Amicum perdidi » ; 16 : « Vxorem bonam amisi », Haase, p. 52 s.), et surtout, naturellement, de cette forme particulière de parénèse qu'est le genre de la « consolation ». – **ubi :** = *in qua amissione.* A condition de conserver *in amissione nostrorum* (ce qu'il ne fait pas), la correction *cui* de Kroymann serait séduisante, d'autant que Tert. emploie volontiers *patrocinor* + complt. (dat.), en particulier en relative (*Cast.,* 4, 5 : Sequere admonitionem cui diuinitas patrocinatur » ; *Pud.,* 10, 12 : « A

qua (scriptura Pastoris) et alias initiaris, cui ille... patrocinabitur pastor... » ; etc.). Mais Tert. utilise également ce vb. en
constr. absolue, par ex. (avec précisément un adv. de lieu) en
Virg., 4, 2 : « Nec tamen quia illic diuisa est et mulier et
uirgo (cf. *I Cor.* 7, 34), hic quoque patrocinabitur illa diuisio,
ut quidam uolunt ». – **adsertio :** le mot nous paraît avoir ici
non pas, comme l'indique *TLL* s.u. col. 869, 16 s., le sens
usuel de « déclaration, affirmation » (avec lequel il est exact
qu'il est employé dans les trois autres occurrences chez
Tert. : *Cult.,* I, 3, 2 ; *Marc.,* IV, 15, 1 ; *An.,* 1, 5), mais celui,
dégradé et métaphorique, de « revendication de la liberté de,
du droit à... », issu de la valeur technique et juridique du
terme : « action de revendiquer la condition de personne
libre » (cf. Quint., *Inst. or.,* 3, 6, 57 ; 5, 2, 1 ; etc.). Accordée
à *patrocinatur,* la métaphore est atténuée par *aliqua.* La
définition stoïcienne du chagrin éclaire bien cette réflexion de
Tert., cf. Cic., *Tusc.,* 3, 25 : « aegritudo est opinio magni mali
praesentis, et quidem recens opinio talis mali, ut in eo rectum
uideatur esse angi, id autem est, ut is qui doleat oportere opi-
netur se dolere » ; 3, 74 : « Satis dictum esse arbitror aegritudinem esse opinionem mali praesentis, in qua opinione illud
insit, ut aegritudinem suscipere oporteat ». Sur les réminiscences des analyses cicéroniennes relatives à l'*aegritudo* dans
l'*Ad martyras,* cf. R. Braun, « Sur la date, la composition et
le texte de l'*Ad martyras* de Tertullien », *REAug* 24, 1978,
p. 234-235. – **apostoli :** cf. *supra,* 7, 5. – **« dormitione » :** avec
le sens de *somnus mortis,* apparaît chez Tert., en citation
comme ici (Vulg. *de dormientibus* ; gr. περὶ τῶν
κοιμωμένων), ou hors citation (*Res.,* 24, 3 ; *Mon.,* 10, 4).
Dernière occurrence chez Tert., *An.,* 55, 4 (*in aethere dormi-
tio nostra*), mais le sens n'est pas sûr (cf. Waszink, p. 560 ;
H. Fine, *Die Terminologie der Jenseitsvorstellungen,* Bonn
1958, p. 81-82). – **« nationes » :** gr. οἱ λοιποί, Vulg. *ceteri.*
Cf. *supra,* 3, 11.

9, 2. credentes resurrectionem... in nostram... credimus :
l'addition < *in* > *(resurrectionem)* ne s'impose pas, Tert.
étant familier de ce type de *uariatio*, cf. *supra,* 3, 11 : « in
praecipiendo sed... sustinendo » ; *Mart.,* 6, 2 : « hominis
causa... in causa Dei » (cf. *supra,* p. 181) ; *Mon.,* 9, 5 :
« Neque... in illo delinquit, sed in semetipsam » ; *Marc.,*
III, 17, 4 : « Neque... ulli hominum universitas spiritalium
documentorum competebat nisi in Christum » (mais Tert.
avait écrit sans *uariatio* en *Iud.,* 9, 27 : « ulli hominum...
Christo ») ; etc. Bulhart, *Praef.,* § 111 b. D'autre part, sur
l'indifférenciation sémantique des constructions de *credere* à
cette époque, *supra,* 2, 3. – **resurrectionem... resurrexit :** les
deux termes apparaissent chez Tert. comme des vocables
« techniques » déjà consacrés par l'usage dans la langue théologique des chrétiens, cf. Braun, p. 530 s. – **(de resurrectione)
mortuorum :** les deux déterminations les plus fréquentes de
resurrectio chez Tert. sont *carnis* et *mortuorum* (*infra,* 16, 4 :
carnis et spiritus correspondent à une intention et un contexte
particuliers), cf. Braun, p. 535 ; *Res.,* 1, 1 : « Fiducia Christianorum resurrectio mortuorum » ; 63, 10 : « resurrectionem
quoque carnis... refrigerabis ». – **uacat :** = *est superuacuum,*
sens fréquent chez Tert. (*Apol.,* 2, 15 ; *Cor.,* 10, 3 ; etc.
Hoppe, *Synt.,* p. 139-140).

9, 3. Cur enim doleas... : tout ce paragraphe est une adaptation chrétienne de (et une variation sur) l'« alternative socra-
tique », thème obligé de la littérature de consolation : Plat.,
Apol., 40 c : « Δυοῖν γὰρ θάτερόν ἐστιν τὸ τεθνάναι. ἢ γὰρ οἷ-
ον μηδὲν εἶναι μηδὲ αἴσθησιν μηδεμίαν μηδενὸς ἔχειν τὸν
τεθνεῶτα, ἢ κατὰ τὰ λεγόμενα μεταβολή τις τυγχάνει οὖσα καὶ
μετοίκησις τῇ ψυχῇ τοῦ τόπου τοῦ ἐνθένδε εἰς ἄλλον τόπον.
Cf. R. Kassel, *Untersuchungen zur griechischen und römis-
chen Konsolationsliteratur,* München 1958, p. 76 s. – **perisse :** s. ent. *eos* (= *mortuos*). Sur cette ellipse, cf. *infra,* 14, 7. –
interim : = *ad tempus* ; sens attesté dans la prose impériale

(cf. *TLL* s.u. col. 2205, 3). – **antecedit... subsequeris** : cf. Sén., *De rem. fort.*, 2, 2 : « ' Morieris ' : Nec primus nec ultimus ; multi me antecesserunt, omnes sequentur » ; *Luc.*, 63, 16 : « Cogitemus... cito nos eo peruenturos quo illum peruenisse maeremus. Et fortasse, si modo uera sapientium fama est recipitque nos locus aliquis, quem putamus perisse praemissus est » ; *Cons Marc.*, 19, 1 : « Dimisimus illos (= defunctos), immo consecuturi praemisimus ». – **desiderium... temperandum** : même expression dans Apul., *Flor.*, 17, 20 : « temperatoque desiderio et moderato remedio ».

9, 4. in huiusmodi : cf. *Cast.*, 1, 1 ; *Marc.*, V, 15, 7 ; etc. De même, *ab eiusmodi* (*Praes.*, 5, 5), *cum eiusmodi* (*Vx.*, II, 3, 1), etc. Hoppe, *Synt.*, p. 106. – **ominatur** : construit avec le dat. (*spei nostrae*), cf. Cic., *Phil.*, 11, 12 ; *Off.*, 2, 74. Seule occurrence de ce vb. chez Tert. On rapprochera l'emploi, avec une valeur neutre, d'*auspicor* (*supra*, 5, 7 ; *Bapt.*, 9, 4 ; *Val.*, 3, 5).. – **euocatos** : cf. *An.*, 57, 2 : « Publica iam litteratura est quae animas... euocaturam se ab inferum incolatu pollicetur » ; Sén., *Luc.*, 61, 2 : « tamquam me... mors euocatura sit » ; Waszink, p. 547 ; H. Fine, *Die Terminologie der Jenseitsvorstellungen bei Tertullian*, Bonn 1958, p. 55. – **quosque** : en ce sens, avec une forme positive, *quisque* apparaît chez Lucr. (*De rer. nat.*, 5, 1415 : *pristina quaeque*), Sall., Tac., etc., mais ne devient fréquent qu'à partir d'Apulée et Tert. (*L.H.S.*, p. 170). – **miserandos** : appliqué aux morts seulement à partir des poètes de l'époque augustéenne (Virg., *En.*, 11, 593 ; Ov., *Mét.*, 4, 110 ; etc.).

9, 5. apostolus : cf. *supra*, 7, 5. – **« recipi... et esse cum domino »** : réminiscence de *Phil* 1, 23 (Τὴν ἐπιθυμίαν ἔχων εἰς τὸ ἀναλῦσαι καὶ σὺν Χριστῷ εἶναι [Vulg. : « desiderium habens dissolui et esse cum Christo »]), omettant τὸ ἀναλῦσαι [*dissolui*] et donnant un équivalent redonnant de σὺν Χριστῷ εἶναι [*esse cum*]. Tert. traduit plus exactement en *Vx.*, I, 5, 1 :

« ... cupidi et ipsi iniquissimo isto saeculo eximi et recipi apud dominum, quod etiam apostolo uotum fuit » et *Spec.*, 28, 5 : « ... uotum... apostoli, exire de saeculo et recipi apud dominum ». – **uotum** : cf. *Vx.*, I, 5, 1 et *Spec.*, 28, 5, cités *supra*.

d. Le désir de vengeance (chap. X).

Il existe enfin un autre aiguillon très puissant de l'impatience : le désir de vengeance, qui satisfait notre vanité (§ 1). Mais se venger n'est pas, comme le croient ceux qui sont dans l'erreur, un soulagement ; c'est rivaliser de méchanceté (§ 2), c'est commettre à notre tour un acte aussi répréhensible que celui dont nous avons été victimes (§ 3). Nous devons au contraire mépriser la vengeance et confier à Dieu notre défense (§ 4). Nous devons en cela agir comme font nos serviteurs, qui s'en remettent à nous, lorsqu'ils ont un différend avec leurs compagnons (§ 5). Étant juge, le Seigneur est également vengeur, et c'est pourquoi il nous demande de ne pas nous venger nous-mêmes, mais de faire preuve de patience (§ 6). Mais nous ne renoncerons à la vengeance que si nous avons renoncé à juger, c'est-à-dire à nous approprier un honneur qui n'appartient qu'à Dieu, et en cela aussi nous aurons dû nous montrer patients (§ 7). A l'inverse, à quels maux une conduite impatiente ne nous entraîne-t-elle pas, car l'impatience appelle nécessairement la violence dans la vengeance. Seule la patience peut faire renoncer à la vengeance (§ 8-9).

10, 1. alius : sur le sens qu'a probablement ici l'indéfini (« un autre enfin »), cf. Apul., *Mét.*, 11, 10, 6, éd. Fredouille,

p. 75 comm. *ad loc.* – **stimulus** : cf. Cic., *Arch.,* 29 :
« animum gloriae stimulis concitare ». – **ultionis libido** : après
le *detrimentum rei familiaris* (chap. 7), les *iniuriae* (chap. 8)
et l'*amissio nostrorum* (chap. 9), l'*ultionis libido* est donc le
quatrième et dernier (d'où la valeur probable d'*alius*) motif
d'impatience analysé par Tert., peut-être aussi celui qu'il
considère comme « le plus puissant » des quatre (sens « relatif » plutôt qu'« absolu » de *summus* ?), dans la mesure où le
désir de vengeance met en jeu des mécanismes et des réflexes
qu'il est encore plus difficile de maîtriser que dans les cas
précédents (on a déjà vu, *supra,* 8, 1, que les *iniuriae* sont,
semble-t-il, une cause d'impatience plus forte que le *detrimentum rei familiaris*). Comme précédemment, et conformément à l'extension qu'il donne à l'impatience (et à la patience), Tert. lui impute une attitude que le stoïcisme, en l'espèce,
fait plutôt dériver de la colère, ou qu'il confond avec celle-ci,
cf. Cic., *Tusc.,* 3, 11 : « sic... definitur iracundia : ulciscendi
libido » ; 4, 21. 44. 79. Le sage, naturellement, ignore la
vengeance, cf. Sén., *De const. sap.,* 12, 3 : « Non enim
(sapiens) se ulciscitur » ; *De ira,* 2, 32, 1-3 ; 3, 27, 1 ; etc. –
negotium curans : expression usuelle à toutes les époques, en
divers contextes. Pour Tert., cf. *Paen.,* 2, 7 : « (paenitentia)
negotium diuinae misericordiae curans » ; 12, 9 : « stili potius
negotium quam officium conscientiae meae curans » ; *Herm.,*
15, 5 : « Quid necesse erat... (Deum) materiae negotium
curare... ? ». – **gloriae** : cette valeur dépréciative, fréquente
chez Tert., qui la souligne parfois par l'épithète *uana* (*Cult.,*
II, 3, 2 ; *Pal.,* 4, 6 ; *infra* ; etc.), est usuelle également dans la
langue commune (cf. *TLL* s.u. col. 2085, 78). Toute « gloire »
humaine doit être bannie du cœur de l'homme, cf. *Cult.,*
II, 3, 2 : « In nobis... nullum gloriae studium, quia gloria exal-
tationis ingenium est, porro exaltatio non congruit professoribus humilitatis ex praeceptis Dei » ; *Virg.,* 16, 2 : « Nihil est
illi (= Deo) carius humilitate, nihil acceptius modestia, nihil
operosius gloria et studio hominibus placendi ». En regard,

Virg., 2, 3 : « a Deo, non ab hominibus captanda gloria est ».
Cf. A.J. Vermeulen, *The semantic development of Gloria in early-Christian Latin,* Nijmegen 1966, p. 37. La même réaction d'amour-propre est condamnée en Sén., *De ira,* 2, 33, 1 : « Minus, inquit, contemnemur, si uindicauerimus iniuriam ». – **malitiae** : cf. *supra,* 5, 7. – **cum maxime, cum... :** sans doute la bonne leçon. Cf. *Mon.*, 17, 2 : « regina Carthaginis... ciuitatis cum maxime formatrix, cum... debuisset... » ; Cat., *Agr.*, 29 : « idque, cum maxime opus erit, ubi fauonius flabit, euehito ». Mais Tert. recourt plus volontiers à la corrélation *tunc maxime... cum* (*Paen.,* 7, 7 ; *Marc.*, II, 2, 6). – **duplicat** : cf. *infra,* § 2. Tert. n'emploie ce verbe qu'en un autre passage (*Cast.*, 5, 3).

10, 2. penes : cf. *infra,* 15, 1. – **errorem... ueritatem :** en l'occurrence, l'erreur ne saurait être la philosophie stoïcienne, cf. Sén., *De ira,* 2, 14, 3 : « ratio patientiam suadet, ira uindictam ». Sur la place que tient la notion de Vérité dans la pensée de Tert., abondante bibliographie, cf. Fredouille, *SC* 280, p. 31, n. 7. – **solacium... doloris** : cf. Sén., *De ira,* 2, 32, 1 : « – At enim ira habet aliquam uoluptatem et dulce est dolorem reddere. – Minime : non enim ut in beneficiis honestum est merita meritis repensare, ita iniurias iniuriis ». L'interlocuteur fictif auquel répond ici Sénèque résume sans doute la théorie péripatéticienne, selon laquelle, d'après Philodème, *De ira,* éd. Wilke, p. 67, 18 s., la vengeance est juste, utile et agréable |(καλόν...| καὶ δίκαιον καὶ σύμφορόν... καὶ πρὸς τούτοις ἡδύ). – **certamen... malignitatis** : cf. Cic., *Off.,* 1, 38 : « certamen honoris et dignitatis » Tac., *Hist.,* 3, 11, 2 : « Vt olim uirtutis modestiaeque, tunc procitatis et petulantiae certamen erat » ; etc. *Malignitatis* : à la différence de *malitia,* ce terme n'est pas classique, mais la nuance qui les sépare est imperceptible. Les deux termes sont coordonnés en *Spec.*, 2, 11 : « Nam si omnem malignitatem et si tantum malitiam excogitatam Deus exactor innocentiae odit... ». – **refert :** =

differt (cf. *supra*, 1, 7). – **inter prouocantem et prouocatum :**
déjà *Apol.*, 37, 1 : « si iidem laesi uicem referre prohibemur,
ne de facto pares simus » ; 45, 3. A compléter naturellement
par la théorie de la « juste colère », cf. Fredouille, p. 162 s.
Sur les implications de ce précepte dans l'activité polémique
de Tert., *Ibid.*, p. 184 s. Même opposition part. (présent)
act.-part. (passé) pass., *supra*, 8, 8. – **ille... ille :** = *ille.... hic* :
substitution exceptionnelle dans la langue classique (Ter.,
Phorm., 332 ; Cic., *De orat.*, 2, 160), plus fréquente dans la
langue impériale (cf. *TLL* s.u. col. 345, 71) ; pour Tert., *Nat.*,
I, 16, 16 ; etc. – **prior... posterior :** cf. Sén., *De ira*, 2, 32, 1 :
« talio non multum differt < iniuriae > nisi ordine : qui
dolorem regerit tantum excusatius peccat » ; *De const. sap.*,
14, 2 : « Facit se aduersarium qui contendit, et, ut uincat, par
fuit ». – **deprehenditur :** cf. *supra*, 1, 1. – **laesi :** l'un des vb.
favoris de Sénèque, dans le *De const. sap.* (cf. en particulier
la formule de 7, 2 : « Non potest laedi sapiens ») ; cf. *supra*,
8, 8. – **domino :** dat. de point de vue, cf. *Iei.*, 13, 2 : « Ego me
saeculo, non Deo liberum memini » ; *Mon.*, 9, 5 : « Nihil Deo
interest... » (« Pour Dieu, il n'y a pas de différence si... ») ;
Lact., *Inst. diu.*, V, 14, 18 : « nemo Deo pauper est » ; Hoppe,
Synt., p. 26 ; L.H.S., p. 96.

10, 3. Nulla... coniungit : cf. Sén., *De ira*, 2, 32, 1 ; *De
const. sap.*, 14, 2 (cités *supra*, § 2). – **praecipitur malum...
rependendum :** on peut hésiter sur la constr. syntaxique
exacte de *praecipitur* ici : prop. inf. avec *esse* s. ent. ? ou adj.
vb. (*rependendum*) en fonction prédicative ? Sur cette dernière construction (post class.), cf. L.H.S., p. 371-372. *Rependendum* : cf. *supra*, 4, 4 ; *infra*, 16, 5. Sur la loi du talion,
supra, 6, 4. – **par... meritum :** *sententia* forgée par Tert. ? ou
formule proverbiale (non mentionnée par Otto, *Sprichwörter*,
p. 264, s.u. « par ») ? Pour l'emploi de *par*, cf. *Apol.*, 37, 1 ;
Sén., *De const. sap.*, 14, 2 (cités *supra*, § 2).

10, 4. [fastidientes] : passage corrompu. Kroymann suggère, dans son apparat critique, de lire : « fastidientes < maleficii > » et *TLL* s.u. « fastidium », col. 319, 29 : « fastidientes < quidem prouocationis > ». La restitution proposée par Thörnell (« fastidientes < iniuriae > »), acceptée par Borleffs (qui préfère toutefois l'acc. < iniuriam > au gén. < iniuriae >), mérite sans doute plus d'attention. En effet, G. Thörnell (*Studia Tert.*, II, 1921, p. 47), pour justifier sa suggestion, s'appuie sur plusieurs passages de Tert. où *iniuria* apparaît dans le contexte d'*ultio* : *Iud.*, 3, 10 ; *Apol.*, 45, 3 ; *Marc.*, IV, 16, 2-4, et *Pat.*, 15, 1. En réalité ces « parallèles textuels » ne semblent pas vraiment déterminants. Dans les trois premiers, en effet, Tert. fait, implicitement (*Apol.*, 45, 3) ou explicitement (*Iud.*, 3, 10 ; *Marc.*, IV, 16, 2-4), référence, comme ici, à la loi du talion, et même (*Marc.* IV, 16, 2-4) à la *disciplina patientiae*. Mais il s'agit moins d'*iniuria* (sauf peut-être en *Iud.*, 3, 10, mais le texte n'est pas sûr), que de « représailles » (*secunda iniuria, in uicem iniuriae*) distinguées (en *Marc.*, IV, 16, 4) d'*ultio*. De toute manière, la notion d'*iniuria*, même si l'on peut penser qu'elle est sous-jacente, n'apparaît pas formellement dans ce chap. 10. Quant au texte de *Pat.*, 15, 1, il ne fait que rappeler, dans un ordre à peine modifié, les quatre principaux motifs d'impatience qui font l'objet des chap. 7 à 10. Aussi bien serions-nous tenté de considérer *fastidientes* comme une faute par anticipation. – **in fastidio ultionis** : rapproché, à tort, de Plin., *Nat.*, 12, 91 et Tac., *Dial.*, 18, 3, par *TLL* s.u. « fastidium », col. 31, 29 : en effet, dans ces deux passages, le syntagme *in fastidio esse* a, non pas le sens actif (« dédaigner »), mais le sens passif (« être un objet de dédain »). Cf. *in desiderio esse,* « désirer » en Cic., *Fam.*, 2, 12, 3, mais « être désiré » en Id., *Phil.*, 10, 14. – **litabimus** : cf. *Val.*, 2, 2 : « infantes testimonium Christi sanguine (cf. *Matth.* 2, 16) litauerunt », *SC* 281, p. 184. – **domino Deo** : cf. *supra*, 1, 1. – **defensionis** : = *uindicationis, ultionis*. Sens qui apparaît dans les traductions de la Bible et chez

Tert. (= ἐκδίκησις) ; de même *defendere* (pour rendre ἐκδι-κεῖν) avec le sens de *ulcisci, punire, uindicare* (cf. *supra*, 8, 9 ; *Apol.*, 4, 11 ; *Marc.*, I, 26, 2 ; etc. *TLL* s.u. « defensio », col. 309, 16 et « defendere », col. 304, 73).

10, 5. Nos putres, uasa fictilia : cf. *Paen.*, 4, 3 : « tu nihil quondam penes Deum nisi stilla situlae et areae puluis et uasculum figuli » ; Braun, p. 401. Les réminiscences scripturaires (*uasa fictilia*) se mêlent sans doute à un souvenir de Sén., *Cons. Marc.*, 11, 1. 3-4, sur la fragilité humaine : « putre... fluidumque corpus... Quid est homo ? Quolibet quassu uas et quolibet fragile iactatu... putre, causarium, fletu uitam auspicatum... ». – **seruulis :** cf. *Paen.*, 4, 4 : « ne nos quidem ipsi seruulis nostris ea quibus offendimur non odisse permittimus ». Cf. *supra*, 4, 3. – **(eos)que :** valeur adversative de l'enclitique (déjà Cic., *Off.*, 1, 22), cf. L.H.S., p. 481. – **nobis patientiam obtulerint :** même expression, mais pour décrire une attitude de pseudo-patience (c'est-à-dire de complaisance, de tolérance coupable) en *Nat.*, I, 4, 12 : « Scio maritum unum atque alium... omnem uxori patientiam obtulisse » ; cf. *infra*, 16, 3. – **humilitatis seruitutis :** les deux mots sont sur le même plan, en asyndète (cf. *supra*, 2, 3 : *nomen familiam*), plutôt que dans un rapport de déterminant à déterminé (« l'humilité de leur servitude, de leur condition d'esclave »). – **ius...honoris :** cf. Sén., *Luc.*, 47, 14 : « (maiores nostri)... instituerunt diem festum... quo honores illis (= seruis) in domo gerere, ius dicere permiserunt et domum pusillam rem publicam esse iudicauerunt ». – **iusto ad... potenti ad... :** syntagmes usuels (Cic., *Att.*, 9, 15, 3 : « ... multa adfero iusta ad impetrandum » ; Ov., *Hér.*, 5, 147 : « ... herba potens ad opem » ; etc. Cf. *Val.*, 1, 1 : *facilis ad*, *SC* 281, p. 169.

10, 6. iudicem... si non et ultorem : parce qu'il est « juge », Dieu est naturellement aussi « vengeur ». Sur cette conception, cf. Braun, p. 116-117 ; 700. – **« Vindictam mihi et ego**

uindicabo » : *Rom.* 12, 19 (*Hébr.* 10, 30) : ἐμοὶ ἐκδίκησις, ἐγὼ ἀνταποδώσω (Vulg. « Mihi uindicta, ego retri-
buam »). Traduction comparable en *Marc.,* II, 18, 1 : « mihi
defensam et ego defendam, dicit dominus » et identique,
accompagnée du même commentaire, *Ibid.,* IV, 16, 3 : « cum
dicit ʻ mihi uindictam et ego uindicabo ʼ proinde patientiam
docet, uindictae expectatricem » (cf. aussi *Marc.,* V, 14, 12).
Cyprien a également l'acc. d'exclamation (cf. *Ad Demetr.,*
17 ; *Test.,* III, 106).

10, 7. Cum enim : = *cum autem.* Sur cette valeur très atténuée de *enim,* cf. *supra,* 5, 25 s.u. « autem ».   **« Nolite...
iudicemini »** : Tert. ne fait qu'une autre référence à cette
parole du Christ, en *Pud.,* 2, 2. – **defendi** : la correction de
Gelenius (« defen*den*di »), reprise par les éditeurs postérieurs,
est inutile. Cf. déjà Pl., *Most.,* 141 : « optigere me neglegens
fui » ; etc. Ernout-Thomas, *Synt. lat.,* § 280 ; L.H.S.,
p. 350-351. Pour Tert., par ex. *Vx.,* I, 5, 1 : « cupidi... eximi et
recipi ad dominum » ; *Cast.,* 10, 1 : « rape occasionem... non
habere... » ; Hoppe, *Synt.,* p. 49. Pour ce sens de *defendere*
(avec ici valeur moyenne du passif), cf. *supra,* 10, 4 s.u.
defensionis ; *infra,* § 9. – **si ignoscet... non cauit et... abstulit** :
ni la correction de Kroymann (« caue*r*it », « abstule*r*it »), ni
celle de Borleffs (« ignosc*it* »), qui chacun à sa manière ont
voulu atténuer la discordance temporelle entre protase et
apodose, ne nous paraissent indispensables. Au demeurant, si
la correction de Kroymann aboutit à une syntaxe plus «classique », on discerne mal l'« amélioration » qu'apporte celle de
Borleffs par rapport au texte des manuscirts. En fait, cette
discordance (*si* + fut. – pft.) est un tour plus vif de la langue
parlée, ici du reste en situation (cf. L.H.S., p. 318 et 661). –
non (cauit) : la suite des idées nous paraît justifier la négation
qu'avait β (cf. marge de R^1). Selon Tert. seul l'homme
patient peut respecter la défense de *Matth.* 7, 1 (« Nolite
iudicare... ») : en effet, si l'on juge, c'est que l'on a eu,

d'abord, une réaction d'impatience, et que, ensuite, on souhaite obtenir vengeance. Certes, il n'est pas totalement exclu que le jugeuerat conduise au pardon ; mais même dans ce cas, mieux eût valu pardonner immédiatement, en évitant cette réaction d'impatience qui a fait que l'on a jugé. – **et honorem unici iudicis... abstulit :** naturellement Tert. ne prétend pas ici que le « pardon des offenses » est une atteinte faite à Dieu (cf. d'ailleurs *infra*, 12, 1-3 ; *Orat.*, 7, 1-3 ; etc.), mais il rappelle, dans le prolongement de son raisonnement, que tout jugement, dût-il conduire celui qui le porte à pardonner, est interdit à l'homme, car Dieu seul a le droit de juger. – **unici :** sur ce prédicat, que Tert. a préféré à *solus* et même à *unus,* cf. Braun, p. 67-68. – **id est Dei :** Kroymann considère cette précision comme une glose et la supprime. A tort, semble-t-il, car Tert. utilise volontiers de telles formules par souci de clarté, cf. *Marc.*, II, 5, 2 : « si talis Deus, id est bonus et praescius et potens... » ; III, 1, 1 : « eius Dei, quem Christus praedicauit, id est creatoris... » ; etc. Thörnell, I, 1918, p. 80-81.

10, 8. quantos : nous lui conservons son sens « classique », mais il n'est pas exclu qu'il soit ici, comme souvent dans la langue impériale et chez Tert., un équivalent de *quot* (Hoppe, Synt., p. 106). – **incursare :** cf. *Nat.*, I, 2, 8 : « quotiens... incursasset incesta » : *Iei.*, 12, 1 : « non delicta incursantes ». – **consueuerat... paenituit :** sans doute simple *uariatio temporis* (cf. L.H.S., p. 815). – **quotiens... quotiens... :** à noter que les trois autres emplois de *quotiens* exclamatif relevés chez Tert. sont, comme ici, redoublés : *Mart.*, 6, 1 : « Quotiens enim incendia... ! quotiens ferae... ! quot a latronibus... » ; *Apol.*, 37, 2 : « Quotiens enim in Christianos desaeuitis... ! quotiens etiam... nos inimicum uulgus inuadit ! », *Marc.*, IV, 30, 4 : « Quotiens (Deus) adhuc se iudicem ostendit et in iudice creatorem ! quotiens utique reicit et damnat reiciendo ! » – **defensionem :** cf. *supra*, 10, 4. – **ins-**

tantia eius : *eius = inpatientiae.* Cf. *Spec.*, 19, 3 : « ... ut non innocentiae quoque (supplicium) inferatur aut ultione iudicantis aut infirmitate defensionis aut instantia quaestionis ». – **nouit :** *= potest* (cf. Blaise, *Dict.*, s.u., p. 557).

10, 9. defendaris : la correction introduite par Kroymann (« defenderis ») est « hyper-classicisante », puisqu'aussi bien la corrélation *si sit – erit* n'est pas rare dans les *Discours* et les *Traités philosophiques* de Cicéron (cf. Lebreton, *Études*, p. 359 s.). Pour le sens et la forme du verbe, *supra*, § 7. – **oneraberis :** fréquent avec cette valeur chez Tert. (*Apol.*, 1, 4 ; *Nat.*, I, 10, 10 ; etc.). – **Quid mihi cum... :** sur ce « tic stylistique » de Tert., cf. Fredouille, p. 319 s. – **cum ultione... per inpatientiam doloris :** cf. Sén., *De ira*, 3, 5, 8 : « Vltio doloris confessio est » ; *supra*, § 2. – **incubabo :** ce sens (*= operam dare, studere*) est attesté à partir d'Ov., *Tristes*, 4, 3, 21 : « ubi incubauit iusto mens aegra dolori ». Cf. *Paen.*, 6, 15 : « quid te cognouisse (dominum) interest, cum iisdem (= delictis) incubas quibus retro ignarus ? ». *TLL* s.u. col. 634, 21. Rapprocher Publ. Syr., *Sent.*, 96 (C 12) : « cuiuis dolori remedium est patientia » (cf. *infra*, 11, 2 s.u. « medela ») ; 145 (D 23) : « Difficile est dolori conuenire cum patientia » ; Ps. Sén., *De mor.*, 6 : « dolor patientia uincitur ».

e. Conclusion (chap. XI-XII).

Il y a naturellement beaucoup d'autres circonstances encore dans lesquelles nous devons faire preuve de patience, car l'action du Malin ne se limite pas à celles qui viennent d'être envisagées (XI, 1). Nous réserverons notre patience pour les situations qui le méritent (§ 2), qu'il s'agisse d'ennuis suscités par le Malin ou dont nous sommes nous-mêmes la cause (§ 3). Quant aux traits qui nous sont envoyés par le

Seigneur, non seulement nous les supporterons avec patience, mais nous nous réjouirons d'avoir été choisis pour cible (§ 4).

Ce devoir d'être patients nous apporte d'ailleurs une récompense : la félicité (§ 5). Les « Béatitudes » en effet s'adressent à ceux qui savent être patients (§ 6-9).

D'une manière plus générale, la patience joue un rôle éminent dans la vie des chrétiens. Elle les aide à vivre en paix (XII, 1-4). Elle favorise la pénitence (§ 4-7). Elle nourrit la charité (§ 8-10).

11, 1. Post... : transition un peu lourde destinée à guider le lecteur (cf. *supra,* 7, 1 : « Iam uero percurrentibus nobis causas inpatientiae... » ; *infra,*13, 1 : « Vsque huc de patientia simplici... » ; 16, 1 : « Haec patientiae ratio, ... »). Sur ce souci de Tert., ici et ailleurs, cf. Fredouille, p. 37 et 367. – **materias :** = *causas* (cf. *supra*). Cf. Sén., *De ira,* 3, 30, 2 : « ... ut (stulti)... iniurias uocent modica beneficia, in quibus frequentissima, certe acerbissima iracundiae materia est ». Pour Tert., par ex. *Marc.,* IV, 8, 7 : « ... iudicem apud quem sint materiae timoris, ira saeuitia iudicia uindicta damnatio ». – **euagemur :** ce sens « rhétorique » (« faire une digression »), apparaît chez Val. Max., 9, 12 pr. ; Colum., 2, 2, 2 ; Quint., *Inst. or.,* 2, 4, 32 ; 3, 6, 3. Chez Tert., par ex. *Nat.,* II, 12, 38 ; *Prax.,* 28, 13. *Ceteras (materias)* opposé à *principales materias* comme, *supra,* 7, 1, *cetera praecepta* à *principali praecepto*. – **quae domi, quae foris :** *quae foris* désigne les occasions d'impatience suscitées par le Malin (§ 1-3) ou par Dieu (§ 4) *quae domi* celles qui nous sont imputables (§ 3 : « Si uero quaedam... quae nobis inputamus »). La distinction est reprise, *infra,* § 5, où « mali insidiis aut admonitionibus domini » correspond à *quae foris* et « erroribus nostris » à *quae domi*. Cette distinction rappelle l'opposition stoïcienne entre τὰ οὐκ ἐφ᾽ ἡμῖν et τὰ ἐφ᾽ ἡμῖν, mais l'analogie est seule-

ment formelle : ce que Tert. désigne par *quae foris* et par
quae domi entre également dans la catégorie des τὰ ἐφ᾽ ἡμῖν.
En réalité sa distinction correspond à une autre opposition
stoïcienne : celle qui existe entre les « maux » (en l'occurrence, l'impatience : cf. d'ailleurs *infra*, § 5 : *erroribus
nostris*) et les « biens » (en l'occurrence, ce serait la patience),
d'une part, et, d'autre part, les « indifférents » (les circonstances qui mettent le sage à l'épreuve). Sur cette page, cf.
Fredouille, p. 374-378. – **Lata :** cf. Plin., *Lettres*, 4, 12, 7 :
lata gloria. Peut-être y a-t-il un souvenir (transposé) de ce
passage dans Cypr., *De b. pat.*, 20 : « Late patet patientiae
uirtus » ; cf. Conway, p. 171. Pour l'idée, on rapprochera
Idol., 2, 1 : *idololatriae latitudo* ; Van der Nat, comm. *ad
loc.*, p. 46. – **operatio :** mot attesté à partir de Vitruve, mais
très rare avant les trad. de la Bible et Tert. Cf., s'agissant du
Démon et des démons, *Apol.*, 2, 18 : « quaedam ratio
aemulae operationis » ; 22, 4 : « de operatione eorum (= dae-
monum) satis erit exponere » ; etc. *infra*, 16, 4. – **mali :** le
Malin, comme *supra*, 5, 4 ; *Paen.*, 5, 7 ; *Cult.*, II, 5, 4 ; etc.
et sans doute, *Orat.*, 8, 6 (= *Matth.* 6, 13) : la plupart des
auteurs anciens ont en effet entendu le ἀπὸ τοῦ πονηροῦ au
sens personnel (cf. Cypr., *Or. dom.*, 25 ; 27 ; Réveillaud,
comm. *ad loc.*, p. 195). – **ipsius :** = *eius* (sc. *inpatientiae*). Sur
cette équivalence *ipse = is*, cf. L.H.S., p. 190. Cette correction
de Borleffs, paléographiquement satisfaisante (les mss ont
s͞p͞s = spiritus), est sans doute préférable à la leçon de *Bmg*
(aspidum), reprise par Kroymann (pluriel poétique ?) et à
celle des mss, l'une et l'autre aboutissant à une tautologie
avec *mali* (cf. d'ailleurs le parallèle invoqué par Kroymann
lui-même, *Marc.*, IV, 24, 10 : « scimus... figurate scorpios et
colubros portendi spiritalia malitiae, quorum ipse quoque
princeps in serpentis et draconis et eminentissimae cuiusque
bestiae nomine deputetur penes creatorem... ». – **incitamenta :**
vocable peu employé par Tert. (trois autres occurrences seulement : *Paen.*, 2, 10 ; *Praes.*, 27 ,2 ; *Spec.*, 15, 6), sans qu'on

en voie les raisons. Cette désaffection s'étend aux autres mots de la même famille : *incito* n'apparaît qu'une seule fois, et en citation (*infra*, 12, 9) ; *incitatio* est absent de son lexique.

11, 2. contemnas : sur cette invitation au « mépris », cf. p. 32 ; *supra*, 7, 2 ; *infra*, § 9. - **exuperantia** : selon *TLL* s.u. col. 1953, 82 ce terme n'est attesté sûrement qu'en trois autres passages (Cic., *Tusc.*, 5, 105 ; Aul. Gel., *Nuits*, 4, 18, 2 ; 14, 1, 12). - **cedas** : le verbe peut surprendre, car il ne paraît pas correspondre à l'attitude décrite jusqu'ici, ni à l'idée que l'on se fait du sage stoïcien (cf. par ex. l'exhortation finale d'un traité qui a profondément marqué la doctrine du *De patientia*, le *De constantia sapientis*, 19, 4 : « Etiam si premeris et infesta ui urgeris, cedere tamen turpe est »). En réalité, l'attitude héroïque, que Sénèque propose, pour finir, à « l'aspirant à la sagesse », n'est pas celle que Tert juge utile de rappeler à cet endroit du traité. Il s'agit moins pour lui de peindre un idéal irréalisable que de conseiller, compte tenu des réalités humaines, et d'abord de celle-ci : l'homme, même s'il est patient, réagit, ou doit réagir, différemment selon l'importance et la gravité des situations ou des maux auxquels il est affronté. Partant de là, le stoïcisme procédait à deux types d'analyse (qui peuvent être d'ailleurs complémentaires). D'une part, il y a des maux qui atteignent le sage, car il demeure un être sensible : la *patientia*, dit Cic., *Part.*, 81, n'est pas une *duritia immanis*. C'est ce thème qui est développé dans une page du *De const. sap.*, 10, 1. 4 : « L'insulte (*contumelia*) est une injustice moindre (*minor iniuria*). ... Il y a des choses qui atteignent le sage, même si elles ne l'abattent pas, comme la douleur physique, une infirmité, la perte (*amissio*) d'amis et d'enfants, la ruine de sa patrie ravagée par la guerre : je ne dis pas que le sage ne les ressent pas, et nous ne lui attribuons pas, en effet, l'insensibilité (*duritiam*) de la pierre ou du fer. Il n'y a aucune vertu à supporter (*perpeti*) ce qu'on ne ressent pas. Qu'en est-il donc ? Il y a des coups que

le sage reçoit, mais, quand il les a reçus, il les surmonte, il en
guérit les blessures, il en efface la trace ; mais ces choses de
moindre importance (*minora*), il ne les ressent même pas, et,
pour leur faire face, il ne recourt pas non plus à la vertu qui
lui permet, ordinairement, d'endurer les souffrances (*dura
tolerandi*), mais ou bien il n'y fait pas attention, ou bien il
estime qu'il convient d'en rire ». Ce texte a fourni à Tert.
l'opposition entre la *minor* et la *maior iniuria,* la distinction
entre les deux catégories de maux auxquels l'homme peut
avoir à faire face (cf. Fredouille, p. 377). Mais Tert. n'a pas
retenu l'analyse relative à la « sensibilité » du sage, peut-être
parce que, après avoir dit que l'homme patient ignorait la
souffrance (*supra*, 10, 9), il lui a paru délicat d'expliquer que
l'absence de souffrance n'était pas l'absence de sensibilité,
sauf à prévoir un développement long et difficile. Mais un
autre type d'analyse est possible, mettant l'accent non pas sur
l'affectivité et la sensibilité, mais sur le comportement : dans
l'épreuve, le sage réagit en adaptant son attitude aux circonstances (ce sont les καθήκοντα, *officia,* « devoirs de situation » ; cf. Goldschmidt, *Le système stoïcien*, p. 155 s.), cf.
Cic., *Fam.,* 1, 9, 21 : « ut in nauigando tempestati obsequi
artis est, etiam si portum tenere non queas, cum uero id
possis mutata uelificatione adsequi, stultum est eum tenere
cum periculo cursum quem coeperis, potius quam eo commu-
tato quo uelis tamen peruenire, sic... » ; *ad Brut.,* 1, 15, 5 :
« cedebas, Brute, cedebas, quoniam Stoici nostri negant
fugere sapientes » ; etc. Quint., *Inst. or.,* 6, 4, 16 : « ubi uinci
necesse est, expedit cedere ». C'est l'image (*cedere*) que
retient Tert. : dans une situation qui nous dépasse (*exuperantia*), nous devons avoir une attitude pragmatique, dictée par
la patience, au lieu de nous laisser emporter par l'impatience,
le désir de vengeance, etc. – **Vbi... ibi :** duplication comparable de la corrélation avec gradation en *Cult.,* II, 8, 3 : « ubi
Deus, ibi pudicitia, < ubi pudicitia >, ibi grauitas » ; *Praes.,*
43, 5 ; *infra,* 15, 6. – **minor iniuria... maior iniuria :** cf. Sén.,

De const. sap., 10, 1 (cité *supra*). – **patientiae** : sur cette
correction que nous proposons (*inpatientiae* mss), cf.
Fredouille, p. 377, n. 42 (le thème développé, l'inspiration
sénéquisante ne permettent guère de conserver une leçon,
qu'explique vraisemblablement la double proximité de « *iniuria* » et qui correspond à la *lectio facilior*) ; l'idée est
d'ailleurs conforme aux définitions « classiques » de la patience (cf. *SVF* III, § 265, cité *supra*, p. 25). Correction inverse
infra, 12, 9. – **necessarior** : comparatif usuel chez Tert. (*Test.*,
4, 1 ; *Marc.*, I, 17, 4 ; etc.). – **medela** : cf. *Paen.*, 3, 7 :
paenitentia medela. Variation sur le thème de la philosophie
médecine de l'âme (cf. *supra*, 1, 5), et peut-être réminiscence
de quelque maxime (par exemple, Publ. Syr., *Sent.*, 342
(M 34) : « medicina calamitatis est aequanimitas » ; 96
(C 12), cité *supra*, 10, 9.

11, 3. Certemus... sustinere : *certare* + inf., constr. archaïque (Ennius) et post-classique (Ovide, Tacite, etc.) ; cf.
Hoppe, *Synt.*, p. 45. – **a malo** : cf. *supra*, § 1. – **infliguntur** :
cf. *infra*, 15, 7. – **hostis** : conformément à l'étymologie (hébr.
sātān, « adversaire, ennemi »), Satan est couramment appelé
dans le Nouveau Testament Ἀντικείμενος, Ἐναντίος et
surtout Ἐχθρός. Même désignation chez Tert., en *Paen.*, 7, 7,
ou, dans un contexte résolument métaphorique, en *Orat.*,
29, 3 : « Oratio murus est fidei, arma et tela nostra aduersus
hostem, qui nos undique obseruat. Itaque numquam inermes
incedamus. Die stationis, nocte uigiliae meminerimus. Sub
armis orationis signum nostri imperatoris custodiamus,
tubam angeli expectemus orantes ». – **aemulatio** : ici en
bonne part, naturellement, comme ce peut être du reste le cas
dans la langue classique (cf. *TLL* s.u. col. 970, 23 s.) ; il n'y a
donc pas contradiction avec *infra*, 12, 9 : « (dilectio) non
aemulatur ». – **aequanimitatis** : cf. *supra*, p. 32 ; Fredouille,
p. 398. – **Si uero... quae nobis inputamus** : il s'agit des causes
d'impatience « qui sont en nous » (*quae domi*), cf. *supra*, § 1. –

aut inprudentia aut sponte : renouvellement de l'opposition
inprudens – sciens (cf. Cic., *Off.,* 2, 68). Tert. donne ici à
sponte son sens fort et premier (de même en *Vx.,* II, 7, 3 :
« aliud est ultro et sponte in prohibita descendere » ; cf. Sén.,
Luc., 95, 8 : « maxima culpa est sponte delinquere) : cf. en
Paen., 6, 18, l'opposition *sponte - necessitate* (à rapprocher
de celle de *Marc.,* II, 6, 7 : *uoluntate - necessitate*). Distinction comparable en *Pud.,* 10, 1-2, entre les fautes dues à
l'*ignorantia* et celles qui sont commises *conscientiā et uoluntate. –* **superducimus :** = *adicimus, addimus,* sens fréquent
chez Tert., cf. *supra,* 6, 3 ; Hoppe, *Synt.,* p. 139. – **obeamus :**
= *subeamus* (*supra* 1,7 s.u. *subsignant*).

11, 4. Quodsi a domino... : seconde catégorie de circonstances suscitées de l'extérieur (*quae foris*), mais cette fois par
le Seigneur (et non plus par Satan, comme *supra,* § 1-3), pour
mettre à l'épreuve la patience de l'homme. Leur caractère
providentiel explique l'ordre suivi ici par Tert., qui ne traite
pas dans un même développement des causes extérieures
d'impatience (*quae foris*) provoquées par Satan et par le
Seigneur : la différence qui sépare les causes extérieures d'impatience (*quae foris*) suscitées par Satan et celles qui sont
intérieures à l'homme (*quae domi*) est beaucoup moindre, en
effet, que celle qui distingue ces deux séries de causes des
causes extérieures (*quae foris*) provoquées par le Seigneur. –
incuti : symétrique de *iaculantis* (*supra,* § 1), mais l' « intention » n'est plus la même. – **gratulari et gaudere :** Kroymann
supprime *et gaudere* qu'il considère comme une glose. En fait
ce type de duplication synonymique (soulignée comme ici
par l'allitération ou sans allitération) se rencontre abondam-
ment dans toute l'histoire de la langue latine (cf. L.H.S.,
p. 786 s.). Pour Tert., par ex. *Apol.,* 10, 9 : *uenerationis et
honoris* ; 23, 15 ; *dominatio et potestas* ; 45, 6 : *cruciatum
doloremque* ; etc. Löfstedt, *Spr. Tert.,* p. 70 s. Ce sens de

gratulor (« se féliciter », « se réjouir ») est fréquent chez Tert. (*Apol.*, 13, 8 ; *Bapt.*, 20, 1 ; etc.). Même *iunctura* chez Plin., *Lettres*, 6, 26, 1, mais chacun des deux verbes conserve sa valeur propre (« je me réjouis et je vous félicite... ») ; cf. C. Moussy, *Gratia et sa famille*, Paris 1966, p. 123. – **docet :** à juste titre, selon nous, M. Pellegrino, *RFIC* 28 (1950), p. 77, estime inutile la correction *decet* reprise à Latinius par Borleffs. Ajoutons que Tert. recourt volontiers à *docet* précisément pour annoncer ou rappeler une citation scripturaire (*Orat.*, 28, 2 ; *Idol.*, 2, 4 ; *Cast.*, 4,4 ; *Mon.*, 6, 1 ; etc.). – **dignatione :** équivalent de *gratia* dont il est souvent rapproché : *Iud.*, 1, 5. 8 : « cum populus seu gens Iudaeorum anterior sit tempore et maior per gratiam primae dignationis in lege... populus minor... dum gratiam diuinae dignationis consequitur » ; *Vx.*, II, 7, 2 : « ad aliquam uirtutem caelestem documentis dignationis alicuius uocatus » ; *Marc.*, IV, 22, 2 : « in consortio claritatis, quod dignationis et gratiae exemplum est ». – **castigationis :** plus tard Tert. établira une distinction entre la *castigatio*, réservée aux péchés « rémissibles », et la *damnatio* méritée par les péchés « irrémissibles », la première entraînant une *uenia*, la seconde une *poena*, cf. *Pud.*, 2, 12-13 : « alia erunt remissibilia, alia irremissibilia... Nemini dubium est alia castigationem mereri, alia damnationem. Omne delictum aut uenia dispungit aut poena, uenia ex castigatione, poena ex damnatione » ; Le Saint, comm. *ad loc.*, p. 201-202. – **« Ego... castigo » :** en dehors de ce passage, aucune autre citation ou réminiscence de ce verset chez Tert. – **O seruum illum beatum... :** cf. Sén., *De prou.*, 1, 6 : « bonum uirum... (deus) experitur, indurat, sibi illum parat » ; 2, 6 : « Patrium deus habet aduersus bonos uiros animum, et illos fortiter amat et : ' Operibus, inquit, doloribus, damnis exagitentur, ut uerum colligant robur '... » ; 4, 6 : « calamitas uirtutis occasio est » ; Goldschmidt, *Le système stoïcien*, p 123 s. Pour l'influence de Sénèque sur le commentaire de Tert., cf. Fredouille, p. 374-378. – **emendationi :** au sens de

« progrès moral » déjà chez Sén., *Luc.,* 27, 1 ; 50, 8 ; *De ira,* 3, 19, 2. Pour Tert., par ex. *Pud.,* 7, 20 ; 10, 14.

11, 5. adstricti : métaphore usuelle. Dans un contexte voisin, Sén., *Ben.,* 3, 12, 4 : « Aliquis dedit mihi beneficium, sed idem postea fecit iniuriam : utrum uno munere ad patientiam iniuriarum omnium adstringor... ». – **officio patientiae administrandae :** cf. Cic., *De orat.,* 2, 345 : « singularum uirtutum sunt certa quaedam officia ac munera ». *Patientiam administrare :* cf. *supra,* 2, 1 : *patientiam exercere* ; 11, 4 : *patientiam praebere* (cf. Cic., *Tusc.,* 2, 65) ; 11, 9 : *patientiam gerere.* De même, *Orat.,* 19, 5 : *disciplinam administrare* ; *Cult.,* II, 8, 3 : *pudicitiam administrare.* – **qui aliqua ex parte... :** passage difficile. Le syntagme que nous restituons est bien attesté chez Tert. (*Paen.,* 6, 2 ; *Carn.* 5, 8) ; il nous paraît aussi plus « économique », et plus satisfaisant pour le sens, que celui que propose Borleffs (*qua ex parte,* « dans la mesure où » ; cf. Löfstedt, *Spr. Tert.,* p. 101 s.). Peut-être faut-il lire *quaqua ex parte* (cf. *Iei.,* 1, 5) ? Mais ce serait sans doute, après *undique,* une maladresse. – **aut erroribus nostris aut mali insidiis aut admonitionibus domini : :** résumé des §§ 1-4, mais, d'une part, dans un ordre différent (cf. *supra,* § 1 s.u. « quae domi, quae foris »), en un sens plus « logique » ; et, d'autre part, avec un vocabulaire nouveau, plus « biblique » (*mali insidiae, admonitiones domini*), – ce qui permet de rapprocher, pour les opposer, les causes extérieures d'impatience (*quae foris*) suscitées par Satan et par le Seigneur (cf. *supra,* § 4 s.u. « Quodsi a domino... » – ou également plus « stoïcien », les causes d'impatience qui sont en nous (*quae domi*) étant justement considérées comme des erreurs de jugement (cf. Fredouille, p. 376 n. 36). – **interuenimus :** sens délicat à préciser, la signification usuelle, attestée chez Tert. (par ex. *infra,* 15, 2) n'offrant guère ici une traduction directement intelligible ; nous comprenons : « nous nous trouvons au milieu de... », d'où « nous rencontrons, nous nous

heurtons à ». – **merces :** usuel avec cette valeur (cf. Cic.,
Rép., 3, 36 frg. 1, éd. Bréguet, p. 69 : « uult... paene uirtus
honorem nec est uirtutis ulla alia merces »), ce terme a servi à
traduire le gr. néo-test. μισθός (cf. *infra*, § 9). Une *iunctura*
identique ou voisine se rencontre déjà chez Ov., *Hér.*, 17, 9 :
« esset ut officii merces iniuria tanti ? » et Juv., *Sat.*, 5, 13 :
« mercedem... capis officiorum ». Cf. *TLL* s.u. col. 796, 2 s. et
infra, 16, 1. – **felicitas :** cf. *infra*, § 6 s.u. « felices ».

11, 6. felices... « Beati »... : cf. R. Braun, « La notion de
bonheur dans le latin des Chrétiens », *TU* 107 (1970),
p. 177-182 (on relève chez Tert. 35 emplois scripturaires de
beatus contre 11 de *felix* ; mais en dehors des références à
l'Écriture, les applications chrétiennes des deux adjectifs
s'équilibrent ; d'autre part, sur 30 emplois de *felicitas*, une
vingtaine sont en référence chrétienne (cf. *infra*, 13, 7) ; *beati-
tudo* est absent de son lexique). L. Zieske, *Felicitas. Eine
Wortuntersuchung*, Hamburg 1972, n'apporte sur ce point
aucun élément nouveau. – **dicendo :** = *dicens* (cf. *supra*, 5, 24
s.u. *sustinendo*). – **« Beati pauperes spiritu » :** seul passage de
toute son œuvre où Tert. cite la première Béatitude dans sa
version (spiritualisée) matthéenne (Μακάριοι οἱ πτωχοὶ τῷ
πνεύματι, ὅτι αὐτῶν ἐστιν ἡ βασιλεία τῶν οὐρανῶν) ; et il suit
naturellement Matth. pour les suivantes. Ailleurs, ou bien
(*Marc.*, IV, 14-15 ; *Fug.*, 12, 5) il la cite sous sa forme luca-
nienne (qui est la plus primitive), selon laquelle les pauvres sont entendus au sens propre (cf. S. Légasse, *Les pauvres en esprit*, Paris 1974, p. 20), ou bien (*supra*, 7, 3 ;
Vx., II, 8, 5 ; *Idol.*, 12, 2), sans s'astreindre à la citer textuellement, il en propose néanmoins une interprétation « socia-
le ». Cf. E. Peretto, « ʻ Euangelizare pauperibus ʼ (*Lc* 4, 18 ;
7, 22-23) nella lettura patristica dei secoli II-III », *Augusti-
nianum*, 17 (1977), p. 71-100. – **nisi humilis... nisi patiens :** cf.
supra, 3, 1. – **(quis) enim... ? :** = *(quis) autem... ?* Équivalence
attestée à toutes les époques (cf. *TLL* s.u. « enim »,

218 DE PATIENTIA

col. 589, 65 s.). *Supra,* 5, 25, *autem* = *enim.* – **subicere...**
subiectionis : cf. *supra,* 4, 1 ; 5, 5 ; *infra,* 16, 3. *Praes.,* 43, 5 :
« Vbi metus in Deum, ibi... subiectio religiosa ».

11, 7. « **Beati...** lugentes » : autres références à la troisième
Béatitude en *Marc.,* IV, 14, 10 (*Beati plorantes, quia ride-*
bunt) et *Cor.,* 13, 4 (*felices... lugentes*). – **talibus...** promittitur : nous interpréterons *talibus* comme dat. plur. neutre (reprenant *talia*), plutôt que comme un masculin (reprenant,
par syllepse, *Quis... tolerat*), et *promittitur* comme synonyme
de *repromittitur* (cf. *supra,* 5, 18 s.u. *defundens*), malgré
Marc., IV, 14, 11 (« oblectatio et exultatio in iocunditate illis
promittitur, qui diuersa condicione sunt, maestis et tristibus
et anxiis »), dont le sens général est très comparable, mais la
structure syntaxique différente. – **et aduocatio et risus :** Tert.
« contamine » ici Matthieu (μακάριοι οἱ πενθοῦντες, ὅτι αὐτοὶ
παρακληθήσονται) et Luc (μακάριοι οἱ κλαίοντες νῦν, ὅτι
γελάσετε). Précisément, le sens donné ici à *aduocatio* (= *con-*
solatio, παράκλησις), n'est attesté qu'à partir de Tert. et des
trad. de la Bible. Cf. *TLL* s.u. « aduocatio », col. 890, 72 s.).

11, 8. « **Beati mites** » : sur la place de cette Béatitude (qui
n'a pas son correspondant chez Luc), sans doute au second
rang (plutôt qu'au troisième) dans la rédaction primitive, cf.
J. Dupont, *Les Béatitudes,* t. 1, Bruges-Louvain 1958[2],
p. 252-253. – **pacificos :** Béatitude propre également à
Matthieu (μακάριοι οἱ εἰρηνοποιοί, ὅτι αὐτοὶ υἱοὶ Θεοῦ
κληθήσονται). A noter que εἰρηνοποιός est un hapax dans la
Bible. – **Felicitatis :** cf. *supra,* § 6. – **filios Dei :** l'expression est synonyme d'« élus » (cf. Légasse, *op. laud.,* p. 43). –
nuncupat : Tert. traduit ainsi *Matth.* 5, 9 : κληθήσονται (Vulg.
« filii Dei uocabuntur »), escamotant du même coup la valeur
qu'a ici le passif « être appelé » = « être, devenir » (sémitis-
me). – **numquid... ? :** = *num* (cf. L.H.S., p. 542-543). – **adfi-**
nes : + gén. (*pacis*), cf. *supra,* 7, 6. S.-ent. *sunt* (sur l'ellipse

des différentes formes de *esse* chez Tert., cf. Hoppe, *Synt.*, p. 144 s.). – **senserit** : seul exemple de cet emploi chez Tert. ; à rapprocher du tour *uiderit* pour lequel il a une véritable prédilection (cf. Fredouille, *SC* 281, p. 237).

11, 9. « **Gaudete... in caelo** » : Tert. intervertit ici l'ordre des deux versets matthéens (citant *Matth.* 5, 12 avant *Matth.* 5, 11) ; ces deux versets sont cités également en même temps en *Scorp.*, 9, 2, mais selon leur succession normale, et dans une traduction plus littérale. – **exultationis inpatientiae** : = *inpatienti exultationi*. L'idée serait plus claire si elle était formulée positivement : « le Seigneur promet cette récompense (*sc. le ciel*) à la patience de l'exultation » ; autrement dit : cette exultation ne peut être faite que de patience. La place de *non* (« id utique non exultationis... ») ne permet pas d'interpréter : *id exultationis = eam exultationem*. – **in... exultabit** : sur les diverses constructions de ce verbe chez Tert., cf. *SC* 281, p. 265, s.u. « ad... exultant ». – **nisi... contempserit ea... patientiam** : nouvelle insistance sur le lien qui unit « mépris » et « patience » (cf. *supra,* § 2). – **patientiam gesserit** : cf. *supra,* § 5 s.u. « patientiae administrandae ».

12, 1. pacis gratissimae Deo : Dieu est le « Dieu de la paix » (*Rom.* 15, 33 ; 16, 20 ; etc.), comme le rappelle Cypr., *De b. pat.,* 16 (« Sit patientia in corde... ut domicilium pacificum perseueret in corde, ubi Deum pacis delectet habitare »), et Jésus est « notre paix » (*Éphés.* 2, 14). Cf. A. Papes, « Il concetto di pace in Tertulliano », *Salesianum* 42 (1980), p. 341-350. La paix se réalise par le pardon et la réconciliation : la patience ou plutôt la longanimité (la μακροθυμία scripturaire) y joue un rôle éminent (cf. Fredouille, p. 392). – **disciplinam** : l'observation de cette conduite pacifique à laquelle nous invitent les Écritures. Cf. *supra,* 1, 5 ; 4, 1. – **omnino** : dans cet emploi, après pron. ou adv., pour renforcer l'interrog., fréquent chez Tert. (*Nat.,* I, 10, 26 ; *Apol.,* 13, 7 ;

220 DE PATIENTIA

etc.), et d'ailleurs « classique » (Cic., *Marcel.*, 27 ; *Nat. deor.*, 1, 30 ; etc. *TLL* s.u. col. 599, 48). – **natus :** + dat. (*inpatientiae*), cf. *Paen.*, 12, 9 : « Peccator... cum sim nec ulli rei nisi paenitentiae natus » ; *Pal.*, 5, 4 : « nemo alii nascitur, moriturus sibi ». Syntagme usuel : Cic., *Pis.*, 41 : « ille gurges et helluo, natus abdomini suo, non laudi et gloriae » ; *Prou. cons.*, 10 : « Iudaeis et Syris nationibus natis seruituti ». – **septies et septuagies septies :** la conjonction *sed* de la tradition manuscrite, vraisemblablement une réminiscence littérale du verset matthéen (οὐ λέγω σοι ἕως ἑπτάκις, ἀλλὰ ἕως ἑβδομηκοντάκις ἑπτά), ne peut convenir au contexte. Adaptation également libre du même verset dans Cypr., *De b. pat.*, 16 : « ut fratri in te peccanti non tantum septuagies septies sed omnia omnino peccata dimittas ».

12, 2. dirigens : = *se dirigens, intendens, se conuertens*. Cf. *Spec.*, 10, 3 : « ad scaenicos ludos dirigemus » ; *Marc.*, IV, 14, 3 : « Reuera quo dirigam nescio in tanta frequentia eiusmodi uocum, tamquam in silua uel in prato uel in nemore pomorum ». Sens déjà attesté chez Tite-Live, Tacite et Apulée (par ex. *Mét.*, 2, 17, 3 : « si uir es, dirige et grassare nauiter »). Cf. Hoppe, *Synt.*, p. 63-64 ; *Beitr.*, p. 99, n. 3 ; *TLL* s.u. col. 1250, 55 ; mais aucune de ces notices ne signale ce passage. – **conuenientiā :** sens rare (= *pactio, conuentio*), dont huit occurrences seulement sont mentionnées par *TLL* s.u. col. 821, 65 (antérieurement à *Pat.*, 12, 2, uniquement Sic. Flacc., *Grom.*, p. 142, 3 : « conuenientia... possessorum terminos consecrat »). Nous interprétons cette forme comme un abl. adverbial (cf. *Herm.*, 11, 3 : *iniustitiā*, « injustement » ; etc. *Supra*, 5, 21). – **uenena... inpatientiae :** nous croyons préférable de revenir à la leçon des mss. L'expression *uenas... inpatientiae* ne serait pas, en effet, très heureuse : elle semblerait indiquer que, en supprimant la colère, la douleur, etc (qui sont le « sang », *uenae*, c'est-à-dire l'essentiel, le caractère fondamental de l'impatience), on supprime l'impatience, ce qui ferait apparaître celle-ci comme dépendant de celles-là, en contradiction formelle avec les schémas « psychologiques » et « génétiques » décrits *supra*, 5, 6 et 5, 17, faisant de l'impatience la cause des autres maux (douleur, envie, colère). Cette contradiction disparaît si l'on maintient *uenena* : la relation de cause (l'impatience) à effet (la colère) est respectée, sous la formulation métaphorique : l'impatience crache son venin (la colère) ; et, implicitement, l'homme ne pourra se défaire du venin de l'impatience (c'est-à-dire, de ses effets, comme la colère) que si, d'abord, il a supprimé en lui la cause (l'impatience). Cf. *supra*, 5, 1 le développement sur l'origine diabolique de l'impatience (avec en arrière-plan le symbolisme du serpent tentateur) ; d'autre part, *Nat.*, I, 10, 1 : « Effundite iam omnia uenena, omnia calumniae tela infligite huic nomini » ; *Praes.*, 30, 2 : « (haeretici) uenena doctrinarum suarum disseminauerunt » ; *An.*, 21, 5 : « genimina uiperarum (cf. *Mt.* 3, 7-8 ; *Lc* 3, 7) fructum paenitentiae facient, si uenena malignitatis exspuerint ». – **amputarit** : cf. Cic., *Fin.*, 1, 44 : « Ex cupiditatibus odia, discidia, discordiae... nascuntur... ut sapiens solum, amputata circumcisaque inanitate et errore, ... sine aegritudine possit et sine metu uiuere ». Au sens chirurgical du terme, *Marc.*, II, 16, 1-2 : « Quid enim si medicum quidem dicas esse debere, ferramenta uero eius accuses quod secent et inurant et amputent et constrictent. Quando sine instrumento artis medicus esse non possit ? Sed accusa male secantem, inportune amputantem, temere inurentem... » ; sur l'intérêt porté par Tert., comme par ses contemporains, aux questions médicales, cf. Fredouille, p. 423.

12, 3. per absentiam patientiae : selon *TTL* s.u. « absentia », col. 170, 17 s., ce terme a rarement un inanimé pour déterminant (Quint., *Inst. or.*, 5, 7, 1 : « pro diffidentia premitur absentia (*sc.* testimoniorum) » ; mais la référence à Apul., *De Plat.*, 2, 22, n'est pas justifiée) ; pour Tert., cf. *Res.*, 12, 3 :

« reducuntur et siderum absentiae ». – **conuulsus animum :** acc. de relation, d'après Enn., *An.,* 311 V[3] : « perculsi pectora Poeni » ; etc. L.H.S., p. 36-37. – **munus apud altare :** l'offrande eucharistique (le pain et le vin), cf. V. Saxer, *L'eucharistie des premiers chrétiens,* Paris 1976, p. 137. Comme pour les autres actes de la vie religieuse, le pardon préalable s'impose aux fidèles (cf. M. Fini, « *Sacrificium spiritale* » *in Tertulliano,* Bologna 1978, p. 62). – Les premières attestations du sing. *altare* se rencontrent chez Pétr., *Sat.,* 135, 3 et Apul., *De Plat.,* 1, 1, 182. Chez Tert., 3 occurrences sûres du pluriel, contre 19 du sing. (dont trois en citation). – **reconciliando :** dat. final « autonome », comme souvent chez Tert. (*infra,* 13, 1 ; Fredouille, *SC* 281, p. 257), avec ici valeur pronominale du vb. (cf. *supra,* § 2 s.u. *dirigens*) = *ut reconcilietur, se reconciliet.* Ce gérondif dat. final est lui-même construit + dat. (*fratri*), cf. *Marc.,* V, 7, 7 ; cette succession de deux datifs n'est pas sans autre exemple : *Val.,* 8, 1 : « Homo et Ecclesia duos (aeones) amplius (fundunt), aequiperando parentibus », « pour égaler leurs parents » (cf. *SC* 281, p. 234). Il n'est pas exclu cependant que dans le syntagme *reconciliando fratri* il faille analyser *reconciliando* comme un adj. verbal, en sous-entendant *sibi* = « ut (sibi) fratrem reconciliet », « (sibi) fratrem reconciliando », cf. *Paen.,* 11, 3 : « ut Deum reconciliem mihi » ; *Iei.,* 7, 1 : « quod (officium) ... Deum homini reconciliat ». – **reuersus... fuerit :** extension aux verbes déponents des formes surcomposées (cf. Fredouille, *SC* 281, p. 242). La ponctuation proposée par Kroymann (« nisi prius, reconciliando fratri reuersus, ad patientiam fuerit ») ne tient pas compte du tour *reuerti ad patientiam* : cf. Cés., *B.G.,* 1, 42, 2 : *reuerti ad sanitatem,* « revenir à la raison » ; etc.

12, 4. sine patientia manere : cf. *infra,* 14, 7 : « ne sine aliqua patientia uiueret ». – **omnem speciem :** cf. *infra,* 14, 2. – **salutaris disciplinae :** même *iunctura* avec un sens différent en *Apol.,* 47, 11 (= la « doctrine salutaire », c'est-à-

dire le christianisme) et en *Cult.*, II, 9, 7 (= les enseignements
qui apportent le salụt) ; l'expression a son parralèle en Clém.
Alex., *Strom.*, VII, 10, 56, 3 : παιδεία σωτηρίος ; cf. Braun,
p. 484. Ici il s'agit du genre de vie, de la conduite (qui apporte le salut), cf. Morel, *RHE* 40 (1944-45), p. 40. – **gubernet :**
cf. *infra*, 15, 2. – **quid mirum quod... ? :** quoique « classique »
(cf. Cic., *Rep.*, 1, 11), le syntagme *mirum quod* est beaucoup
plus rare que *mirum si*. Sous cette forme précise « quid
mirum quod... ? », *TLL* s.u. « mirum », col. 1075, 48, ne
signale pas d'autre exemple. – **ministrat :** cf. *Vx.*, II, 1, 3 :
« continentia carnis... uiduitati ministrat ». – **lapsis :** pour
désigner une faute morale, déjà chez Cic., *Leg.*, 2, 38 :
« quarum (= ciuitatum Graeciae) mores lapsi ad mollitias... »
(cf. *TLL* s.u. « 1. labor », col. 785, 55). Le sens « technique »
que Cyprien donnera au terme se rencontre déjà chez Tert.,
Praes., 3, 5 : « ... si episcopus, si diaconus, si uidua, si uirgo,
si doctor, si etiam martyr lapsus a regula fuerit ».

12, 5. Haec expectat... salutem : si pour l'ensemble de ce
passage (« Atenim... confert ! ») les corrections apportées par
Kroymann sont arbitraires, et par conséquent n'ont pas été
maintenues ici, il nous a paru en revanche que la transposition qu'il opérait (cf. synopse jointe, p. 228) s'avérait, pour
l'essentiel, indispensable (cf. *infra*, s.u. *inituris*). – **Haec :** cf.
infra, 13, 3 : « haec... aperit » ; 13, 5 : « haec... tenet... ». –
expectat : cf. *Scorp.*, 1, 8 : « (Christus).... salutem de mea
nece expectat » ; *infra*, 15, 2 : « (patientia) paenitentiam
expectat ». – **exoptat :** deux autres occurrences seulement de
ce vb. chez Tert. (*Apol.*, 50, 15 ; *Cult.*, II, 6, 3). – **exorat :**
= *orat*, *implorat* (cf. *supra*, 1, 7 ; 5, 18). Déjà avant Tert. (cf.
TLL s.u. col. 1587, 66). – **paenitentiam... inituris :** cf. *infra*,
12, 7 : « paenitentiam iniit » ; *Paen.*, 2, 5 : « ... Iohannes ' paenitentiam initote ' dicens » (= *Matth.* 3, 2 : μετανοεῖτε = Vulg.
« paenitentiam agite » ; *supra*, 5, 25 : « patientiam inissent ».
Confirmation négative de l'interprétation proposée : il n'y a

aucun exemple d'un tour *salutem inire* chez Tert. (l'expression la plus fréquente pour exprimer cette idée étant *salutem consequi : Apol.,* 21, 16 ; *Scorp.,* 15, 6 ; *Pud.,* 21, 13 ; etc.). Au demeurant, c'est la pénitence qui est antérieure et préalable au salut : *Pud.,* 7, 8 : « (Christus)... praeposuit unius peccatoris salutem ex paenitentia » (Labriolle : « par l'effet de la pénitence »). *Inituris* : à la place qu'il occupe dans les mss (et dans le texte édité par Borleffs), ce mot pose deux problèmes connexes : 1. Tout d'abord, un problème d'ordre grammatical : le pluriel ne peut se rapporter qu'aux deux conjoints désignés implicitement par *disiuncto matrimonio* ; ce ne serait pas impossible syntaxiquement, même si ce pluriel d'apparence indéterminée pour reprendre un « duel » ne semble pas des mieux venus. La difficulté est d'ailleurs accrue du fait qu'entre *disiuncto matrimonio* et *inituris* s'intercale le tour *seu (uiro) seu (feminae)* qui ne prépare guère à une reprise au pluriel (*inituris*), ni grammaticalement, ni « logiquement ». 2. De fait, le second problème soulevé par ce pluriel est d'ordre doctrinal : dans l'exception envisagée par Tert. (qui s'inspire des incises matthéennes), on ne peut mettre sur le même plan le conjoint « innocent » et le conjoint « coupable » : quand bien même le premier aurait quelques responsabilités dans la séparation, c'est le second qui enfreint le principe de l'indissolubilité du mariage, et qui devra se repentir, le premier (le conjoint « innocent ») étant seulement tenu d'attendre, avec patience, la pénitence de l'autre. Or, si l'on admet le pluriel *inituris* qui, à cette place, désigne nécessairement les deux conjoints, on ne tient pas compte, par là même, de la différence de situation entre les deux conjoints. La transposition proposée ici (largement inspirée de celle de Kroymann) a pour elle, semble-t-il, le mérite de la clarté et de la cohérence : 1. Le pluriel *inituris* prolonge le pluriel *lapsis* (ceux qui ont péché et qui vont faire pénitence). 2. Est envisagé ensuite un cas particulier dans lequel intervient la patience, celui de la séparation des ép\oux : celle-ci

peut être due au mari ou à la femme, et peut aboutir, grâce à
la patience, à une réconciliation, si le conjoint « innocent » a
su attendre fidèlement la venue à résipiscence de l'époux
« coupable ». La séquence *disiuncto matrimonio – seu uiro
seu feminae – alterum... alterum – utrique* se trouve donc
substituée à la séquence *disiuncto matrimonio – seu uiro seu
feminae – inituris – utrique – alterum... alterum*. La bibliographie de ce passage est abondante : cf. en particulier
H. Crouzel, *L'Église primitive face au divorce,* Paris 1971,
p. 94-95 ; C. Munier, *L'Église dans l'Empire romain
(IIe-IIIe siècles),* Paris 1979, p. 46-47 (mais les traductions
proposées sont affectées par l'adoption du texte de
Borleffs). – **disiuncto matrimonio** : cf. *Vx.,* II, 2, 8 : « Respon-
debo, si spiritus dederit, ante omnia adlegans dominus magis
ratum habere matrimonium non contrahi omnino quam
disiungi » ; *Marc.,* V, 7, 7 : « ... Apostolus, cum praecipit
mulierem a uiro non discedere aut, si discesserit, manere
innuptam aut reconciliari uiro, et repudium permisit, quod
non in totum prohibuit, et matrimonium confirmauit, quod
primo uetuit disiungi et, si forte disiunctum, uoluit refor-
mari » ; *Cast.,* 1, 5 : « matrimonium morte disiunctum ».
Selon *TLL* s.u. « disiungere », col. 1386, 78 et s.u. « matrimonium », col. 477, 63 l'expression *disiungere matrimonium*
ne serait pas attestée avant Tert. (en revanche on rencontre
disiungere amicitiam, concordiam, etc.). Peut-être l'a-t-il
forgée d'après *Matth.* 19, 6 : ὃ οὖν ὁ Θεὸς συνέζευξεν,
ἄνθρωπος μὴ χωριζέτω = *Marc.,* IV, 34, 2 : « quod Deus
itaque iunxit, homo < non > disiunxerit ». – **ex ea tamen
causa qua licet** : formulation comparable dans un contexte
voisin, en *Marc.,* IV, 34, 4 : « ... qui dimiserit, inquit, uxorem
et aliam duxerit, adulterium commisit, et qui a marito dimissam duxerit aeque adulter est ' (*Lc* 16, 18), ex eadem utique
causa dimissam, qua non licet dimitti, ut alia ducatur ». – **seu
uiro seu feminae** : sur l'égalité des époux et l'identité des
devoirs, cf. Munier, *op. laud.,* p. 59 s. *Viro, feminae,* non pas

226 DE PATIENTIA

compléments de *licet* (on ne saurait, en effet, permettre à
quelqu'un que quelque chose soit réalisé), mais datifs
d' « agent » (comme souvent chez Tert., Hoppe, *Synt.*, p. 25),
dépendant de *sustineri* qui a pour « sujet » non exprimé
disiunctum matrimonium (on permet que quelque chose soit
réalisée par quelqu'un). – **ad uiduitatis perseuerantiam :** cf.
G. Radke, art. « Vidua (uiduus) », *RE* 2, 16, 8 A2, col. 2098,
qui montre, en se fondant essentiellement sur des textes juridiques, que *uidua* ne désigne pas seulement la « veuve », mais
peut s'appliquer ausi à la « femme non mariée » ou à la
« femme divorcée ». En d'autres termes, est appelée *uidua* la
femme dont on veut souligner qu'elle vit « seule » (veuvage,
séparation, divorce, etc.). Pour confirmer le témoignage des
textes juridiques, on peut du reste invoquer l'usage courant :
ainsi Apul., *Mét.*, 4, 32, 4 : « Psyche uirgo uidua domi resi-
dens deflet desertam suam solitudinem... », ou *Apol.*,
92, 8-10 : « Vidua... siue illa morte amisit maritum... seu
repudio digressa est », et Tert. lui-même qualifiant indifféremment les prêtresses de Cérès l'Africaine (tenues de renoncer à
toutes relations conjugales) de *continentes* (*Cast.*, 13, 2) ou
de *uiduae* (*Vx.*, I, 6, 4 : cf. *infra*). Cette idée de solitude (affec-
tive, physique ou sexuelle) est également présente, éventuellement, dans le verbe *uiduo* (cf. *Mon.*, 17, 3) et dans le substantif *uiduitas*, comme il ressort du témoignage du même
Apulée, rappelant la situation de Pudentilla entre la mort de
son premier mari et son remariage avec lui-même, *Apol.*,
69, 1 : « (Pudentilla)... decreuit sibi diutius in uiduitate non
permanendum ; quippe ut solitudinis taedium perpeti posset,
tamen aegritudinem corporis ferre non posset » ; 69, 4 :
« ... uiduitatis eius uelut quandam uirginitatem... ». C'est bien
ce sens que Tert. donne ici à *uiduitas* (= situation d'une
femme séparée et vivant seule), comme en *Vx.*, I, 6, 4 :
« ... uiduas Africanae Cereri adsistere scimus... Non manen-
tibus in uita uiris... toro decedunt... et... perseuerant in tali
uiduitatis disciplina », en *Pud.*, 16, 17 : « Interea et diuortium

prohibens (Apostolus) pro eo aut uiduitatis perseuerantiam aut reconciliationem pacis dominico praecepto aduersus moechiam procurat... » (allusion à *I Cor.* 7, 11 : ἐάν... χωρισθῇ μενέτω ἄγαμος ἢ τῷ ἀνδρὶ καταλλαγήτω, rendu en *Marc.,*, V, 7, 7 : « manere innuptam [= *Pud.*, 16, 17 : « uiduitatis perseuerantiam »] aut reconciliari uiro »), et peut-être (cf. *infra,* 13, 5) en *Cast.,* 1, 4 : « Prima species est uirginitas a natiuitate ; secunda, uirginitas a secunda natiuitate, id est a lauacro, quae aut in matrimonio purificato ex compacto aut in uiduitate perseuerat ex arbitrio ; tertius gradus superest monogamia, cum post matrimonium unum interceptum exinde sexui renuntiatur ». On notera que la même *iunctura* se retrouve dans ces quatre passages : *uiduitatis perseuerantia, in uiduitatis disciplina perseuerare, in uiduitate perseuerare.* – **sustineri** : cf. *Vx.,* II, 1, 3 : « quanto grandis est continentia carnis, quae uiduitati [= *veuvage proprement dit*] ministrat, tanto, si non sustineatur, ignoscibilis uideri potest ». – **alterum (adulterum non facit) :** le conjoint « innocent ». Sa patience lui permettra de supporter sa solitude physique et morale. Comme on l'a souvent relevé, cette formule, et la précédente (*ad uiduitatis perseuerantiam*) montrent que dès cette époque (et nous avons là sa première prise de position sur les secondes noces) Tert. est profondément attaché au principe de l'indissolubilité du mariage. – **alterum (emendat) :** le conjoint « coupable ». La patience – en l'occurrence, celle du conjoint « innocent » –, en ne rendant pas la situation ainsi créée irréversible et adultère (ce qui serait le cas si le conjoint « innocent » se remariait), attend et permet le repentir du « coupable », et son retour au foyer. *Facit* et *emendat* sont des présents *de conatu.* Ce développement est inspiré du *Pasteur* d'Hermas, *Mand.* IV (= 29, 1), 6-8 : « Que fera donc le mari, Seigneur, dis-je, si la femme persiste dans cette passion (*sc. adultère*) ? – Qu'il la renvoie, dit-il, et qu'il reste seul. Mais si, après avoir renvoyé sa femme, il en épouse une autre, lui aussi alors, il commet l'adultère (cf. *Mc* 10, 11 ;

Matth. 5, 32 ; 19, 9 ; *I Cor.* 7, 11). – Et si, Seigneur, dis-je, après avoir été renvoyée, la femme se repent et veut revenir à son mari, ne faudra-t-il pas l'accueillir ? – Certes, dit-il. Si le mari ne l'accueille pas, il pèche, il se charge d'un lourd péché, car il faut accueillir celui qui a péché et qui se repent, mais non beaucoup de fois. Pour les serviteurs de Dieu, il n'y a qu'une pénitence. C'est en vue du repentir que l'homme ne doit pas se remarier. Cette attitude vaut d'ailleurs aussi bien pour la femme que pour l'homme » (trad. Joly, *SC* 53, p. 155). On sait que, plus tard, devenu montaniste, Tert. rejettera l'autorité de ce livre (*Pud.*, 10, 12 : « ... scriptura ' Pastoris ', quae sola moechos amat... inter apocrypha et falsa... » ; cf. P. de Labriolle, *La crise montaniste*, Paris 1913, p. 421 s. ; W.P. Le Saint, *Tertullian, Treatises on Penance*, London 1959, p. 233 s.).

Texte des mss repris, après légères corrections, par Borleffs (*CCL* 1, p. 312-313)	Texte édité par Kroymann (*CSEL* 47, p. 18-19)	Texte proposé dans la présente édition (*SC* 310, p. 100)
XII, 4. Atenim cum omnem speciem salutaris disciplinae (*patientia*) gubernet, quid mirum quod etiam paenitentiae ministrat solitae lapsis subuenire ? 5. Cum disiuncto matrimonio – ex ea tamen causa qua licet seu uiro seu feminae ad uiduitatis perseuerantiam sustineri –	XII. Atenim cum omnem speciem salutaris disciplinae (*patientia*) gubernet, quid mirum quod etiam paenitentiae ministrat ? Solita lapsis subuenire,	XII, 4. Atenim cum omnem speciem salutaris disciplinae (*patientia*) gubernet, quid mirum quod etiam paenitentiae ministrat solitae lapsis subuenire ?

haec expectat, haec exoptat, haec exorat	haec expectat, haec exoptat, haec exorat	5. Haec expectat, haec exoptat, haec exorat
paenitentiam quandoque inituris salutem, quantum boni utrique confert : alterum adulterum non facit, alterum emendat !	paenitentiam quandoque inituris salutem. Quantum boni utrique confert,	paenitentiam quandoque inituris salutem.
	cum disiuncto matrimonio – ex ea tamen causa qua licet seu uiro seu feminae a diuiduitatis perseuerantia sustineri – alterum adulterum non facit, alterum emendat.	Cum disiuncto matrimonio – ex ea tamen causa qua licet seu uiro seu feminae ad uiduitatis perseuerantiam sustineri – alterum adulterum non facit, alterum emendat, quantum boni utrique confert !

12, 6. similitudinum : au sens de « paraboles » ce terme est réservé presque toujours par Tert. à celles de Luc, cf. T.P. O'Malley, *Tertullian and the Bible,* Nijmegen-Utrecht 1967, p. 48 s. ; *Paen.,* 8, 4 (cité *infra*). - **exemplis** : cf. *Orat.,* 6, 3 : « Ita et exemplis inculcat et parabolis retractat, cum dicit : 'Numquid panem filius pater aufert et canibus tradit ?' (*Matth.* 15, 26)... » ; 7, 2 : « Huc enim spectat exemplum parabolae totius » ; etc. Sur les paraboles évangéliques considérées comme des « exemples », cf. H. Pétré, *L'exemplum chez Tertullien,* Dijon 1940, p. 122 s. - **(exemplis) de (paenitentia)** : même si l'on peut admettre que *de* conserve ici son sens plein (« relativement à »), cette substitution du tour prépositionnel au génitif normalement attendu (*supra*, 2, 1 : « ostendens patientiae exemplum » ; *Paen.,* 5, 12 : « Primum

exemplum peruersitatis, quia... » ; etc.) n'en constitue pas
moins un « pré-romanisme » (déjà Ps. Quint., *Decl.,* 247
Ritter, p. 15, 4 : « de summa clementia... fecisti exemplum » ;
cf. *TLL* s.u. « de », col. 73, 80). Peut-être a joué ici le souci
d'éviter une double détermination au génitif (« des exemples
de paraboles » et « des exemples de pénitence ») du type Cic.,
Tusc., 4, 40 : « fratris repulsam consulatus » (« l'échec de son
frère au consulat ») : mais la substitution inverse (« de simili-
tudinibus paenitentiae exemplis », où *de* = « venant de,
empruntés à ») aurait été sans doute plus « logique » ou plus
usuelle (cf. d'ailleurs *Praes.,* 39, 2 : « cum de saecularibus...
scripturis exemplum praesto sit eiusmodi facilitatis »). *Supra,*
3, 10, substitution du tour prépositionnel (« nihil de inpatientia ») au génitif « partitif » (« nihil inpatientiae »). – **paenitentia :** nous croyons devoir reprendre cette correction de
Kroymann. Comme l'indique l'« attaque » de la phrase (« Sic
et... »), celle-ci s'inscrit dans un développement (*supra,* § 4 et
infra, § 7) visant à montrer l'aide que la patience peut apporter à la pénitence, plus exactement : l'aide qu'un « pénitent »
peut trouver auprès d'un entourage patient. Et c'est d'ailleurs
généralement dans un contexte pénitentiel que Tert. se réfère
aux « paraboles de la miséricorde » : cf. *Paen.,* 8, 2-4 : « Non
(dominus) comminaretur... non paenitenti, si non ignosceret
paenitenti. Dubium, si non et alibi hanc clementiae suae pro-
fusionem demonstrasset... Ille est qui ' misericordiam mauult
quam sacrificia ' (*Os.* 6, 6 ; *Matth.* 9, 13)... Quid illa similitudinum dominicarum (= *Lc* 15, 4-32) argumenta nobis
uolunt ?... » ; *Marc.,* IV, 32, 2 (à propos de *Lc* 15, 4-10) :
« Atque adeo exultare illius (*sc.* Dei) est de paenitentia peccatoris, id est de perditi recuperatione, qui se professus est olim
malle peccatoris paenitentiam quam mortem » ; de même
Pud., 7, 1-10, 14. – **sanctis :** bien que Tert., sauf erreur, n'u-
tilise pas ailleurs cet adjectif pour qualifier les *exempla*
scripturaires, on n'a sans doute aucune raison sérieuse d'en
suspecter ici l'authenticité. Cf. *Vx.,* I, 6, 4 : « pietatis... sancta

solatia » ; *Spec.*, 29, 3 : « spectacula Christianorum sancta »
(= les observances chrétiennes et le combat contre l'idolâtrie) ; *Val.*, 1, 3 : « sanctis nominibus et titulis et argumentis
uerae religionis » ; etc. et, naturellement, pour désigner la
Bible, *scriptura (-ae) sancta (-ae)*. – **erroneam :** seule occurrence chez Tert. de cet adjectif qui, selon *TLL* s.u. col.
814, 22, n'est attesté que deux fois avec certitude avant lui
(Colum., *Rust.*, 7, 12, 5 : « (canes) uigilantes... nec erronei,
sed assidui et circumspecti » ; Apul., *De Plat.*, 1, 10, 201 :
« stellas, quas nos non recte erroneas et uagas dicimus »).
L'adj. lui est suggéré par *Matth.* 18, 12 : τὸ πλανώμενον (cf.
Paen., 8, 5 : « Errat... una pastoris ouicula » ; *Carn.*, 8, 3 :
« erraticae ouis » ; *Pud.*, 7, 12 : « oui... error adscribitur » ;
7, 14 : « ouis... errando ») ; ailleurs, en revanche, Tert. reste
plus près de *Lc* 15, 4 : `τὸ ἀπολωλός (Marc.*, IV, 32, 1 :
« ouem... perditam » ; *Res.*, 34, 2 : « ouis... amittitur » ; *An.*,
34, 4 : « ouem perditam » ; *Pud.*, 7, 1 : « ouis perdita »). –
laborem inquisitionis : cf. *Paen.*, 8, 5 : « grex unā (*sc.* ouiculā)
carior non erat, una illa conquiritur ». – **humeris :** cf. *Paen.*,
8, 5 : « et umeris pastoris ipsius (ouicula una) refertur ».

12, 7. Illum quoque prodigum filium... : cf. *Paen.*, 8, 6 :
« Illum etiam mitissimum patrem non tacebo, qui prodigum
filium reuocat, et post inopiam paenitentem libens suscipit,
immolat uitulum praeopimum, conuiuio gaudium suum
exornat ». La seconde parabole (*Lc* 15, 8-10 : « la drachme
perdue ») est donc absente de ce développement. Tert. ne
commente ces trois paraboles en même temps qu'en *Paen.*, 8
et *Pud.*, 7-10. Cf. Pétré, *op. laud.*, p. 125 et 130 s. – **paenitentiam iniit :** cf. *supra*, § 5.

12, 8. Nam : = *iam* (cf. *Herm.*, 43, 2 ; *Prax.*, 6, 3 ; etc.
Hoppe, *Beitr.*, p. 120). La correction proposée par Kroymann
(*iam* précisément) est dès lors sans objet. Pour d'autres cas
comparables, cf. *supra*, 5, 25 : *autem = enim* et 11, 6 : *enim =*

autem. – **dilectio :** cf. H. Pétré, *Caritas*, Louvain 1948,
p. 68 s. : *dilectio* l'emporte sur *caritas*, comme équivalent de
agapè, dans les « vieilles latines », chez Tertullien et Cyprien.
Pour l'interprétation que donne Tert. de l'« hymne à la charité », cf. Fredouille, p. 393 s. ; *supra*, p. 31 s. ; Pétré, *Ibid.*,
p. 58. Seul passage de son œuvre où Tert. se réfère à ce texte
de *I Cor.* 13, 4-7. – **fidei sacramentum :** = *signaculum fidei*
(de même, en *Marc.*, I, 28, 2 et *An.*, 1, 4 ; sans doute aussi en
Bapt., 13, 1 ; mais en *Pud.*, 18, 17 *fidei sacramentum = fidei
mysterium*), cf. W. Le Saint, *Tertullian, Treatises on Penance*, London 1959, p. 268. D. Michaelides, *Sacramentum chez
Tertullien*, Paris 1970, p. 112, propose de traduire ici
« summum fidei sacramentum » par « le principal précepte de
la foi (salutaire) » ; on trouvera *Ibid.*, p. 111, n. 214 un rappel
des principales interprétations du sens de cette formule ici.
La charité est le *summum sacramentum* comme la patience
est la *summa uirtus* (cf. *supra*, 1, 7). – **Christiani nominis :**
= *Christiani* ou *Christianorum*, cf. Schneider, p. 150. –
thesaurus : référence implicite à *Is.* 45, 3 : « dabo illis thesau-
ros absconditos » souvent cité par Tert. (*Marc.*, IV, 25, 4 ;
V, 6, 1 ; V, 14, 9) ? – **apostolus :** cf. *supra*, 7, 5. – **totis uiribus
sancti spiritus :** cf. *Apol.*, 18, 2 : « Viros... (Deus) emisit spiritu diuino inundatos... » ; etc. W. Bender, *Die Lehre über den
Heiligen Geist bei Tertullian*, München 1961, p. 118 s. ;
Fredouille, *SC* 281, p. 195. – **disciplinis :** le pluriel de l'abstrait pour désigner les modalités concrètes qu'il implique
(« les conseils pratiques touchant la conduite », cf. Morel, *art.
cit.*, p. 28).

12, 9. « **Dilectio... magnanimis est** » : *I Cor.* 13, 4 : ʽΗ
ἀγάπη μακροθυμεῖ (Vulg. : « Caritas patiens est »). Première
attestation de *magnanimis* et seule occurrence chez Tert., qui
a sans doute repris ici une trad. latine (cf. Fredouille, p. 408,
n. 163). – « **non aemulatur** » : il existe cependant une *aemulatio* légitime (*supra*, 11, 3), comme il y a une *rationalis indi-*

gnatio (cf. Fredouille, p. 162). – **inpatientiae :** cette correction de Borleffs (patientiae *codd.*) est nécessaire, malgré M. Pellegrino, *RFIC* 28 (1950), p. 77, selon qui *id* reprendrait *non aemulatur* et non pas *aemulatur*. Cf. *infra* : « ' *non* inflatur...' » : *non* enim ad *patientiam* pertinet ». Sur la nécessité d'opérer une correction inverse, *supra*, 11, 2. – **« nec proteruum sapit »** ; gr. οὐ περπερεύεται (Vulg. « non agit perperam »). Acc. d'objet interne (cf. *Apol.* 3, 5 : « nisi si aut barbarum sonat aliqua uox nominis aut infaustum aut maledicum aut inpudicum » ; etc. Hoppe, *Synt.*, p. 17). – **« non proteruit » :** gr. οὐ ἀσχημόνει (Vulg. « non est ambitiosa »). Hapax ?. – **suffert sua :** passage obscur. Les deux derniers éditeurs (Kroymann, Borleffs) supposent une lacune. Cependant, J. Bauer, « Difficilis coniectura ueritatis. Zu Tertullian, pat. 12, 9 und pud. 4, 3 », *Kyriakon, Festschrift J. Quasten*, Münster 1970, t. 2, p. 508-510, propose de faire l'économie de cette hypothèse en donnant à *sufferre* le sens (archaïque) de *dare* que le verbe a par exemple dans Varr., *Rust.*, 2, 4, 19 : « neque mater potest sufferre lac ». C'est, au demeurant, le sens que suggéraient Latinius et Rigault en conjecturant *offert* (conjecture, en fait, inutile, étant donné l'indifférenciation sémantique du préverbe dans la langue tardive, et en particulier chez Tert., cf. *supra*, 1, 7). Cette interprétation se heurte, néanmoins, à deux objections. 1) Une telle acception (*suffert* = *dat, offert*) aboutit à une double banalisation de la pensée : d'une part, il n'y a rien d'étonnant, ni par conséquent rien qui mérite d'être souligné, si la charité fait don de ses biens. Et il est évident, d'autre part, que si la charité fait don de ses biens, c'est dans le dessein d'être utile. 2) On perçoit mal le rôle éminent dévolu à la « patience » dans cette activité de la charité. Aussi bien, si *suffert sua* est la bonne leçon (cf. Fredouille, p. 393, n. 102), convient-il de conserver à *sufferre* son sens usuel, en accord avec tout le passage, de « souffrir, supporter, endurer » (cf. *supra*, 7, 10 : « si eum [= mammona] in tantum amauerimus ut amissum non sufferamus »). La difficulté provient, pensons-nous, de ce que Tert. est ici, une fois encore, tributaire de schémas stoïciens (on rapprochera utilement à cet égard, pour l'idée et son expression, Sén., *Luc.*, 5, 6 : « Infirmi animi est pati non posse diuitias ») : le sage, tout en sachant que sa fortune n'est qu'un « indifférent », se garde de la gaspiller, et cela, dans un double dessein : cette activité lui permet, mieux que la pauvreté, de développer des qualités de modération et de tempérance ; d'autre part, elle lui offre la possibilité d'aider les autres (cf. Sén., *Vit. beat.*, 21-26, en particulier 22, 1 : « Quid autem dubii est quin haec maior materia sapienti uiro sit animum explicandi suum in diuitiis quam in paupertate, cum in hac unum genus uirtutis sit non inclinari nec deprimi, in diuitiis et temperantia et liberalitas et diligentia et dispositio et magnificentia campum habeat patentem ? » ; 23, 4 : « (sapiens) habebit... opes, ... nec ulli alii eas nec sibi graues esse patietur »). La charité ne recherche pas son intérêt, la richesse pour elle-même, mais grâce à la patience elle en assume la gestion, dans la mesure où elle peut être utile. – « **nec incitatur** » : *I Cor.* 13, 5 : οὐ παροξύνεται (Vulg. : « non irritatur »). Seule occurrence de ce verbe chez Tert. Cf. *supra*, 11, 1 : (*inpatientiae*) *incitamenta*. – **ceterum** : = *alioquin* (cf. Hoppe, *Synt.*, p. 109). D'un point de vue formel, le procédé exégétique auquel recourt ici Tert., qui consiste à proposer en regard de chaque expression paulinienne, une explication ou une interprétation, peut dériver de la technique rhétorique : cf., par exemple, la récapitulation des principales accusations et de leur réfutation, dans la péroraison de l'*Apologie* d'Apulée, 103, 2-3 : « D'ailleurs, tu peux compter tous vos griefs, je réponds en deux mots : ' Tu fais briller tes dents ' : la propreté est excusable. ' Tu regardes des miroirs ' : c'est le devoir d'un philosophe. ' Tu fais des vers ' : c'est permis. ' Tu examines des poissons ' : Aristote l'enseigne. ' Tu consacres du bois ' : Platon le conseille. ' Tu prends femme ' : les lois l'ordonnent. ' Elle est plus âgée que toi ' : le

fait n'est pas rare. ' Tu as agi par esprit de lucre ' : prends le
contrats, rappelle-toi la donation, lis le testament ».

12, 10. excidet : *I Cor.* 13, 8 : Ἡ ἀγάπη οὐδέποτε πίπτει
(Vulg. : « Caritas numquam excidit »). Cf. *TLL* s.u. col.
1238, 29 s. – **euacuabuntur :** *I Cor.* 13, 8 : καταργηθήσον-
ται (Vulg. : « euacuabuntur »). En ce sens, souvent chez Tert.
en citation scripturaire (*Pud.*, 6, 5 = *Rom.* 3, 31 ; etc.), mais
également en dehors de toute référence biblique (*An.*, 33, 2 ;
etc.). Cf. *TLL* s.u. col. 984, 63 s. Tert. a remodelé le verset
paulinien (εἴτε δὲ προφητεῖαι, καταργηθήσονται· εἴτε γλῶσσαι,
παύσονται· εἴτε γνῶσις, καταργηθήσεται), en substituant au
mouvement ternaire (εἴτε..., εἴτε..., εἴτε...) un énoncé binaire,
formellement symétrique (3 verbes et 3 substantifs : *euacuabuntur, consummabuntur, exhauriuntur - linguae, scientiae,
prophetiae*), mais morphologiquement et syntaxiquemment
dissymétrique (2 futurs avec pour sujet le neutre *cetera* et
1 présent ayant pour sujet les 3 substantifs), sans doute pour
obtenir un effet d'homéotéleute (désinences *-untur*) et opposer
plus fortement deux verbes au présent (*exhauriuntur* à *perma-
nent.* – **consummabuntur :** *I Cor.* 13, 8 : παύσονται (Vulg.
cessabunt). Confusion (pour *consumentur, perdentur*) attestée
dans les « vieilles latines » et chez Tert. (ici et *Apol.*, 48, 8) :
cf. *TLL* s.u. col. 604, 21 s. – **Christi patientia :** le chap. 3 lui a
été consacré. Sur cette « noua patientia Christi » et sa place
dans l'économie de Salut, cf. *Marc.*, IV, 16, 2 s. (cité *supra*,
p. 172). – **(fides quam...) induxit :** cf. *Marc.*, III, 4, 1 :
« Nouus noue uenire uoluit filius... ut et ipsam fidem mons-
truosissimam induceret ». *TLL* s.u. col. 1237, 59 s. – **spes
quam... expectat :** formellement la *iunctura* est ancienne (cf.
Cic., *Att.*, 3, 22, 4 : « Ego iam aut rem aut ne spem quidem
expecto »). Sur cette composante essentielle de la patience
chrétienne, que Tert. a insuffisamment soulignée (ou perçue),
cf. *supra*, p. 30 s. – **magistro :** cf. *supra*, 3, 3. – **comitatur :**
cf. *supra*, 6, 1 ; *infra*, 15, 7.

2. La « *patientia corporis* » (chap. XIII).

a. L'ascèse (§ 1-4).

Jusqu'ici seule a été envisagée la « patience de
l'âme ». Mais, comme le Seigneur lui-même, les
chrétiens doivent montrer qu'ils sont également
capables de faire preuve de patience dans leur corps
(§ 1). La première manifestation de cette forme de
patience est la mortification (§ 2), qui attire sur nous
la bienveillance divine (§ 3), comme le montre
l'exemple de Nabuchodonosor (§ 4).

b. La continence (§ 5).

Un degré supérieur de patience du corps se manifeste dans la continence. Elle prépare les voies de la
sainteté.

c. Le martyre (§ 6-8).

Mais c'est avec le martyre qu'est atteint le dernier
degré dans la patience de la chair, lorsque celle-ci
afffronte les épreuves de la fuite ou de l'emprison-
nement (§ 6), et, plus encore, du supplice, car la
patience de la chair est la condition indispensable du
salut (§ 7). Car si « la chair est faible », la patience
lui est nécessaire pour résister à toutes les entrepri-
ses qui visent à renverser ou à châtier la foi (§ 8).

13, 1. Vsque huc : au lieu de l'ordre habituel *huc usque,*
généralement respecté par Tert. (cf. *TLL* s.u. « huc », col.
3071, 56 s.), peut-être pour souligner davantage l'articulation
du traité (sur ce souci, cf. *supra,* 11, 1). Ellipse de *dixi* également, avec le même tour, en *Nat.,* I, 19, 1 ; *Marc.,* III, 15, 1 ;
etc. Hoppe, *Synt.,* p. 145-146. – **tandem :** = *tamen.* Archaïs-
me (cf. Non., p. 405 : « ' tandem ' significat et ' tamen ' » ;
L.H.S., p. 497). La correction de Borleffs (*tamen*) s'avère

donc inutile. Pour des faits comparables, cf. *supra*, 5, 25 et
11, 6 (*enim = autem,* et inversement) ; 12, 8 (*nam = iam*). –
simplici et uniformi : Tert. applique ici à la patience (de
l'âme) deux adjectifs qu'il utilise conjointement à trois autres
reprises pour définir l'unité substantielle de l'âme (*An.*, 10, 1 :
« Pertinet ad statum fidei simplicem animam determinare
secundum Platonem (cf. *Phédon,* 80 b), id est uniformem,
dumtaxat substantiae nomine » ; 11, 1 : « animae... quam uniformem et simplicem agnoscimus » ; 11, 6 : « (animam) et
simplicem et uniformem substantiae nomine » ; cf. Waszink,
comm. *ad. loc.* ; J. Moingt, *Théologie trinitaire de Tertullien,*
Paris 1968-69, t. 2, p. 492 s.). L'obscurité qui résulte de cette
transposition est en partie levée par la suite (cf. s.u. « multipliciter »). – **(de patientia... in animo) constituta :** pour le tour
(= *de patientia animi),* cf. *supra,* 7, 5. Il s'oppose naturellement à l'expression qui suit « eandem (patientiam) in corpore » (= *patientiam corporis*) ; cf. *infra,* §§ 2. 3. 5. 6 et
14, 3. – **eandem etiam :** sc. *patientiam.* Sur ce type de pléonasme (cf. *infra,* « ab ipso... quoque » et § 5 : « eadem [sc.
patientia]... quoque »), Bulhart, *Praef.,* § 103. – **demerendo**
domino : dat. final (cf. *supra,* 12, 3 s.u. *reconciliando*). Ce
sens (= *aliquem sibi obligare, alicuius gratiam inire*) est très
fréquent à partir d'Ovide (cf. *Nat.,* II, 8, 2 ; *Apol.,* 18, 3 ; etc.
TLL s.u. col. 479, 13). – **multipliciter :** seule occurrence de
cet adverbe chez Tert., correspondant à *multiformis,* plus
qu'à *multiplex,* par opposition à *supra* « (de patientia)... simplici et uniformi », et éclairé ensuite *infra,* § 5 : « si altiores et
feliciores gradus corporalis patientiae digeramus ». Ce développement appelle deux remarques : 1. Tert. emploie ici le
vocabulaire qui lui servira à définir son anthropologie : si
l'âme est « simple » et « uniforme » originellement, par nature,
elle est « multiforme » cependant par les influences qu'elle
subit, les activités qu'elle manifeste, etc. (*An.,* 20, 2 : « ita et
animam licebit semine uniformem, fetu multiformem » ;
22, 2 : « Definimus animam Dei flatu natam, inmortalem,

corporalem, effigiatam, substantia simplicem, de suo sapientem, uarie procedentem, liberam arbitrii, accidentis obno-
xiam, per ingenia mutabilem, rationalem, dominatricem, diui-
natricem, ex una reduntantem »). On constate donc une transposition de vocabulaire, de l'anthropologie à la morale : la
patience de l'âme est caractérisée par une unité fondamen-
tale, tandis que la patience du corps comporte des degrés.
Cette opposition entre la notion de « degrés » et celle
d'« unité » rappelle les analyses stoïciennes, dont pourtant
Tert. s'écarte sensiblement. En effet, selon le Portique, s'il y
a, naturellement, des degrés dans la douleur (physique et
morale), le sage lui oppose sa vertu, qui est foncièrement
« une », comme est « une » la puissance de son âme, et qui ne
comporte pas de « degrés », de la même façon que le regard
demeure identique, s'il se porte sur du blanc ou sur du noir
(cf. *SVF* I § 375 ; III § 61). On voit donc que Tert. reprend à
son compte la théorie de l'unité de la vertu pour ce qui concerne la patience de l'âme, mais qu'il la rejette en ce qui
concerne la patience du corps : sans doute parce que, dans le
domaine de la patience physique plus que dans celui de la
patience morale, le paradoxe stoïcien, qui repose d'ailleurs
sur l'idée d'intentionnalité et la notion de volonté dans
l'action morale, souvent dénoncé par les anciens (cf. Plut.
Contr., 13), lui a paru heurter trop manifestement le bon sens
et, surtout, rabaisser la dignité et l'héroïsme du martyre.
2. Ce développement porte aussi la marque de l'influence du
dualisme philosophique (cf. Cic., *Fin.,* 5, 34 : « perspicuum
est hominem e corpore animoque constare, cum primae sint
animi partes, secundae corporis »), dont le stoïcisme n'est
parvenu à s'affranchir qu'imparfaitement (cf. J.M. Rist, *Stoic
Philosophy,* Cambridge 1977, p. 256 s.). En distinguant ici
très nettement « patience morale » et « patience physique »,
Tert. l'a même, en un sens, accentué, alors que, selon la perspective stoïcienne, la patience est « une », vertu déployant sa
force dans les épreuves tant morales que physiques (ainsi la

patience de l'âme et celle du corps sont-elles étroitement
associées par Cic., *Off.*, 1, 122 : « haec aetas [*i.e. iuuenum*] a
libidinibus arcenda est exercendaque in labore patientiaque et
animi et corporis » ; de même l'unité anthropologique de la
vertu chez un Caton est bien soulignée par T. Liv.,
39, 40, 11 : « ... in patientia laboris periculique, ferrei prope
corporis animique » ; à l'inverse, chez un Catilina, la résistance physique est opposée à la bassesse morale, Sall., *Cat.*,
5, 1-5 : « Corpus patiens inediae, algoris, uigiliae... Animus
audax, subdolus... » ; sur le dualisme qui se reflète dans ce
portrait, cf. E. Tiffou, *Essai sur la pensée morale de Salluste*,
Paris 1974, p. 38). Mais Tert. s'est dégagé de ce dualisme,
sinon dans les termes, du moins dans l'esprit, en insistant en
particulier sur la « spiritualité » de la « patience physique »
(cf. Fredouille, p. 387), aboutissant même à un retournement
des points de vue traditionnels (cf. Cic., *Fin.*, 5, 34 *supra* ;
Off., 2, 46 : « multo maiora opera sunt animi quam corporis ») puisque la *patientia corporis* se voit conférer une dignité
supérieure à la *patientia animi*, dans l'ordre de l'Esprit et de
la *sanctitas* (la patience par excellence est donc finalement la
patientia corporis, comme chez Valère Maxime [*supra*, p. 24
n. 7], tout au moins en apparence, car la perspective est ici
tout autre). Il n'en reste pas moins vrai qu'il faudra attendre
Augustin, *De pat.*, 10, 8 (*supra*, p. 37) pour avoir une réflexion propre au christianisme sur la patience commune de
l'âme et du corps. – **eandem** (*sc.* **patientiam**)... **adlaboremus :**
= *in eadem laboremus*. Verbe rare, dont *TLL* s.u. col.
1659, 65 ne signale que trois autres occurrences (Hor., *Ep.*,
8, 20 ; *Carm.* 1, 38, 5 ; Porph., *Hor. carm., ad loc.*). – **utpote
quae... edita est :** cf. *Marc.*, I, 26, 1 : « utpote qui... praestat » ;
Iud., 9, 31 : « utpote qui dicebatis » ; Hoppe, *Synt.*, p. 74. – **in
corporis... uirtute :** cf. *infra*, § 6 ; *supra*. – **rector :** en fonction
adj. (comme souvent les subst. en -*tor*, -*trix*, cf. Hoppe, *Synt.*,
p. 94-95). Ce terme trahit d'autant plus l'influence de la philosophie dans ce passage qu'il est usuel chez les auteurs

païens (cf. Sén., *Q.N.*, 7, 25, 2 : « Habere nos animum, cuius imperio et impellimur et reuocamur, omnes fatebuntur ; quid tamen sit animus ille rector dominusque nostri, non magis tibi quisquam expediet quam ubi sit » ; etc.) et que Tert. ne l'utilise pas ailleurs. En termes plus conformes à l'anthropologie chrétienne, il insistera plus tard sur le fait que l'âme et la chair sont unies dans l'« administration de la vie » (*Res.*, 15, 1 : « in uitae administratione ») et étroitement associées pour constituer l'homme (*Res.*, 7, 9 : « Tanta... concretione, ut incertum haberi possit, utrumne caro animam an carnem anima circumferat, utrumne animae caro an anima adpareat carni » ; 40, 3 : « uocabulum ' homo ' consertarum substantiarum duarum quodam modo fibula est ») ; elles sont inséparables ontologiquement, dans l'être, et existentiellement, dans l'agir : il n'est aucune opération humaine qui ne relève conjointement de l'une et de l'autre (cf. Moingt, t. 2, p. 418 s.). Ce qui ne veut pas dire qu'il n'y ait pas une prédominance (*principalitas, patrocinium*) de l'âme (*anima*) dans le composé humain, par rapport d'une part à l'*animus*, d'autre part à la *caro* (*An.*, 13, 3). – **communicat :** cf. *Bapt.*, 4, 5 : « spiritus... dominatur, caro famulatur ; tamen utrumque inter se communicant reatum, spiritus ob imperium, caro ob ministerium » ; *An.*, 37, 2 : « in matre uiuendo cum matre plurimum (fetus) communicat sortem ». Mais pour suggérer une union plus étroite de l'âme et de la chair, Tert. recourra à d'autres termes que *communico, -atio*, par ex. *An.*, 37, 5 : « Societatem carnis atque animae... a congregatione seminum ipsorum » ; 52, 3 : « tantam animae et carnis societatem, tantam a conceptu concretionem sororum substantiarum », et sans doute dès *Paen.*, 3, 6 : « ... carnis et spiritus... tantum communionis atque consortii est » (cf. *supra*, p. 9). – **spiritus inuecta :** cf. *supra*, 3, 4 ; 7, 7 ; *infra*, 15, 2. 4-7. *Inuecta* : seul emploi métaphorique signalé par *TLL* s.u. « inueho », col. 128, 38, de ce part. subst. spécialisé dans un sens technique (« meubles apportés par un locataire »). En accord ici avec

habitaculo. Cf. des métaphores voisines : *Cult.,* II, 1, 1 :
« cum omnes templum Dei simus, inlato in nos et consecrato
Spiritu Sancto, eius templi aeditua et antistes pudicitia est
quae nihil inmundum nec profanum inferri sinat, ne Deus ille
qui inhabitat inquinatam sedem offensus derelinquat » ; *Res.,*
46, 14 : « anima... inquilina est carnis ». – **habitaculo suo :**
terme attesté à partir d'Aul. Gel., *Nuits,* 5, 14, 21 (= repaire),
préféré par Tert. aux métaphores plus traditionnelles pour
désigner le corps comme logis de l'âme : *domicilium* (Sén.,
Luc., 65, 17. 21 ; etc.), *hospitium* (Sén., *Luc.,* 120, 14 ; Apul.,
Apol., 24, 5 ; etc.) ou comme son réceptacle : *uas* (Lucr., *De
rer. nat.,* 3, 440 ; Cic., *Tusc.,* 1, 52 ; etc.), *receptaculum* (Cic.,
Tusc., 1, 52 ; Sén., *Luc.,* 92, 4 ; etc.).

13, 2. **negotiatio :** employé ici avec le sens neutre de *negotium* (cf. *supra,* 10, 1 : « negotium... aut gloriae aut malitiae » ; *Pud.,* 17, 1 : « ... luxuriae et lasciuiae et libidinis
negotia » ; etc.) pour ménager un effet d'homéotéleute (*adflic-
tatio*) ? ou bien le mot conserve-t-il sa valeur métaphorique
(cf. *Mart.,* 2, 6 : « Et si aliqua amisistis uitae gaudia : ' negotiatio est (= « *c'est une bonne affaire de...* ») aliquid amittere,
ut maiora lucreris '. Nihil adhuc dico de praemio ad quod
Deus martyres inuitat » ; *Marc.,* II, 3, 3 : « (Dei) bonitatem,
apparituri boni negotiatricem » ; *Cast.,* 10, 1 : « Per continentiam... negotiaberis magnam substantiam sanctitatis » ;
Pud., 3, 5 : « (Paenitentia)... redit plus utique negotiata,
compassionem scilicet... ») ? – **adflictatio carnis... :** description proche de celle de l'exomologèse en *Paen.,* 9, 3-5 :
« Itaque exomologesis prosternendi et humilificandi hominis
disciplina est, conuersationem iniungens misericordiae illicem.
De ipso quoque habitu atque uictu mandat sacco et cineri
incubare, corpus sordibus obscurare, animum maeroribus
deicere, illa quae peccauit tristi tractatione mutare ; ceterum
pastum et potum pura nosse, non uentris scilicet sed animae

causa ; plerumque uero ieiuniis preces alere, ingemiscere,
lacrimari et mugire dies noctesque ad dominum Deum tuum,
presbyteris aduolui, aris Dei adgeniculari, etc. ... Haec omnia
exomologesis, ut... temporali adflictatione aeterna supplicia...
expungat » ; cf. aussi *Pud.*, 13, 14 : « Hic iam ‘ carnis interi-
tum ’ (*I Cor.* 5, 5) in officium paenitentiae interpretantur,
quod uideatur ieiuniis et sordibus et incuria omni et dedita
opera malae tractationis carnem exterminando satis Deo
facere, ut... » ; W.P. Le Saint, *Tertullian, Treatises on Penance*, London 1959, p. 173-174. Cf. M. Fini, « *Sacrificium spiritale* » *in Tertulliano*, Bologna 1978, p. 12-13. *Infra*, 14, 3
conflictationibus. – **hostia :** sens et construction comparables
en *Orat.*, 28, 3 : « spiritu orantes spiritu sacrificamus orationem, hostiam Dei propriam et acceptabilem ». Cf. Hoppe,
Synt., p. 175. – **per humiliationis sacrificium :** cf. *Paen.*,
9, 3-4 : « exomologesis prosternendi et humilificandi hominis disciplina est... De ipso quoque habitu atque uictu mandat sacco et cineri incubare, corpus sordibus obscurare,
etc. ». Malgré *An.*, 48, 4 (« ut [Daniel] Deum inliceret humiliationis officiis »), il n'y a aucune raison de substituer
officium à *sacrificium* comme fait Borleffs : cf. *Marc.*,
IV, 1, 8 : « ...‘ in omni loco sacrificium nomini meo offertur et
sacrificium mundum ’ (*Mal.* 1, 11), scilicet simplex oratio de
conscientia pura... » ; *Iei.*, 3, 4 (*infra*). *Humiliatio* apparaît
dans les premières trad. de la Bible (= ταπείνωσις) et chez
Tert. (huit occurrences dont une en citation : *Iei.*, 9, 3 = *Dan.*
10, 12). Cf. *TLL* s.u. col. 3099, 33. – **cum angustiā uictus :**
cf. *Iei.*, 3, 4 : « cum (Deus)... ieiunium mandet et animam
conquassatam proprie utique cibi angustiis sacrificium appel-
let » ; *Paen.*, 9, 4 (*supra*). – **(sordes)... libat :** cf. *Idol.*, 6, 3 :
« Illis (idolis) ingenium tuum immolas, illis sudorem tuum
libas ». Déjà Ov., *Pont.*, 1, 9, 41 : « Celso lacrimas adempto
libamus ». – **pabulo puroque potu :** souci analogue d'allitération en *Paen.*, 9, 4 (*supra*). – **cineri et sacco :** *Is.* 58, 5 :
σάκκον καὶ σποδόν ; etc. Cf. *Apol.*, 40, 15 ; *Paen.*, 9, 4

(*supra*) ; 11, 1 ; *Iei.*, 7, 7 ; 10, 13 ; *Pud.*, 5, 14 ; Greg. M.,
Moral., 13, 22 (*CCL* 143A, p. 681) : « Quid ' in sacco et
cinere ' nisi paenitentia... debet intelligi ? » ; C. Schneider,
art. « Asche », *RLAC* I, col. 725, etc. ; H. Edmonds -
B. Poschmann, art. « Busskleid », *Ibid.* II, col. 812 s. ;
E. Haulotte, *Symbolique du vêtement selon la Bible*, Paris
1966, p. 59 ; 118 s. : « La pénitence et le retour au dénuement
originel : le *saq* et la cendre ». — **inolescit** : normalement
construit avec le datif (« croître dans, pousser au milieu de,
vivre dans, s'habituer à » : cf. *Apol.* 40, 10 : « humana gens...
omnibus uitiis et criminibus inoleuit » ; Waltzing, p. 265 ;
Hoppe, *Synt.*, p. 29) ; cf. *supra* 2, 3 s.u. « insolescentes ».

13, 3. patientia corporis : cf. *supra*, § 1. — **precationes** :
trois autres occurrences seulement chez Tert. (*Nat.*, I, 13, 1 ;
Apol., 5, 6 ; 39, 2). — **deprecationes** : terme que Tert.
n'emploie guère plus que le précédent (*Orat.*, 9, 2 ; *Paen.*,
9, 4 ; *Marc.*, IV, 10, 3 ; *Pud.*, 6, 9). Notre traduction tente de
rendre, au prix d'une légère inexactitude (« suppliques »
préféré à « prières » pour *precationes*), l'effet recherché par
Tert. (*precationes-deprecationes*). — **aures** : cf. *Orat.*, 10 :
« ... ne quam a praeceptis, tantum ab auribus Dei longe
simus » ; *Iei.*, 9, 4 : « Ita xerophagiarum miseratio et humiliatio [-ati *Reifferscheid*] metum expellunt et aures Dei aduer-
tunt » ; etc. Thème biblique (cf. *Ps.* 5, 2 ; 16, 1 ; *Dan.* 9, 18 ;
etc. *I Pierre* 3, 12 ; etc. C. Augrain, art. « Écouter », ap.
Vocabulaire de Théologie biblique, Paris 1962, col. 141),
mais également païen (cf. Prop., 1, 1, 31 : « Vos... quibus
facili deus annuit aure... » ; etc. G. Appel, *De Romanorum
precationibus*, Gissae 1909, p. 119 ; pour les autels ornés
d'oreilles votives symbolisant l'attention divine aux prières,
en particulier dans le culte isiaque, P. Roussel, *Les cultes
égyptiens à Délos du IIIe au Ier s. av. J.-C.*, Nancy 1916,
p. 194 ; M. Malaise, *Les conditions de pénétration et de
diffusion des cultes égyptiens en Italie*, Leiden 1972,

p. 218). – **seueritatem... clementiam** : sc. *Dei*. Contrairement
à ce qui est parfois affirmé concernant la conception que
Tert. se fait du *Deus Christianorum*, le thème de la *seueritas
Dei* (cf. *Apol.*, 41, 3 ; *Marc.*, II, 11, 1 ; 11, 2 ; 29, 3 ; IV,
15, 4 ; *Pud.*, 2, 3 ; 18, 14 ; *supra*, 4, 2) n'est pas plus repré-
senté que celui de la *clementia Dei* (cf. *Orat.*, 7, 1 ; *Paen.*,
4, 3 ; 7, 3 ; *Iud.*, 3, 10 ; *Marc.*, II, 13, 5 ; *Iei.*, 7, 1 ; *Pud.*,
10, 7 ; 18, 13 ; 18, 18). – **dispergit** : cf. *Val.*, 1, 4 : « tuam sim-
plicitatem... (Valentiniani) dispergunt ; (= « ils désarment ta
simplicité ») ; *TLL* s.u. col. 1410, 64 s. ; *VChr* 20 (1966),
p. 48. – **elicit** : cf. T. Liv., 5, 6, 3 : « patientiam... quam uel
lusus elicere solet » ; 8, 28, 2 : « quae aetas formaque misericordiam elicere poterat » ; etc. (*TLL* s.u. col. 370, 19 s.).

13, 4. ille rex Babylonius : Nabuchodonosor. Également
cité en exemple, et en termes voisins (cf. *supra*, p. 8), en
Paen., 12, 7 : « Le pécheur qui sait que le Seigneur a institué
l'exomologèse pour son rétablissement négligera-t-il celle qui
a rétabli le roi de Babylone (*Babylonium regem*) dans son
royaume (*in regna restituit*) ? Pendant longtemps, en effet, il
avait fait au Seigneur le sacrifice de sa patience (*paenitentiam
immolarat*), accomplissant l'exomologèse, sept années
durant, dans la saleté (*squalore*), effrayant avec ses ongles
comme ceux des aigles et faisant peur comme un lion avec
ses cheveux en désordre... Celui qui faisait peur aux hommes
trouvait grâce devant Dieu ! ». Rapide allusion en *Marc.*,
II, 17, 2. – **paedore** : archaïque et rare (cf. Pac., *Medus*,
255 W = Cic., *Tusc.*, 3, 26 : « Situm inter oris barba paedore
horrida » ; Lucr., *De rer. nat.*, 6, 126 ; etc.), ce terme apparaît en deux autres passages de Tert., et chaque fois associé,
comme ici, à *squalor* : *Cult.*, II, 5, 1 : « nec de bono squaloris
et paedoris suademus » et *Res.*, 8, 5 : « in carceribus (caro)
maceratur teterrimo lucis exilio, penuria mundi, suqalore,
paedore, contumelia uictus ». – **ab humana forma exulasset** :
le contexte, comme celui, plus réaliste, de *Paen.*, 12, 7 (cité

supra), paraît justifier notre traduction : Nabuchodonosor
n'avait plus figure humaine, il ressemblait à une bête (cet
emploi figuré de *exulare* [= *ab aliqua re alienum, expertem
alicuius rei esse*], quoique rare, est attesté depuis Apulée, cf.
TLL s.u. col. 2107, 82). Il n'est pas exclu cependant que Tert.
ait voulu rendre *Dan.* 4, 30 : ἀπὸ τῶν ἀνθρώπων ἐξεδιώχθη
(Vulg. : « ex hominibus abiectus est »), et qu'il faille comprendre par conséquent : « il vécut à l'écart de toute figure humaine » (cf. *Bible de Jérusalem :* « il fut chassé d'entre les
hommes »), idée qui est du reste également présente dans le
passage de *Paen.,* 12, 7 cité *supra* : « Quem homines perhor-
rebant ». – **immolata patientia :** cf. *Paen.,* 12, 7 (*supra*) :
« paenitentiam Domino immolarat » ; *Iei.,* 10, 13 ; « Haec erit
statio sera quae ad uesperam ieiunans pinguiorem orationem
Deo immolat » ; *Pud.,* 10, 2 : « illum lugere, illum uolutari,
qui sciat et quid amiserit et quid sit recuperaturus, si paenitentiam Deo immolarit ». En contexte païen : *Apol.,* 6, 10 :
« licet Baccho... furias uestras immoletis ». – **satis Deo fecit :**
Tert. est le premier à avoir explicitement considéré la pénitence comme une « satisfaction » donnée à Dieu (*Paen.,* 5, 9 :
« qui per delictorum paenitentiam instituerat Domino satisfa-
cere » ; etc. Cf. W.P. Le Saint, *Treatises on Penance,* p. 155-
156 ; M. Brück, « Genugtuung bei Tertullian », *VChr* 29
(1975), p. 276-290). *Supra,* 3, 8, la « satisfaction » consiste,
concrètement, en une « réparation » physique émanant du
Christ (épisode de Malchus).

13, 5. feliciores : cf. *supra,* 11, 6. – **gradus :** cf. *Cast.,*
1, 3-4 : « Id bonum, sanctificationem dico, in species (Deus)
distribuit complures... Prima species est uirginitas a natiuitate ; secunda, uirginitas a secunda natiuitate, id est lauacro,
quae aut in matrimonio purificat (purificato *Kroymann*) ex
compacto aut in uiduitate perseuerat ex arbitrio ; tertius
gradus superest monogamia, cum post matrimonium unum

interceptum exinde sexui renuntiatur » ; W.P. Le Saint,
Tertullian, Treatises on Marriage and Remarriage, London
1951, p. 135, relève une imprécision dans la distinction entre
le second et le troisième degré (on perçoit mal la différence
qui sépare la viduité et la monogamie telles qu'elles sont ici
définies) : mais cette difficulté disparaît si l'on prend ici
uiduitas dans le sens que le mot revêt *supra,* 12, 5 : « état
d'une personne vivant seule ». Si Tert. situe naturellement
la « uirginitas a natiuitate » dans l'ordre de la *felicitas* (cf.
Cast., 1, 5 : « Prima uirginitas felicitatis est... » ; 9, 5 : « Non
tibi sufficit de summo illo immaculatae uirginitatis gradu in
secundum recidisse nubendo ?... » ; de même, *Vx.,* I, 8, 2 ;
Virg., 2, 3 ; etc.), il souligne les mérites éminents de la continence dans l'ordre de la *uirtus* (*Vx.,* I, 8, 2-3 : « Licet in illis
[*sc.* uirginibus] integritas solida et tota sanctitas de proximo
uisura sit faciem Dei, tamen uidua habet aliquid operosius,
quia facile est non appetere quod nescias et auersari quod
desiderauberis numquam. Gloriosior continentia quae ius
suum sentit, quae quid uiderit nouit. Poterit uirgo felicior
haberi, at uidua laboriosior : illa, quod bonum semper
habuit, ista, quod bonum sibi inuenit » ; *Cast.,* 1, 5 : « secunda [*sc.* uirginitas a secunda natiuitate] uirtutis est,
contemnere cuius uim optime noris »). Cf. C. Munier, *L'Égli-
se dans l'Empire romain (IIe-IIIe siècles)*, Paris 1979, p. 11 s.
– **corporalis patientiae :** cf. *supra,* § 1. – **digeramus :** cf.
supra, 5, 2. – **eadem... quoque :** pléonasme comparable *supra,*
§ 1 : *eandem etiam.* – **sanctitati :** sur le contenu sémantique
du terme chez Tert., cf. *SC* 281, p. 211 ; *infra,* s.u. « continentia carnis ». – **procurat :** *praecuro* n'est attesté, semble-t-il,
chez Tert. qu'en un autre passage, avec un sens tributaire
lui-même d'une construction controversée, mais de toute
manière en emploi transitif (*Marc.,* II, 29, 4 : « qui [= Deus]
res suas... bona, ut rationali, aemulatione maturitatis [-tati
Kroymann] praecurauerit suo iure »). En revanche, *procuro*
est très fréquent chez Tert., qui l'utilise volontiers en cons-

truction absolue + datif (ce qui serait le cas ici) : *Bapt.*, 3, 6 :
« si quae (aqua) uitam terrenam gubernat, etiam caelesti (*sc.
uitae*) procurat » ; *Vx.*, I, 8, 3 : « quae (modestia) pudori
procurat » ; *Marc.*, I, 25, 7 : « aemulatio... liberando homini
procurat » ; etc. Mais ces arguments, tant négatifs que posi-
tifs, en faveur de la correction *procurat* ne sauraient être
absolument déterminants, surtout quand on sait l'indifférenciation sémantique du préverbe dans la langue de Tert. (cf.
supra, 1, 7). – **continentiā carnis** : si Tert. emploie *continentia*, sans autre détermination, avec le sens de *castitas,
pudicitia* (par ex. *Pud.*, 1, 16 ; 16, 14 ; 16, 21), des *iuncturae*
comme *continentia carnis*, que l'on retrouve en *Vx.*, II, 1, 3,
ou comme *continentia nubendi*, en *Cast.*, 4, 4, montrent que
le terme *continentia* conserve encore (contrairement à ce que
suggère *TLL* s.u. col. 699, 20 s.) le sens étymologique
(« modération », « maîtrise ») qu'il avait dans la langue
commune (cf. Cic., *Pomp.*, 67 : « Ora maritima... Cn.
Pompeium non solum propter rei militaris gloriam, sed etiam
propter animi continentiam requisiuit »). La correction de
Borleffs (continentiam *OB*) est nécessaire : la *continentia
carnis* est le moyen mis en œuvre par la *patientia* pour
accéder à la *sanctitas* (ce qui indique bien que la *sanctitas* ne
saurait se réduire purement et simplement à la *continentia*,
quoi qu'on ait pu écrire à ce sujet, et s'il est exact que Tert.
attache à cette dernière la plus grande importance. Cf. en
dernier lieu G.L. Bray, *Holiness and the Will of God. Perspectives on the Theology of Tertullian*, London 1979,
p. 124 s. qui, tout en se faisant l'écho des vues traditionnelles
sur le sujet, insiste sur les antécédents « romains » de l'ascé-
tisme de Tert.). – **uiduam... uirginem... uoluntarium spadonem** : ces trois catégories de « continents » ne se trouvent
réunies que dans un autre passage, du reste polémique,
puisqu'il s'agit de *Marc.*, I, 29, 1 : « Non tingitur apud illum
(= *le Dieu de Marcion*) caro, nisi uirgo, nisi uidua, nisi
caeleps, nisi diuortio baptisma mercata, quasi non etiam

spadonibus ex nuptiis nata ». Sur les « continents » dans
l'Église ancienne, cf. J. Dauvillier, *Les temps apostoliques
(1er siècle)*, Paris 1970, p. 351 s. ; à compléter par E. Schulz-
Flügel, *Q.S.F. Tertulliani De uirginibus uelandis*, Einl.,
Text, Uebersetz. und Kom., Diss. Göttingen 1977, p. 39 s. ;
C. Munier, *op. laud.*, p. 7 s. ; G. Sanders, « Les galles et le
gallat devant l'opinion chrétienne. La position de Tertullien »,
Hommages à M. J. Vermaseren (M.B. de Boer & T.A. Edrid-
ge édit.), Leiden 1978, t. 3, p. 1062-1091, en particulier
p. 1074-1080 (les trois types de *spadones* distingués par
Matth. 19, 12 chez Tert. : pour le troisième (l'« eunuchisme
spirituel »), outre ce passage-ci, cf. *Cult.*, II, 9, 7 ; *Vx.*, I, 6, 2 ;
Res., 61, 6 ; *Virg.*, 10, 1 ; *Mon.*, 3, 1 ; 5, 6 ; 7, 4 ; 8, 4 ; 8, 7 ;
17, 1). – **tenet :** = *continet*. Cf. *supra*, 5, 18, s.u. *defundens* ;
Orat., 29, 2 : « (oratio) ... lapsos erigit, cadentes suspendit,
stantes continet ». – **adsignat :** = *tamquam sigillo impresso
signat, confirmat.* Cf. *infra*, 15, 2 ; *Apol.*, 46, 9 : « Christianus... totum quod in Deum quaeritur re quoque adsignat » ;
Pud., 21, 1 : « (apostolorum) disciplina hominem gubernat,
potestas adsignat » ; etc. *TLL* s.u. col. 890, 27 (Tert. paraît
être le premier à utiliser ce verbe avec cette valeur). De
même, avec un autre préverbe, en *Vx.*, I, 6, 2 : « Quot enim
sunt qui statim a lauacro carnem suam obsignant ? » (mais
en *Cult.*, II, 9, 7 : « multi... se spadonatui obsignant », *obsi-
gnare* a le sens usuel d'*adsignare*, « assigner », « attribuer »,
comme *supra*, 1, 7 : *subsignare*. – **ad regna caeli leuat :**
*Matth.*19,12 : καὶ εἰσὶν εὐνοῦχοι, οἵτινες εὐνούχισαν ἑαυτοὺς
διὰ τὴν βασιλείαν τῶν οὐρανῶν (Vulg. : « et sunt eunuchi qui
seipsos castrauerunt propter regnum caelorum »). *Cult.*,
II, 9, 7 : « multi... se spadonatui obsignant, propter regnum
Dei » ; *Vx.*, I, 6, 2 : « Quot enim sunt, qui statim a lauacro
carnem suam obsignant ? Quot item, qui consensu pari inter
se matrimonii debitum tollunt, uoluntarii spadones pro cupiditate regni caelestis ? » ; *Mon.*, 3, 1 : « ipso domino spadonibus aperiente regna caelorum » ; 7, 4 : « spadones... inuitati

in regna caelorum ». Sur l'échec de Tert. dans sa tentative
d'imposer *spado* pour désigner l'« eunuque spirituel », cf.
Sanders, *art. cit.*

13, 6. de uirtute animi : cf. *supra*, § 1. – **in carne perficitur** : atténue la dichotomie entre « patience du corps » et
« patience de l'âme » (cf. Fredouille, p. 387). – **denique** : cf.
supra, 6, 1, ici à une place qui vise à donner à l'expression
une plus grande solennité. – **Si fuga urgeat** : à rapprocher
d'*Vx.*, I, 3, 4 : « ... in persecutionibus melius ex permissu
(= *Matth.* 10, 23) fugere de oppido in oppidum, quam compre-
hensum et distortum negare ». Cf. *supra*, p. 8. – **incommoda... militat** : sur cette construction + acc. d'objet interne,
cf. E. Löfstedt, *Syntactica*, I, Lund 1928, p. 203 ; *TLL* s.u.
« milito », col. 968, 43 s. Cf. Pl., *Persa*, 232 ; Hor., *Epo.*,
1, 23-24 : « Libenter hoc et omne militabitur / bellum... » ;
Aug., *C. Petil.*, III, 12, 13, *CSEL* 52, p. 174 ; « hanc militiam
militantibus seruis Dei » ; Ennod., *Carm.*, I, 15, 18, *CSEL* 6,
p. 547 : « qui bella Christi militat ». La discordance modale *si
urgeat – militat* (*si praeueniat – [est]*), attestée dans la langue
classique (cf. L.H.S., p. 663), répond sans doute ici à une
intention stylistique (« S'il arrive que..., dans ces circonstances, de fait, on voit que la chair... »). – **praeueniat** : *sc.* « avant
que la fuite ait été possible ». – **ligno** : selon Rigault, et *TLL*
s.u. col. 1389, 48, souvenir d'*Act.* 16, 24 : ἔβαλεν αὐτοὺς εἰς
τὴν ἐσωτέραν φυλακὴν καὶ τοὺς πόδας ἠσφαλίσατο αὐτῶν εἰς
τὸ ξύλον (Vulg. : « misit eos in interiorem carcerem et pe-
des eorum strinxit ligno »). Cf. Prud., *Perist.*, 5, 251-252 :
« lignoque plantas inserit / diuaricatis crucibus ». – **et in illa
paupertate lucis et in illa penuria mundi** : cf. *Res.*, 8, 5 : « in
carceribus (caro) maceratur teterrimo lucis exilio, penuria
mundi, squalore, paedore, contumelia uictus ». La correction
penuria a sur celle de Borleffs (*absentia*) le double avantage
de forger une expression attestée par ailleurs chez Tert. et de
permettre, dans ce passage de structure binaire, une allitéra-

tion (*paupertate/penuria*). Une seconde occurrence seulement de *paupertas* chez Tert., en *Cast.*, 12, 2 : « Aliquam uxorem spiritalem assume de uiduis, fide pulchram, paupertate dotatam, aetate signatam ».

13, 7. experimentum felicitatis : *TLL* s.u. « experimentum », col. 1655, 83, ne signale pas d'autre exemple de cette périphrase désignant le martyre. Sur la notion de bonheur eschatologique en liaison avec le martyre, cf. Braun, *art. laud.*, p. 179-180 (*Scorp.*, 1, 13 ; 12, 9 : « Quinam isti tam beati uictores, nisi proprie martyres ? » ; 13, 10 : « Vides quam martyrii definiat felicitatem... ») ; *supra*, 11, 6. – **secundae intinctionis :** le martyre, second baptême : l'idée est fréquemment exprimée chez Tert. (cf. *Bapt.*, 16, 1 : « Est quidem nobis etiam secundum lauacrum... sanguinis, de quo dominus ' Habeo, inquit, baptismo tingui ', cum iam tinctus fuisset. Venerat enim ' per aquam et sanguinem ' sicut Iohannes scripsit (*I Jn* 5, 6), ut aqua tingueretur, sanguine glorificaretur » ; *Pud.*, 22, 9-10 : « Quod sciam, et martyrium aliud erit baptisma. ' Habeo enim, inquit, et aliud baptisma ' (*Lc* 12, 50)... » ; etc.), et plus généralement chez tous les Pères des premiers siècles depuis Ignace d'Antioche (*Aux Romains*, 2-6), cf. A. d'Alès, *Théologie de Tertullien*, p. 329 s. ; 419 s. ; W.P. Le Saint, *Tertullian, Treatises on Penance*, London 1959, p. 296 (bibliographie). *Intinctio* est, vraisemblablement, une création de Tert. (cf. Hoppe, *Beitr.*, p. 137 ; *TLL* s.u. col. 20, 31), mais à laquelle il n'a eu recours qu'en huit occasions, y compris ce passage (les sept autres occurrences étant toutes concentrées dans le seul *De paenitentia*), lui préférant le mot d'origine vulgaire, *lauacrum*, et surtout le terme grec, sous sa forme translittérée, *baptisma* ou, latinisée, *baptismus*. Cf. St. W.J. Teeuwen, *Sprachlicher Bedeutungswandel bei Tertullian*, Paderborn 1926, p. 47 ; C. Mohrmann, « Les emprunts grecs dans la latinité chrétienne », p. 199 s., *VChr* 4 (1950, p. 193-211 (= *Études sur le latin des chrétiens*,

III, Roma 1965, p. 133 s.). A noter qu'*intinctio* ne paraît
attesté, après Tert., que chez Jér., *Lettres,* 125, 1, 1 et Isid.,
Orig., 19, 10, 1, avec le sens étymologique et profane (« action
de mouiller, de tremper »), et d'autre part dans le Cod. Théod.,
10, 21, comme synonyme de « tinctura ». Contrairement à ce
qu'indique Blaise, *Dict.,* p. 818, *tinctio* n'est pas attesté chez
Tert. – **diuinae sedis ascensum** : peut-être souvenir d'*Amos*
9, 6. Sur les dix occurrences sûres d'*ascensus* chez Tert., sept
le sont en citation explicite ou implicite de ce verset (cf.
Scorp., 10, 7 : « si item audisti apud Amos ' qui ascensum
suum aedificat in caelos... '. » ; *Marc.,* III, 34, 13 ; etc.). Si
diuina sedes (non signalé par H. Fine, *Die Terminologie der
Jenseitsvorstellungen bei Tertullian,* Bonn 1958) ne se retrouve pas ailleurs sous la plume de Tert., on peut en rapprocher toutefois *Apol.,* 1, 2 : « Scit (ueritas) se... sedem... in caelis habere » ; 17, 6 : « (anima naturaliter Christiana) ad caelum respicit. Nouit enim sedem Dei uiui » ; *Res.,* 41, 4 : « quo
dissoluto (domicilio mundi) aeterna sedes repromittatur in
caelis » ; *Prax.,* 23, 4 : « ...' Pater noster qui es in caelis '
(*Matth.* 6, 9)... Hanc sedem suam uoluit Pater ». Selon l'es-
chatologie de Tert., les âmes des martyrs ont le privilège
d'être accueillies directement au « paradis », sans avoir à attendre aux enfers le jour du Seigneur (cf. *An.,* 55,5 : « Tota
paradisi clauis tuus sanguis est » ; *Res.,* 43, 4 : « nemo enim
peregrinatus a corpore statim inmoratur penes dominum, nisi
ex martyrii praerogatiua, paradiso scilicet, non inferis, deuer-
surus »). L'expression « ad ipsum diuinae sedis ascensum »,
pour désigner le séjour des âmes des martyrs, apporte donc
une confirmation supplémentaire à la thèse défendue par
Waszink, p. 554 (suivie par Fine, *op. cit.,* p. 226 s.) selon laquelle Tert. situe ce paradis non pas sur terre, mais dans les
cieux, auprès de Dieu (cf. *Mart.,* 3, 3 ; *Apol.,* 47, 13 ; *An.,*
55, 4). Cf. *supra,* 5, 14. – **nullă** : s. ent. *habet, facit, ualet.* –
« spiritus promptus... » : l'interprétation que Tert. a donnée de
ce verset a évolué : dans ses premiers traités (*Ad martyras,*

De patientia, Ad uxorem), Tert. comprend *spiritus* comme désignant l'âme ; par la suite (*De fuga, De monogamia, De pudicitia*), comme désignant le don de l'Esprit opéré par le Paraclet (cf. S. Vicastillo, « La ' caro infirma ' en la antropología de Tertuliano », *Espíritu* 26 (1977), p. 113-120). – **salus spiritus et carnis :** cf. *Mart.*, 4, 2 : « Colloquatur spiritus cum carne de communi salute ».

13, 8. pronuntians : Tert. utilise très volontiers ce verbe (ainsi que le substantif correspondant *pronuntiatio*) pour désigner les manifestations de la Parole divine rapportée par l'Écriture, cf. Braun, p. 461-462. – **quid... patientiă :** *quid* sujet de *opus sit, patientiă* étant apposition à *quid. Ei firmandae = ad firmandam eam* (cf. Hoppe, *Synt.*, p. 55 s. ; *supra*, 4,2). D'autre part, *firmare aduersus* + acc.; est une construction usuelle (Sén., *Nat.*, 6,32,2 ; Tac., *Hist.*, 4,22, ; *Ann.*, 15,59,10 ; etc.). – **scilicet :** cf. *infra*, 15,6 ; 16,1. – **subuertendae fidei :** même expression pour désigner le danger hérétique, plus grave encore pour la foi que les persécutions, *Praes*, 1,1 : « haereses.. fidem quorundam subuertunt ». – **paraturam :** vocable attesté pour la première fois chez Tert. (une trentaine d'occurrences), peut-être emprunté à la langue militaire, et qu'il utilise dans des contextes divers (« apprêt », « appareil », « ensemble de choses préparées », etc.), cf. Braun, p. 468 s. Rapprocher de ce passage *Scorp.*, 10, 13 : « ... omnem ordinem persecutionis, omnem eius causam formam paraturam... ». – **uerbera ignem crucem bestias gladium :** les cinq modes d'exécution appliqués aux chrétiens, les deux premiers (tortures et crémation) étant, pour Tert., les plus terrifiants (cf. R. Braun, « Sur la date, la composition et le texte de l'*Ad Martyras* de Tertullien », p. 226 ; 229, *REAug* 24 (1978), p. 221-242). Cf. *Nat.*, I, 18, 1 : « quod neque gladios neque cruces neque bestias uestras, non ignem, non tormenta... recusemus » ; *Mart.*, 4,2 : « Timebit forsitan caro gladium grauem et crucem excelsam et rabiem bestiarum et summam ignium poenam et omne carnificis ingenium in tormentis » ; etc. Tert. ne mentionne pas toujours ces cinq supplices (*Scorp.*, 1,11 ; *An.*, 56,8 ; *Res.*, 8,5). En dernier lieu, C. Munier, *op. laud.*, p. 232-233 (bibliographie). – **constantissime** : cf. *supra*, 3,7. – **toleret... sustinendo** : le rapprochement des deux verbes, comme du reste *supra*, 12,9, en citation de *I Cor.* 13,7, prouve qu'ils sont quasi synonymes. Mais Tert. montre dans le traité une nette préférence pour le second : il y a en effet dans le *De patientia* 3 occurrences de *tolero* et 21 de *sustineo* (contre respectivement, pour l'ensemble de l'œuvre, 16 occurences de *tolero* et environ 150 de sustineo). Pour *patior*, il n'y a que 3 occurrences de formes verbales dans le *De patientia* (dont 2 sont appliquées au Père et au Fils), contre près de 300 pour l'œuvre entière ; mais sur 18 occurrences de la forme de part.-adj. *patiens*, 7 se lisent dans le *De patientia*. Pour ce qui est des substantifs, *tolerantia* est absent du traité, mais paraît avoir été préféré ensuite à *patientia* (cf. Fredouille, p. 406 s.), tandis que *passio* n'y est employé qu'une fois (*supra*, 3, 11). – **prophetae... apostoli** : annonce les exemples du chapitre suivant (Isaïe, Étienne, Job), les deux termes étant pris ici en un sens large, puisque, à proprement parler, Job n'est pas un « prophète », ni Étienne un « apôtre ». Pour ce sens large de *propheta* (*-tes*) et *apostolus* chez Tert., cf. J.E.L. Van der Geest, *Le Christ et l'Ancien Testament chez Tertullien*, Nijmegen 1972, p. 44 s. ; 62. Dans un contexte comparable, Étienne est également compté parmi les « apôtres » en *Scorp.*, 15, 1-2 : « Quae... passos apostolos scimus... Acta decurrens... Carceres illic et uincula et flagella et saxa et gladii et impetus Iudaeorum et coetus nationum et tribunorum elogia et regum auditoria et proconsulum tribunalia et Caesaris nomen interpretem non habent. Quod Petrus caeditur, quod Stephanus opprimitur, quod Iacobus immolatur, quod Paulus distrahitur, ipsorum sanguine scripta sunt ». Sur ce souci des transitions dans ce traité, cf. *supra,* p. 209.

3. Exemples de patience (chap. XIV).

   a. Exemples de patience du corps : Isaïe et Étienne
(§ 1).

   b. Exemple de patience de l'âme et du corps (§ 2-7).

      C'est en vain que le Diable a cherché à atteindre
Job, en le faisant souffrir moralement et physiquement (§ 2). Dans toutes ces épreuves, il a été un
témoignage édifiant de patience de l'âme et du corps
(§ 3), et celle-ci lui a permis de remporter sur le
Diable une éclatante victoire (§ 4), qui a provoqué la
joie de Dieu (§ 5). Job recouvra la santé et le double
de ce qu'il avait perdu (§ 6). Ses fils aussi lui
auraient été rendus, s'il n'avait préféré différer
jusqu'au grand jour la joie de les retrouver, pour
montrer encore sa patience (§ 7).

14, 1. secatur Esaias : cette tradition encore mentionnée en
Scorp., 8, 3 : « Dauid exagitatur, Helias fugatur, Hieremias
lapidatur, Eseias secatur, Zacharias inter altare et aedem tru-
cidatur... », à laquelle on a sans doute une allusion en *Hébr.*
11, 37, se trouve déjà chez Justin, *Dial.,* 120, 4-5, auquel
Tert. a pu l'emprunter. Elle est fréquemment citée par les
Pères (cf. *supra,* p. 38). Elle est également rapportée dans
l'*Ascension d'Isaïe,* 5, 14, dans la section du « martyre
d'Isaïe », qui remonte à un écrit juif de date incertaine, cf. E.
Hennecke - W. Schneemelcher, *New Testament Apocrypha*
(trad. angl.), t. 2, Trowbridge & Esher 1975², p. 642 s.
(présentation, bibliographie, traduction). Contrairement à
E. Tisserand, *Ascension d'Isaïe,* Paris 1909, p. 63, qui
pensait que Tert. avait lu cet apocryphe, L. Ginzberg, *op. cit.,*
t. 6, 1959⁴, p. 103-104, estime qu'il s'agit là d'un récit largement répandu et connu des Pères sans que ceux-ci l'aient eu
nécessairement en main. Cf. aussi W.H.C. Frend, *Mar-*

tyrdom and Persecution in the Early Church, Oxford 1965,
p. 67 et 78 (thème iconographique, références patristiques).
Le vocalisme Es*e*ias est moins fréquent (7 attestations, dont
Scorp., 8, 3 *supra*, contre 140 environ présentant la forme
Es*a*ias). – **Stephanus :** autres allusions à la lapidation
d'Étienne en *Scorp.*, 15, 2 (cité *supra,* 13, 8) ; *Res.*, 55, 9 ;
Prax., 30, 5.

14, 2. O felicissimum illum... qui... : solennité de l'expression (cf. Virg., *Georg.*, 2, 490 : « Felix qui potuit rerum
cognoscere causas... ». Sur ce tour « felix, qui... », cf.
E. Norden, *Agnostos Theos,* Leipzig-Berlin 1913, p. 100) et
effet d'attente (Job n'est nommé que beaucoup plus loin, au
§ 5. Cf. Apul., *Mét.*, 11, 5, 3, édit. Fredouille, p. 10 et 58 *ad
loc.*). Autres mentions des souffrances de Job en *Marc.*,
V, 12, 8 : « ... ut uirtus in infirmitate (*sc.* corporis Iob) compro-
baretur » et *Fug.*, 2, 2-3 : « Nihil Satanae in seruos Dei uiui
licebit, nisi permiserit dominus... Habes exemplum Iob, cui
diabolus nullam potuit incutere temptationem, nisi a Deo
accepisset potestatem ». Sur l'ampleur donnée à l'*exemplum*
ici, cf. Pétré, *L'exemplum chez Tertullien,* p. 94-95 : J. Daniélou, *Les origines du christianisme latin,* Paris 1978, p. 261.
– **omnem... speciem :** cf. *supra,* 12, 4 ; *Spec.*, 9, 6 : « cum...
omnis species idololatriae damnata sit a Deo... » ; etc. – **diaboli :** cf. *supra,* 5, 4. – **expunxit :** sur ce verbe (= *perficere,
consummare, absoluere*) particulièrement fréquent chez Tert.,
cf. Waltzing, p. 138 ; *TLL* s.u. col. 1814, 39 s. – **abacti...
adempti :** l'extension au nominatif du participe apposé
comme équivalent d'un subst. verbal apparaît dès la prose
classique (cf. L.H.S., p. 393). – **denique :** pour souligner une
gradation, souvent, comme ici, accompagné de *ipse* (class.,
cf. *TLL* s.u. col. 530, 68), cf. *Nat.*, II, 5, 4-5 : « ... solem
... lunam... item sidera... ipsum denique caelum » ; *Prax.*,
1, 1 : « Ipsum (diabolus) dicit patrem descendisse in uirginem, ipsum ex ea natum, ipsum passum, denique ipsum esse

Iesum Christum » ; etc. – **a patientiae fide** : la leçon *a patientia, fide* conservée par Kroymann, est stylistiquement tout à fait possible (cf. *Fug.*, 10, 2 : « in pugna, proelio » ; Bulhart, *Praef.*, § 86) ; celle de *O*, adoptée par Borleffs, offre pourtant un sens beaucoup mieux accordé au contexte, également attesté ailleurs (*supra*, 3, 10 ; *Paen.*, 6, 13 : *paenitentiae fidem*). – **domino debitā** : sans doute la bonne leçon (*Paen.*, 6, 1 : « omnes quidem debitos [*T* : dedit- *NX*] domino » ; 6, 19 : « si nemo domino debitus [*Borleffs* : dedit- *T*ᵖᶜ*NX*]... » ; *An.*, 24, 11 : « animae... debitae studiis ») ; cf. Waszink, p. 316 ; *VChr* 5 (1951), p. 75 s.

14, 3. a respectu Dei : = *ab obseruatione Dei* (cf. *Marc.*, II, 19, 1 : « ut... uacarent a Dei respectu »). De même *supra*, 8, 3 : *respicere* = *obseruare* (cf. *Idol.*, 5, 4 : « Si eundem Deum obseruas, habes legem eius ' ne feceris similitudinem ' (*Ex.* 20, 1). Si et praeceptum factae postea similitudinis respicis, ... »). – **in exemplum et testimonium** : cet emploi de *in* final, rare dans la prose classique, est fréquent dans la prose impériale (Sénèque, Tacite, Apulée), cf. Callebat, *Sermo cotidianus*, p. 227 ; Hoppe, *Synt.*, p. 38-40. *Exemplum et testimonium* : les deux termes sont souvent rapprochés, cf. *Apol.*, 48, 15 : « hoc erit testimonium ignis aeterni, hoc exemplum iugis iudicii » ; 48, 7 : « ... per ipsum humanae resurrectionis exemplum in testimonium nobis » ; *Cult.*, II, 13, 1 : « ... ut malis (*sc.* hominibus) et exemplo et testimonio sitis ». Sur la distinction faite par Tert. entre *martyrium* et *testimonium*, cf. H.A.M. Hoppenbrouwers, *Recherches sur la terminologie du martyre de Tertullien à Lactance*, Nijmegen 1961, p. 19 s. – **spiritu... carne... animo... corpore** : l'abl. instrumental (*avec*) se confond ici avec le locatif (*dans*), et équivaut à un abl. adverbial (= « spirituellement... charnellement... moralement... physiquement »). Pour le rapprochement du couple biblique (*spiritus-caro*) et du couple philosophique (*animus-corpus*), cf. Fredouille, p. 387-389. – **perpetrandae :**

cf. *supra*, 1, 6 ; 3, 10. – **damnis... amissionibus... conflictatio-nibus** : rappel discret du développement précédent sur la *patientia animi* (en particulier *damnis* et *amissionibus* rappellent les chap. VII et IX) et la *patientia corporis* (chap. XIII). A noter le rapprochement des deux adj. au géni-tif plur. de genre différent, neutre (*saecularium*) et masculin (*carissimorum*). – **amissionibus** : cf. *infra*, 16, 3 s.u. « orbita-tibus ». – **conflictationibus** : = *uexationibus*. Tert. paraît être le premier à utiliser ce mot avec ce sens, rarement attesté après lui (cf. *TLL* s.u. col. 236, 2 s.) ; *supra*, 13, 2 *adflic-tatio*. – **succidamus** : cf. *supra*, 5, 13.

14, 4. feretrum : seul exemple de cette valeur métapho-rique signalé par *TLL* s.u. col. 502, 3. Le mot n'est pas employé ailleurs par Tert. – ' **Deo gratias** ' : cf. *Job* 1, 21 : εἴη τὸ ὄνομα κυρίου εὐλογημένον. Sur cette formule (s. ent. *agamus*) devenue « acclamation liturgique », cf. C. Moussy, *Gratia et sa famille,* Paris 1966, p. 108-110. – **delassatam** : rare et poétique (= *defatigatam*), cf. *TLL* s.u. col. 416, 35. Seule occurrence chez Tert. – **suadentem** : + *ad,* comme en *Scorp.,* 2, 1 (*B*) et *Fug.,* 11, 1, cf. Thörnell, *Studia Tert.,* III (1922), p. 24-25.

14, 5. Quid ?... quid ?... : ponctuation plus conforme, semble-t-il, à l'usage. L'interprétation d'Oehler, t. 1, p. 612, comm. *ad loc.* (*quid* = *quantum, quantopere*) ne paraît guère fondée. – **ridebat Deus** : c'est le rire de la victoire, celle de Dieu et de Job, qualifié *infra*, § 6 d'« operarius... uictoriae Dei », sur le Malin (cf. *supra*, § 4 le vocabulaire « romain » : *feretrum, uexillum*), cf. Pétré, *Exemplum*, p. 95 ; Fredouille, p. 151. Cyprien (*De b. pat.,* 18) et Augustin (*Pat.,* 9, 11-12) ont omis ce trait. – **dissecabatur** : *TLL* s.u. col. 1452, 20 ne signale que deux autres emplois de ce verbe avec ce sens figuré (Vulg. *Act.* 5, 33 ; 7, 54 ; = διεπρίοντο). Une seule autre occurrence de ce vb. (au sens propre) en *Apol.,* 37, 2 *Vulg* (dissipent *F*). – **malus** : cf. *supra,* 11, 1. – **aequanimitate** : cf. *supra,* 2, 1. – **cum erumpentes bestiolas... reuocaret** : détails réalistes absents du *Livre de Job,* mais mentionnés dans le *Testament de Job,* 20, 8-9 Brock, p. 33, cf. M. Delcor, « Le testament de Job, La prière de Nabonide et les traditions targoumiques », p. 60-61, *Bibel und Qumran* (= *Festschr. H. Bardtke*), Berlin 1968, p. 57-74 ; sur la connaissance que Tertullien avait des apocryphes, cf. Daniélou, *op. cit.,* p. 139 s. (également *supra,* § 1). Ni Cyprien ni Augustin ne les ont repris.

14, 6. operarius : cf. *infra,* 16, 3. – **retusis... iaculis** : cf. *supra,* 8, 6 : *telum... obtusum.* Selon *TLL* s.u. « iaculum », col. 78, 1 s., Tert. serait le premier à employer ce mot métaphoriquement (*Nat.,* I, 9, 4 : « contemptores deorum uestrorum haec iacula eorum prouocamus » ; *Virg.,* 15, 1 : « Confugit (uirginitas) ad uelamen capitis quasi ad galeam, quasi ad clipeum, qui bonum suum protegat aduersus ictus temptationum, aduersus iacula scandalorum, ... » ; etc.). – **lorica... patientiae** : cf. *Marc.,* III, 14, 4 : « Paulum praecingentem lumbos nostros ueritate et lorica iustitiae (= *Éphés.* 6, 14 : περιζωσάμενοι τὴν ὀσφύν... ἐν ἀληθείᾳ καὶ ἐνδυσάμενοι τὸν θώρακα τῆς δικαιοσύνης) ... ». Sur l'écho, dans l'œuvre de Tert., de ces verset sur les armes du combat spirituel, cf. Fredouille, p. 56 ; sur la patience du *miles Christianus,* cf. *supra,* p. 28, n. 20. Il ne semble pas qu'il y ait d'emploi métaphorique analogue de *lorica* dans la littérature païenne (cf. *TTL* s.u. col. 1677, 18 s.). *Clipeo* : cf. *Virg.,*15, 1 (cité *supra*). – **conduplicata** : restitution « logique », la leçon *centuplicata* des mss étant imputée à un copiste qui aurait commis une confusion avec *Matth.* 19, 29. Seule occurrence de *conduplicatus* chez Tert. (et si l'on élimine celle-ci, aucune de *centumplicatus*).

14, 7. si uoluisset... uocaretur : discordance temporelle fréquente chez Tert. (Hoppe, *Synt.*, p. 70). – **pater iterum uocaretur :** en contradiction avec *Job*, 42, 13. 16 : « Il eut sept [quatorze *Targoum*] fils et trois filles... Après son épreuve, Job vécut encore jusqu'à l'âge de cent quarante ans, et il vit ses fils et les fils de ses fils jusqu'à la quatrième génération ». L'explication doit être cherchée sans doute dans les conditions de transmission du Livre de Job. En effet, pas plus que Tert., aucun écrivain latin du IIIe s. (y compris Lactance et Arnobe) ne le cite au-delà du v. 42, 10. – **in illo die :** cf. *Vx.*, I, 5, 2 : « in illa die expeditionis » ; II, 3, 1 : « die illo apud tribunal domini » ; *Marc.*, I, 27, 6 : « die illo » ; etc., d'après ἐν ἐκείνῃ τῇ ἡμέρᾳ de *Matth.* 7, 22 ; *II Tim.* 4, 8 ; etc. Cf. Thörnell, *Studia Tert.*, III (1922), p. 38. – **reddi :** s. ent. *eos.* Cf. *supra*, 9, 3 ; Hoppe, *Synt.*, p. 49. – **tantum gaudii :** cf. *Nat.*, II, 9, 9 : « tantum... superstitionis » ; *Carn.*, 15, 4 : « in tantum humilitatis » ; etc. Hoppe, *Synt.*, p. 20. – **eam :** correction qui, semble-t-il, offre un sens plus satisfaisant (= *eorum* [sc. *filiorum*]... *orbitatem*). Cf. *Apol.*, 16, 2 : « ob eam gratiam » (= *ob eius rei gratiam*). Emploi d'ailleurs usuel : Cés., *BG.*, 1, 9, 3 : « ex ea ciuitate » (= *ex eorum ciuitate*) ; etc. – **ne sine aliqua patientia uiueret :** cf. *supra*, 12, 4 : « non licet nobis una die sine patientia manere ».

III. Les *opera patientiae* (chap. XV).

1. Force et fruits de la patience.

> Les chrétiens peuvent, en toute confiance, s'en remettre à Dieu pour tout ce qu'ils sont amenés à supporter patiemment. C'est une force pour leur patience que d'avoir Dieu pour débiteur (§ 1). Ses effets sont considérables aussi bien dans la vie spirituelle (§ 2), que dans la vie sociale et morale (§ 3).

2. Portrait de Patience.

Sereine et digne, (§ 4-5), Patience est assise sur le
trône de l'Esprit (§ 6), qu'elle accompagne en permanence, car sans elle il est nécessairement anxieux
(§ 7).

15, 1. sequester : sur la valeur métaphorique du mot (Dieu
est dit *sequester* de la patience dans la mesure où, si l'homme
« dépose » une injustice dont il a été victime entre ses
« mains », il l'en vengera), cf. Braun, p. 512 s. – **iniuriam...
damnum... dolorem... mortem** : rappel des quatre principaux
motifs d'impatience analysés aux chap. VII- X : *iniuriam*
renvoie au chap. VII, *damnum* au chap. VIII, *dolorem* au
chap. X (cf. 10, 2 : « ultio... solacium uidetur doloris » ;
10, 9 : « ultione... per inpatientiam doloris »), *mortem* au
chap. IX. Cf. *supra,* 10, 4. Même technique de rappel (plus
discret) *supra,* 14, 3 ; cf. *infra,* 16, 1. – **penes eum** : = *apud
eum* (cf. *supra,* 1, 3 ; 3, 11 ; 5, 21 ; 10, 2 ; Hoppe, *Synt.*,
p. 37-38). – **ultor** : cf. *supra,* 10, 6 ; d'autre part, 10, 4. – **resti-
tutor** : autre occurrence de ce terme chez Tert. uniquement en
Res., 12, 8 (où il est également rapproché de *resuscitator*) :
« nec dubites Deum carnis etiam resuscitatorem quem
omnium noueris restitutorem » (cf. Braun, p. 543 s.). – **medicus** : sur ce thème, qui remonte à *Ex.* 15, 26 ; *Deut.* 32, 39 ;
etc., fréquent également en philosophie, largement
exploité dans la littérature et l'épigraphie chrétiennes, cf.
Braun, p. 522 n. 3 ; G. Sanders, *Licht en Duisternis in de
Christelijke Grafschriften,* Brussel 1965, t. 2, p. 628 ; Fredouille, p. 369-370 ; *supra,* 1, 4-5 ; *Scorp.,* 5, 12 ; *Pud.,*
9, 12 ; etc. – **resuscitator** : autres occurrences chez Tert. :
Marc., III, 8, 2 ; *Res.,* 12, 8 ; 57, 7. En *Prax.,* 28, 13 : *susci-
tator* (hésitation de la tradition mss entre *susc-* et *resusc-* en
Carn., 5, 10). Tert. paraît être le créateur de ces deux vocables (Braun, p. 537-538). – **licet** : = *potest, ualet* (cf.

G. Thörnell, « Lectiones Tertullianeae », *Eranos* 7 (1907),
p. 93 s. qui cite plusieurs passages de Tert. où *licet* précédé
de *tantum, quantum,* etc.) prend ce sens : *Marc.,* II, 26, 4 :
« ... disceres quantum liceat fideli et prophetae apud
Deum... » ; *Pal.,* 2, 5 : « Bellis... plurimum licuit » ; etc.
Waszink, p. 362). – **ut :** = *quod* ? ou *quae, quia* ? *Vt* est en
effet souvent substitué chez Tert. au pron. relat. ou à *quia.*
Par ex. *Bapt.,* 2, 1 : « quanta uis est peruersitatis... ut (= *quae,
quia*) ex his eam (*sc.* fidem) inpugnet ex quibus constat ! » ;
Prax., 13, 4 : « ... quis est ut (= *qui*) non putes... ? » ; avec une
uariatio : *Marc.,* IV, 29, 5 : « ... qualis est, qui aliena praesta-
bit .... quis est, ut aliena promittat » ; Thörnell, *Studia Tert.,*
II, p. 73 ; *supra,* 4, 4. On peut donc hésiter entre deux
interprétations littérales : « Quel pouvoir pour la patience que
d'avoir... (= *le fait qu'elle ait*...) ! », ou : « Quel pouvoir pour
la patience, elle qui a (ou : « puisqu'elle a... ») !.. ». – **debitorem :** cf. *Paen.,* 2, 11-12 : « Bonum factum Deum habet debitorem, sicuti et malum, quia iudex omnis remunerator est
causae. At cum iudex Deus iustitiae... ». Sur ce vocabulaire,
cf. Braun, p. 120 s.

15, 2. placita : terme très peu employé par Tert. qui ne
l'utilise qu'en deux autres occasions pour désigner la volonté
divine (*Cult.,* II, 11, 3 ; *Vx.,* I, 7, 5). – **mandatis :** à peine plus
attesté chez Tert. que le précédent (également appliqué à
Dieu en *Marc.,* II, 20, 4 ; V, 18, 6 ; *Carn,* 14, 2 ; en citation
[= ἡ ἐντολή] : *Res.,* 23, 11 = *I Tim.* 6, 14 ; *Prax.,* 23, 9 = *Jn*
12, 49). – **munit :** métaphore usuelle depuis Acc., *Praet.,* 33 :
« is sapientia munitum pectus... gerat » (cf. *TLL* s.u.
col. 1659, 42), au demeurant tout à fait dans l'esprit d'*Éphés.*
6, 14-17 (cf. *supra,* 14, 6). Cf. *Mart.,* 1,5 : « sed (diabolus)
inueniat (uos *sc.* martyras) munitos et concordia armatos » ;
etc. – **gubernat :** son emploi métaphorique dans divers regis-
tres est également usuel (*TLL* s.u. col. 2353, 16 s.). Cf. *supra,*
12, 4 ; *Bapt.* 3, 6 ; etc. – **dilectionem adiuuat :** cf. *supra,*

12, 8-10. – **humilitatem :** sur la manière dont Tert. « annexe »
l'humilité à la patience, cf. p. 133 ; 136. Si Tert. est conscient
de l'importance de la vertu d'humilité dans le christianisme
(*Cult.*, II, 3, 2 : « exaltatio non congruit professoribus humilitatis ex praeceptis Dei » ; II, 9, 5 : « ... humilitatem quam
Christiani profitemur »), il ne lui a pas consacré de développement particulier (les citations scripturaires explicites sont
rares : *Marc.*, IV, 14, 2-3 = *Ps.* 81, 3-4 : ταπεινόν ; *Marc.*,
V, 14, 12 = *Rom.* 12, 16 τοῖς ταπεινοῖς), se contentant de la
mentionner avec la *iustitia* (*Iud.*, 10, 4) ou la *tranquillitas* et,
de façon significative, la *patientia* (*Iud.*, 9, 26 ; *Marc.*,
III, 17, 4), dans ces trois passages en contexte christologique,
ou bien avec d'autres vertus plus proprement « chrétiennes »
comme la *modestia,* la *dilectio,* la *sanctitas* (*Orat.*, 17, 1 ;
Fug., 1, 6). Il se montre en revanche beaucoup plus sensible
au thème de « l'humilité de la condition humaine » du Christ
(*Apol.*, 21, 15 ; *Iud.*, 14, 6 ; *Marc.*, III, 7, 6 ; etc.). – **expectat :** cf. *supra,* 12, 5 et 10. –   **exhomologesin :** définie
sommairement en *Orat.*, 7, 1 (« Exhomologesis est petitio
ueniae, quia qui petit ueniam, delictum confitetur ») et plus
longuement en *Paen.*, 9, 2-6 (« Is actus, qui magis Graeco
uocabulo et exprimitur et frequentatur, exhomologesis est
qua delictum nostrum domino confitemur, non quidem ut
ignaro, sed quatenus satisfactio confessione disponitur,
confessione paenitentia nascitur, paenitentia Deus mitigatur.
Itaque exomologesis prosternendi et humilificandi hominis
disciplina est conuersationem iniungens misericordiae inli-
cem de ipso quoque habitu atque uictu : mandat sacco et
cineri incubare, corpus sordibus obscurare, animum maeroribus deicere, illa quae peccant tristi tractatione mutare...
etc. »). Cf. W.P. Le Saint, *Tertullian, Treatises on Penance,*
London 1959, p. 171-173 (analyse et bibliographie), spécia-
lement p. 171 : « Exhomologesis is the *actus externus* of
paenitentia secunda (*Paen.*, 9, 1), its *ministerium* (*Paen.*,
12, 8) in somewhat the same way as *metus* is said to be the

instrumentum of pre- baptismal penitence (*Paen.*, 6, 23) and *grauitas* the *instrumentum administrandae pudicitiae* (*Cult.*, II, 8) ». La graphie *exo-* est plus fréquente (*TLL* s.u. col. 1544, 81). – **adsignat** : cf. *supra*, 13, 5. – **carnem... spiritum** : cf. *supra*, 14, 3. – **linguam frenat** : cf. *supra*, 6, 5 ; 8, 3-7. Si les emplois métaphoriques de *freno* sont usuels dans la littérature latine, Tert. est semble-t-il le premier à avoir forgé ce syntagme *linguam frenare* (cf. *TLL* s.u. « freno », col. 1288, 78 s. ; s.u. « lingua », col. 1450, 40), repris par Cypr., *De b. pat.*, 20 (cf. aussi Comm. *Instr.*, II, 7, 16 : *linguam refrenare*). Le vb. ne se retrouve chez Tert. qu'en *Pud.*, 16, 14 : « iam frenandis continentia [-ae *v.d.* Vliet] coniugiis » (en revanche on relève quatre occurrences de *refreno*, toutes avec valeur métaphorique : *Paen.*, 6, 19 ; *Praes.*, 7, 7 ; *Marc.*, IV, 16, 7 ; *Cast.*, 4, 2). – **manum continet** : cf. *supra*, 8, 2. – **inculcat** : = *conculcat* (cf. *supra*, 1, 7), *contemnit*. Cf. *Nat.*, I, 10, 20 ; *Paen.*, 7, 5 ; *TLL* s.u. col. 1066, 20 : Tert. paraît le premier à avoir donné ainsi à *inculcare* le sens métaphorique de *conculcare*, en revanche *inculcare* avec le sens propre de *conculcare* est attesté dès Colum., 1, 6, 13 ; 2, 19, 1. – **martyria consummat** : cf. *supra*, 13,6-14,7. La plus ancienne attestation de ce syntagme (= μαρτυρεῖν) se rencontre probablement dans la version lat. (entre 150 et 200) de Clém., *Aux Cor.*, 5, 3 : « Petrum qui propter zelum iniquum non unum, non duos, sed plures passus est labores (πόνους) et sic martyrio consummato (μαρτυρήσας) abiit in locum gloriae ». Attesté aussi dans la *Passio Perp. et Fel.*, 21, 7 : « ... ante iam osculati inuicem, ut martyrium per sollemnia pacis consummarent », fréquent chez Cyprien (cf. *De b. pat.*, 20 : « passiones et martyria (patientia) consummat » ; etc.), il se trouve donc également chez Tert. (occurrence unique), contrairement à ce qu'écrit Hoppenbrouwers, *Recherches sur la terminologie du martyre*, p. 75.

15, 3. pauperem... diuitem : cf. *supra,* 7, 2-7. – **infirmum non extendit :** expression un peu obscure, mais qu'éclaire partiellement *supra,* 1, 4-5 : l'impatient, qui ne cesse de regretter la santé qu'il a perdue, ne fait qu'aggraver sa maladie de ses tourments et de son agitation, dans son incapacité à supporter son état. Sur ce sens d'*extendo* (= *excito, instigo* sc. *cupiditate, inpatientia*), cf., avec une autre construction, *Apol.,* 8, 7 : « ... offulae, quae illos (= canes) ad euersionem luminum extendant » ; *Vx.,* I, 3, 6 : « si apostolo auscultamus, obliti posteriorum et extendamur in priora et meliorum donatiuorum sectatores simus ». – **ualentem non consumit :** contrairement à l'impatience qui, véritable maladie, épuise les forces de celui qui en souffre. Cette notation comme la précédente sont caractéristiques de l'intérêt de Tert. pour les questions « médicales » (cf. *supra,* 1, 4). Elles sont absentes du développement correspondant de Cypr., *De b. pat.,* 20. *Valentem :* part. prés. substantivé au sing. (cf. *supra,* 3, 7, s.u. « discentis »). – **fidelem :** opposé ici à *gentilis* ; en *Vx.,* II, 2, 1-2 (= *I Cor.* 7, 12-14) à *infidelis* (= ἄπιστος) ; en *Orat.,* 6, 3 à *nationes* ; en *Praes.,* 41, 2 et *Pud.,* 19, 8 à *ethnici ;* en *Praes.,* 41, 2 à *catechumenus ;* en *Pud.,* 19, 6 à *haereticus* ; etc. – **delectat :** cf. *supra,* 8, 9. – **gentilem inuitat :** Tert. s'est toujours montré sensible à la valeur de témoignage qu'avait une conduite chrétienne exemplaire (cf. Fredouille, p. 250, n. 73). *Gentilem :* cf. *supra,* 7, 11. – **seruum... commendat :** cf. *supra,* 4, 1-4. Notation également absente de Cypr., *De b. pat.,* 20. – **feminam exornat :** cf. le portrait de la chrétienne vertueuse en *Cult.,* II, 13, 7 ; Fredouille, p. 54 s. – **adprobat :** = *probat* (cf. *supra,* 5, 18), *ostendit* (sens d'ailleurs antérieurement attesté, cf. *TLL* s.u. col. 311, 50 s.). *Virum :* sens prégnant : « le mari digne de ce nom », « i.e. » « le mari chrétien ». – **in omni sexu, in omni aetate :** cf. *Apol.,* 1, 7 : « omnem sexum, aetatem, condicionem, etiam dignitatem transgredi ad hoc nomen (*sc.* Christianum)... maerent », qui est peut-être (cf. *Apol.,* 2, 6) un souvenir de Pline, *Lettres,*

10, 96 (97), 9 (à Trajan) : « multi enim omnis aetatis, omnis
ordinis, utriusque sexus etiam uocantur in periculum et uocabuntur ». Le procédé de l'énumération mis en œuvre dans ces
§§ 2-3 se retrouve, avec une ampleur moindre, en *Orat.*, 29, 2
(cf. *supra*, 9) ; il a été repris par Cypr., *De b. pat.*, 20, avec
quelques variations formelles (Conway, p. 172), mais non par
Augustin, qui a toutefois retenu l'idée d'un développement
consacré aux « fruits » (éternels) de la patience (*De pat.*,
29, 26). Pour les transpositions sous-jacentes (théorie de
l'égalité et de la connexion des vertus, portrait du sage), cf.
Fredouille, p. 378 ; 381-382.

15, 4. Age iam, si... ? formule d'enchaînement, après
formosa (l'épithète traditionnelle du sage, cf. Fredouille,
p. 378 n. 46) qui « prépare » directement à l'allégorie (*fictio
personae*) de Patience. Contrairement à Hoppe, *Synt.*, p. 73,
pour qui *si = num,* nous interprétons *si* comme une conj. de
condition en mouvement exclamatif ou interrogatif, d'où la
ponctuation adoptée. Cf. Sén. Rh., *Contr.*, 1, 2, 2 : « Age, si
quis uenit pertinax ? » ; Val. Max., *Memor.*, 3, 8, 3 : « Age, si
uentum fuerit ? » ; etc. – **effigiem habitumque :** Tert. ne recourt
pas ailleurs à cette *iunctura*. Il emploie très fréquemment
effigies avec un sens technique (*De anima, Aduersus Marcionem, Aduersus Praxean*) pour désigner la configuration de
l'âme (*effigies animae*) ou la nature du Christ « fait à l'image
de Dieu » (*in effigie Dei),* plus rarement avec le sens neutre de
« forme, représentation, apparence » (d'un lieu, d'un dieu,
d'un ange, etc.), ou comme ici avec celui d'« expression du
visage » (*Cult.,* II, 5, 5 : « Quantum autem a uestris disciplinis... aliena sunt quam... effigie mentiri ! »). *Habitus* englobe
le *cultus* (en l'occurrence, l'absence de bijoux et la simplicité
du vêtement) et l'*ornatus* (en l'occurrence, le mépris des
« soins de beauté »), conformément à la définition proposée en
Cult., I, 4, 1-2 : « Habitus feminae duplicem speciem circum-

fert, cultum et ornatum. Cultum dicimus quem mundum
muliebrem uocant, ornatum quem inmundum muliebrem
conuenit dici. Ille in auro et argento et gemmis et uestibus
deputatur, iste in cura capilli et cutis et earum partium
corporis quae oculos trahunt » ; cf. M. Turcan, *SC* 173, p. 28.
Pour l'essentiel du commentaire de ce portrait allégorique de
Patience (antécédents, esthétique et théologie, comparaison
avec la patience d'Hermas), nous nous permettons de renvoyer à l'étude que nous lui avons consacrée dans notre
Tertullien et la conversion, p. 59 s. Quelques compléments :
J. Duchemin (éd.), *Mythe et personnification,* Paris 1980 ;
sur la différence entre les deux types de portraits allégori-
ques, le type « statique » (auquel se rattache donc la Patience
de Tert.) et le type « dynamique » (par ex. la *Psychomachie*
de Prudence), cf. A. Katzenellenbogen, *Allegories of the
Virtues and Vices in mediaeval Art from early Christian
Times to the thirteenth Century,* London 1939, p. 27 s. (le
plus ancien témoignage iconographique de Patience serait
celui du monastère de Baouït, Ve s.) ; sur le rôle du tableau
allégorique dans le stoïcisme, cf. Cic., *Fin.,* 2, 69 ; *Tusc.,*
5, 13-14 ; pour l'influence de la physiognomonie, cf.
J. André, Introd. à Anon Lat., *Traité de physiognomonie,*
Paris 1981, p. 19 s. Par ailleurs, on pourra situer cette allégorie,
de Patience par rapport à deux portraits antithétiques de la
tradition païenne, d'une part le portrait du « jeune disciple »
d'après Zénon, que nous a conservé Clément d'Alexandrie
(*SVF* III, § 246 = *Péd.,* III, 11, 74, 3-4) : « Qu'il ait, dit-il, un
visage pur, que ses sourcils ne soient pas froncés, ni ses
regards effrontés ou languissants, que son cou ne soit pas
renversé en arrière, ni ses membres flasques, mais dressés et
tendus, qu'il soit prompt à parler avec droiture, qu'il retienne
bien ce qui est dit avec justesse ; que ses attitudes et ses
mouvements ne laissent aucun espoir aux débauchés. Que la
pudeur et la virilité rayonnent de sa personne ! Qu'il évite
cette dissipation qui émane des boutiques de vendeurs de par-

fums, de fondeurs d'or, ou de commerçants en laine, et celle qui vient de tous les autres ateliers, là où certains, parés comme des prostitués, passent la journée entière, comme les femmes qui attendent assises dans un mauvais lieu » (trad. C. Mondésert - C. Matray, *SC* 158, p. 145) ; d'autre part, le portrait de l'« homme en colère » dans Sén., *De ira*, 1, 1, 3-4 : « Vt scias... non esse sanos quos ira possedit, ipsorum illorum habitum intuere ; nam ut furentium certa indicia sunt audax et minax uultus, tristis frons, torua facies, citatus gradus, inquietae manus, color uersus, crebra et uehementius acta suspiria, ita irascentium eadem signa sunt ; flagrant emicant oculi, multus ore toto rubor exaestuante ab imis praecordiis sanguine, labra quatiuntur, dentes comprimuntur, horrent ac surriguntur capilli, spiritus coactus ac stridens, articulorum se ipsos torquentium sonus, gemitus mugitusque et parum explanatis uocibus sermo praeruptus et complosae saepius manus et pulsata humus pedibus et totum concitum corpus ' magnasque irae minas agens ', foeda uisu et horrenda facies deprauantium se atque intumescentium » ; cf. *Ibid.*, 2, 35, 1-3 ; 3, 4, 1-3. – **illi** : datif de possession, avec ellipse de *est*, comme en *Nat.*, I, 7, 3 : « Quid, quod ea condicio illi, ut... perseueret ? » ; *Apol.*, 30, 3 : « inde potestas illi, unde et spiritus » ; etc. – **oculis... deiectis** : sans doute la bonne leçon, en dépit de *O* (suivi par Borleffs) qui uniformise et banalise l'expression. Type comparable de *uariatio* en Tér., *Heaut.*, 1062-1063 : « Rufamne illam uirginem, / Caesiam, sparso ore, adunco naso ? » ; *Hec.*, 440-441 : « Magnus, rubicundus, crispus, crassus, caesius, / Cadauerosa facie » ; etc. (cf. L.H.S., p. 118) ; de même, chez les historiens et Apulée, coordination d'un participe à l'abl. abs. et d'un part. (prés. ou passé) accordé (cf. Bernhard, *Stil des Apuleius*, p. 42) ; cf. *infra*, § 6.

15, 5. taciturnitatis : cf. *supra*, 5, 10 ; Fredouille, p. 61 s. – **ceterum** : simple transition (« d'autre part »), cf. *infra*, 16, 5 ;

Nat., I, 10, 17 ; etc. *TLL* s.u. col. 970, 28 s. – **motus... risus :**
sur ces deux traits, cf. Fredouille, p. 62. – **candidus :** couleur
du vêtement simple, épargné par les teintures (cf. *Cult.,*
I, 8, 2 ; J. André, *Étude sur les termes de couleur dans la
langue latine,* Paris 1949, p. 34 ; 293 s.), mais aussi symbole
de pureté des sentiments et d'innocence, dans la tradition
païenne (Hés., *Trav.,* 200 : « Aidôs et Némésis, Conscience et
Équité, vêtues de leurs blancs vêtements... » ; J. André, *Ibid.,*
p. 37), comme dans la tradition chrétienne (E. Haulotte,
Symbolique du vêtement selon la Bible, Paris 1966, p. 324 :
« Le vêtement céleste des élus » ; Clém. Alex., *Péd.,*
II, 10bis, 108, 1 : « il est tout à fait convenable que ceux qui
sont au-dedans d'eux-mêmes d'une blancheur authentique
usent de vêtements blancs et sans ornements » [trad. Mondésert, *SC* 108, p. 205] ; 110, 1 : « J'approuve... le sage de Céos
[= Prodicos] quand il dessine... les images de la Vertu et du
Vice ; il représente l'une dans une attitude modeste, vêtue de
blanc, propre ; c'est la Vertu, et elle est ornée de la seule
pudeur..., et l'autre, au contraire, le Vice, vient sur scène
habillé d'un vêtement luxueux, le visage brillant d'une
couleur empruntée... » *[Ibid.,* p. 209]). – **inpressus :** dans cet
emploi (à propos d'un vêtement), ne paraît guère attesté antérieurement (cf. *TLL* s.u. col. 681, 29 s.). – **ut qui :** + ind., cf.
Val., 10, 1 : « uti quae... dolebat » ; 33, 2 : « uti quae praestat » ; *SC* 281, p. 246 » *supra,* 13, 1 s.u. *utpote quae.* –
inflatur : fréquent pour décrire différentes parties du corps
(bouche, cheveux, etc.), mais exceptionnel pour un vêtement
(également en *Pal.,* 3, 7) ; cf. *TLL* s.u. col. 1466, 16 ;
1467, 78. – **inquietatur :** le choix de ce verbe s'explique sans
doute par le fait que fronces et plis d'un vêtement peuvent
évoquer les ondulations et les rides d'une mer agitée cf.
Marc., IV, 20, 3 : « ...' Comminans, inquit, mari et arefa-
ciens illud ' [*Nah.* 1, 4], utique cum uentis, quibus inquietatur ». Ces deux emplois d'*inquieto* avec un sens concret
paraissent eux aussi exceptionnels (*TLL* s.u. col. 1800, 8 n'en

signale qu'un troisième : Schol. *Lucan,* ed. Web 9, 347). Ont
pu jouer, dans ce passage où le soin apporté à la forme est
évident, d'une part le désir de surprendre par l'emploi métaphorique, souligné d'une allitération (*in*-), de verbes autrement usuels, d'autre part le souci de suggérer une « correspondance » discrète : *tranquillus et placidus - nec inflatur nec
inquietatur.* Le vêtement de Patience se caractérise donc par
sa simplicité (cf. *Tab. Cebetis,* 18, 1 : « στολήν... ἔχουσα ἁπλῆν τε καὶ ἀκαλλώπιστον [Παιδεία] » ; 20, 2 : « στολὴν ἀτρύ-
φερον καὶ ἁπλῆν ἔχουσιν ['Αρεταί] »), excluant (*nec inflatur
nec inquietatur*) ampleur, plis, ornements, qui font la richesse
et le luxe des vêtements féminins (ailleurs Tert. stigmatise surtout l'indécence du vêtement féminin qui empêche de distinguer une chrétienne d'une prostituée : *Apol.,* 6, 3 ; *Cult.,* II,
10, 1 ; etc. Clém. Alex., *Péd.,* II, 10 bis, 107, 5 ; déjà Sén.,
Luc., 90, 20).

15, 6. **in throno** : cf. *Tab. Cebetis,* 21, 3 : « ... une femme
belle et tranquille [= Félicité] se tient assise sur un trône
élevé [ἐπὶ θρόνου ὑψηλοῦ] ; sa parure est noble, mais sans
raffinement » (trad. M. Meunier). – **spiritus** : cf. *supra,* 13, 1 :
spiritus inuecta ; 15, 1 : *spiritum seruat* ; et *infra,* 15, 7 :
spiritus Dei ; Bender, *Die Lehre über den Heiligen Geist,*
p. 140 ; *supra,* 3, 4. – **mitissimi** : appliqué à Dieu en *Marc.,*
II, 29, 3 ; plus souvent au Dieu de Marcion (*Marc.,* I, 6, 1 ;
etc.). – **mansuetissimi** : deux autres occurrences seulement de
cet adjectif chez Tert. (*Iud.,* 10, 7 = *Marc.,* III, 18, 3, où il est
appliqué au Christ). – **glomeratur** : unique attestation chez
Tert. de ce verbe souvent affecté par les poètes à la description des nuages précisément (Ov., *Am.,* 1, 8, 9 ; Sén., *Phaed.,*
737 ; etc.). Sans doute, sous-jacente, une réminiscence d'*Is.*
14, 13-14 (cf. *Marc.,* V, 11, 11 : « ... dixerit propheta
referente : ' ... ponam in nubibus thronum meum '... » ;
V, 17, 8. – **liuet** : terme de la langue impériale et poétique (cf.
TLL s.u. col. 1543, 26). – **tenerae serenitatis, apertus et**

simplex : nouvelle *uariatio.* Cf. Pl., *Mén.,* 269 : « homo iracundus, animi perditi » (L.H.S., p. 818) ; *supra* § 4. *Serenitas :* une seule autre occurrence du mot, mais au sens propre, en *Nat.,* I, 5, 3 : « Caelum ipsum nulla serenitas tam colata purgat, ut non alicuius nubiculae flocculo resignetur » ; *serenus* est absent du lexique de Tert. *Apertus et simplex : iunctura* usuelle, cf. Cic., *Fam.,* 1, 9, 22 : « Noui animum... cum magnum et excelsum, tum etiam apertum et simplicem ; ; *Off.,* 3, 57 ; etc. Pour ses aspects philosophiques et bibliques, cf. Fredouille, *SC* 281, p. 182 ; 188-189. − **tertio :** il s'agit en réalité de la quatrième vision d'Élie. Tert. y fait une autre allusion en *Marc.,* IV, 23, 9 : « ...tunc ad Heliam : 'non igni, inquit, dominus, sed in spiritu miti ' ». − **ubi... ibi :** l'*usus auctoris* invite à préférer la leçon de *O*. En effet, hormis un unique passage (*Pud.,* 5, 12) où l'on rencontre, d'ailleurs répétée, la corrélation « ibidem... ubi », c'est bien pour le tour « ubi... ibi » que Tert. a une prédilection marquée (cf. *Bapt.,* 6, 2 ; *Spec.,* 15, 3-4), le combinant parfois avec la figure de *gradatio* (cf. *supra,* 11, 2). − **alumna :** cf. Cic., *Brut.,* 45 : « Pacis est comes otique socia et iam bene constitutae ciuitatis quasi alumna quaedam eloquentia ». Le mot n'est attesté qu'une seconde fois chez Tert., en *Marc.,* IV, 5, 2 : « Habemus et Iohannis alumnas ecclesias ». − **patientia scilicet :** cf. *supra,* 13, 8 ; *infra,* 16, 1.

15, 7. Cum ergo : attaque de phrase qu'affectionne Tert. (cf. *supra,* 5, 17 ; 8, 5), parfois avec inversion des conj. (cf. *supra,* 8, 8 ; 9,2). − **spiritus Dei :** cf. *supra,* § 6. − **descendit :** cf. *Bapt.,* 10, 4 : « ... ipse dominus nisi ipse prius ascenderet ad patrem aliter negauit spiritum descensurum » ; etc. − **indiuidua :** cf. *supra,* 5, 7. − **comitatur :** cf. *supra,* 6; 1 ; 12, 10 ; *Apol.,* 21, 17 (part. à valeur passive) : « ... Verbum Dei... uirtute et ratione comitatum et spiritu fultum ». Cet emploi de *comitor* est fréquent chez Sénèque (mais non, semble-t-il antérieurement, cf. *TLL* s.u. col. 1813, 8), cf. *Luc.,*

66, 44 : « Idem... finis omnium (*sc.* bonorum) est : bona sunt, laudanda sunt, uirtutem rationemque comitantur » ; etc. Cf. *infra* : *comite ac ministra.* – **admiserimus** : s. ent. *eam* (sc. *patientiam*). Ellipse fréquente chez Tert. des formes pronominales faciles à suppléer, cf. Löfstedt, *Spr. Tert.*, p. 52 s. – **nescio an** : cf. *supra*, 7, 8. – **comite** : emploi métaphorique (et philosophique) classique (contrairement à *comitor,* cf. *supra*) : Cic., *Tusc.*, 2, 32 : « Quid ? fortitudini comitibusque eius, magnitudini animi, grauitati, patientiae, rerum humanarum despicientiae quo modo respondebis ? » ; *Brut.*, 45 (cité *supra*, § 6) ; etc. (cf. *TLL* s.u. 1775, 59). Pour Tert., *Marc.*, I, 26, 3 : « ultio fructus est irae et ira debitum offensae et offensa, ut dixi, comes frustratae uoluntatis » ; etc. – **ministra** : tout aussi classique et usuel que le précédent : Cic., *Part.*, 78 : « uirtutes... quasi ministrae comitesque sapientiae » (noter la même *iunctura*) ; *Fin.*, 2, 37 : « quas (uirtutes) ratio rerum omnium dominas, tu uoluptatum satellites et ministras esse uoluisti » ; etc. *TLL* s.u. col. 1005, 9 s. C'est naturellement le vocabulaire de la connexion et de la subordination des vertus, R.A. Gauthier, *Magnanimité,* Paris 1951, p. 152-153 ; 158 ; cf. *supra*, p. 32. Tert. recourt encore à cette *iunctura,* mais dans un autre contexte, en *Marc.*, I, 23, 5 : « Antecedit autem (bonitas) debita indebitam, ut principalis, ut dignior, ut ministra et comite sua prior ». – **angatur** : seule attestation de ce verbe chez Tert. – **inimicus... inflixerit** : cf. *supra*, 11, 3 ; 14, 4. – **carens instrumento sustinendi** : cf. *Paen.*, 6, 23 : « praesumptor... instrumento paenitentiae, id est metu, caruit ». De même, *Cult.*, II, 8, 3 : « Quo... pacto pudicitiam sine instrumento suo, id est sine grauitate, tractabimus ? » ; *Vx.*, I, 7, 1 : « Nobis continentia ad instrumentum aeternitatis demonstrata est a domino » ; etc. D'ailleurs bien attesté antérieurement en ce sens (Cicéron, Sénèque) cf. *TLL* s.u. col. 2012, 32. Avec la même construction (gén. gérondif), Sén., *QN.*, 1, 16, 1 : « ... ut intellegas quam nullum instrumentum irritandae uoluptatis libido contemnat ». Le développement consacré au troisième thème de l'argumentation, les *opera patientiae*, est donc sensiblement plus bref que les deux précédents, puisqu'il n'occupe qu'un seul chapitre. En fait, il faut bien voir, d'une part, que Tert. a déjà traité en partie le sujet au chap. XII en insistant sur trois points précis (patience et paix ; patience et pénitence ; patience et charité). Il est clair, d'autre part, que Tert. a conçu ce développement autrement que les deux précédents (la *ratio patientiae* et la *disciplina patientiae*), choisissant un style particulièrement dense et brillant pour l'écrire, en même temps qu'il prenait plus de hauteur par rapport à son sujet. Nos critères esthétiques, enfin, ne coïncident pas nécessairement avec ceux des anciens : ainsi dans le *Pro Cluentio,* l'un des discours de Cicéron les plus admirés de l'Antiquité pour ses mérites littéraires, la seconde des deux parties représente à peine 14 % de l'ensemble du plaidoyer – déséquilibre qui pourrait nous laisser penser qu'il était « mal composé » !

Péroraison (chap. XVI).

Telles sont la « raison », la « discipline » et les « œuvres » de la patience, mais de la patience chrétienne (§ 1). Car il y a aussi une patience propre au Diable (§ 2), qui n'a de commun avec la précédente que le comportement extérieur, qui est une patience détournée de sa véritable fonction (§ 3). Capables de cette forme dégradée de patience, les païens ne se montrent impatients qu'envers Dieu. Cette patience comme celui qui l'enseigne sont condamnés au châtiment éternel (§ 4).

Mais les chrétiens doivent, quant à eux, aimer la patience que Dieu et le Christ leur ont montrée. Croyant à la résurrection de la chair et de l'esprit, ils doivent offrir au Christ la patience de la chair et celle de l'esprit (§ 5).

16, 1. ratio... disciplina... opera : au moment de conclure, Tert. rappelle (c'est la *recapitulatio* ou *enumeratio* prévue dans la *peroratio* par les rhéteurs, cf. *Rhét. Hér.*, 2, 47 ; Cic., *De Inu.*, 1, 98 ; etc.) les trois parties du traité (cf. *supra*, 11 s.). *Ratio :* la patience trouve en Dieu, ou plutôt en celle de Dieu sa *ratio* (*supra*, p. 17), son *auctoritas* (*supra*, 2, 1), cf. Fredouille, p. 379 ; *Marc.*, IV, 16, 6 : « si in ipsam rationem patientiae praecipiendae... consideremus » (*supra*, 6, 4) ; *Pud.*, 1, 5 : « Christianae pudicitiae ratio... quae omnia de caelo trahit » ; etc. *Disciplina* : c'est-à-dire les exigences concrètes de l'exercice de la patience (Morel, *RHE* 40, 1944-45, p. 34). Cf. Fredouille, p. 380 ; *supra*, p. 18 ; *Marc.*, IV, 16, 6, où *disci-*

plina voisine avec le métaphorique *pondus* (*supra*, 6, 4). La leçon *haec disciplinae* des mss pourrait être conservée : d'une part, *haec = hae* est attesté chez Tert. (cf. *Val.*, 37, 2 ; *SC* 281, p. 357) ; d'autre part, *supra*, 12, 8, Tert. recourt au pluriel (*patientiae disciplinis*). Mais ce pluriel, d'ailleurs unique dans le traité, prend un sens concret, précis, qui ne répondrait guère à la valeur de toute évidence plus générale de l'expression ici. *Opera* : cf. Fredouille, p. 381 ; *supra*, p. 18. Le tour *opera uirtutis, sapientiae*, etc. est très fréquent en morale (cf. Cic., *Fin.*, 3, 50 ; *Tusc.*, 2, 35 ; *Off.*, 1, 81 ; etc. En particulier : Sén., *Luc.*, 66, 10 : « uirtutes inter se pares sunt et opera uirtutis et omnes homines quibus illae contigere » ; etc.) pour désigner les « actions, les conduites vertueuses » (on rapprochera, en tenant compte des influences spécifiquement scripturaires, les expressions « chrétiennes » du type *opera dilectionis, iustitiae, misericordiae* : *Marc.*, IV, 15, 8 ; 37, 1 ; *Iei.*, 2, 6 ; etc. Pétré, *Caritas*, p. 246 s.), mais également les « effets » d'une vertu » – ou d'un vice (par ex. Sén. Rh., *Contr.*, 7, 1, 2 : « quidquid... non nequitiae opus est » ; Plin., *Nat.*, 7, 106 : « fugisse uirtutis summum opus fuit » ; etc. *TLL* s.u. col. 843, 33 s.). C'est précisément ce qu'entend ici Tert. par *opera patientiae* : les « effets » de l'exercice de la patience sur la vie spirituelle et morale, ses « fruits » : une idée que les latins rendent volontiers justement par *fructus, (in-)fructuosus* (cf. Cic., *Verr.*, 1, 2 : « me laboris mei, uos uirtutis uestrae fructum esse laturos » ; *De orat.*, 2, 343-344 : « clementia, iustitia, benignitas, fides, fortitudo... iucunda est auditu in laudationibus : omnes enim hae uirtutes non ipsis tam, qui eas habent, quam generi hominum fructuosae putantur » ; etc.), comme Tert. lui-même, *supra*, 8, 7-9 ; *Marc.*, IV, 16, 6 : « ... in uacuum patientiam (Deus) praecipit, non exhibens mihi mercedem praecepti, patientiae dico fructum, quod est ultio, quam mihi permisisse debuerat, si ipse non praestat... » (*supra*, 6, 4) ; la métaphore est d'ailleurs également néotestamentaire (*Éphés.*, 5, 9 : ὁ γὰρ καρπὸς τοῦ φωτὸς

ἐν πάσῃ ἀγαθωσύνῃ καὶ δικαιοσύνῃ καὶ ἀληθείᾳ ; *Gal.*, 5, 22 :
ὁ δὲ καρπὸς τοῦ πνεύματός ἐστιν ἀγάπη, χαρά, εἰρήνη, μακροθυμία, χρηστότης, κ.τ.λ.) ; c'est aussi *fructus* qu'utilise
Augustin dans son développement consacré aux « fruits éternels de la vraie patience » (*De pat.*, 29, 26 ; cf. *supra,* 265) ;
en revanche, Cyprien, *De b. pat.*, 19 (*fin.*) emploie lui aussi
opera pour annoncer le chapitre suivant, imité de Tert. *Pat.*,
15, 1-3 ; cf. *supra*, p. 34, sur les bienfaits de la patience, qu'il
désigne ensuite par *bona* (chap. 20, *init.*). Deux autres termes
servent à rendre la même idée dans notre traité : *utilitas*
(*supra*, 8, 9) et *merces* (*supra*, 11, 5), l'un et l'autre traditionnels dans la langue des moralistes païens (cf. *ad loc*). On
rapprochera aussi ce passage où *praemium = opera* : Sén., *De
ira*, 2, 12, 6 : « nos non aduocabimus patientiam, quos tantum praemium expectat, felicis animi immota tranquillitas ? ». Toutes ces raisons (en particulier le témoignage de
Cyprien) invitent sans doute à interpréter *opera* comme un
pluriel neutre. De plus, s'il est vrai qu'il y a chez Tert. quelques exemples de confusion entre *opus, -eris* et *opera, -ae*
(ainsi en *Res.*, 16, 5 : « Iam ergo innocens caro ex ea parte
qua non reputabuntur illi operae malae... Licet enim nec
bona opera deputentur illi sicut nec mala), sauf erreur ou
omission, le syntagme *opera,-ae uirtutis* ne se rencontre pas
sous sa plume, le seul passage que l'on pourrait alléguer
n'étant pas justiciable, à notre sens, de cette interprétation
(*Paen.*, 2, 7 : « haec paenitentiae causa, haec opera, negotium
diuinae misericordiae curans », où, nous semble-t-il, *curans,*
accordé à *negotium*, est construit + gén., cf. Hoppe, *Synt.*,
p. 24 ; de plus, en faveur de *opera* plur. neutre, le fait que
Tert. mentionne volontiers *opus* (et non *opera, -ae*) dans le
contexte de *negotium* : ainsi en *Herm.*, 15, 5 ; *Marc.*,
IV, 12, 9 ; *Res.*, 7, 12. On observera que la séquence *causa -
opera - negotium* rappelle, à l'interversion près des deux derniers termes, celle que nous lisons ici : *ratio - disciplina -
opera*). – **scilicet :** la ponctuation adoptée par Borleffs

(« ... haec opera caelestis et uerae, scilicet Christiana, non ut illa patientia gentium... ») se heurte, semble-t-il, à une impossibilité syntaxique : le tour « scilicet Christiana » n'est pas au cas des adj. (« caelestis et uerae ») auxquels il est censé apporter une précision qui va de soi. Si l'on veut conserver la leçon *Christiana* des mss, on a le choix entre deux ponctuations : « ... caelestis et uerae : scilicet Christiana... » (celle de Kroymann) et : « ... caelestis et uerae scilicet : Christiana... » (celle que nous proposons), entre lesquelles l'usage de Tert. ne permet guère de décider en toute certitude. Il emploie en effet *scilicet* aussi bien en tête de phrase (*Apol.,* 25, 3 ; *Iud.,* 9, 5 ; *Marc.,* III, 6, 3 ; *Carn.,* 6, 7 ; *Cast.,* 12, 1 ; *Fug.,* 13, 3 ; etc.), que, pour souligner un mot, préciser une équivalence, etc., au milieu ou en fin de phrase (*Marc.,* I, 23, 6 , II, 6, 6 ; *An.,* 17, 12 ; 50, 5 ; *Idol.,* 11, 6 ; 15, 3 ; *Cor.,* 13, 6 ; etc.). Toutefois, placé en tête, *scilicet* est souvent ironique (« Apparemment que... ») − ton qui serait ici déplacé ; d'autre part, dans le traité *scilicet* apparaît uniquement en milieu de phrase (*supra,* 4, 1 ; 4, 4 ; 12, 2 ; 13, 8) ou en fin de phrase (*supra,* 6, 4 ; 11, 5 ; 15, 6). *Caelestis et uerae* : cf. *supra,* 2, 1. *Verae* : opposé à *falsa* (*SC* 280, p. 31). − **gentium terrae :** expression à coloration scripturaire, cf. *Marc.,* IV, 29, 3 = *Lc* 12, 30 : *nationes mundi* (gr. τὰ ἔθνη τοῦ κόσμου ; Vulg. *gentes mundi*), forgée sans doute pour permettre une antithèse avec *caelestis* (cf. *supra,* 7, 7-8 la double opposition *caelestia - terrena*). Cf. *infra,* § 4. − **falsa probrosa :** l'addition de Borleffs (« falsa < et > probrosa ») est justifiée par le souci d'éviter une clausule héroïque. Mais, d'une part, Tert. ne l'évite pas systématiquement (cf. Hoppe, *Synt.* p. 158 ; J.-H. Waszink, « The Technique of the Clausula in Tertullian's de Anima », p. 227, *VChr* 4, 1950, p. 212-245 : 2 % de clausules héroïques dans le *De anima*) ; d'autre part, les exemples de qualificatifs en asyndète sont nombreux chez lui (*Nat.,* I, 18, 3 : « crucis... numerosae abstrusae » ; II, 11, 2 : « umbras aliquas incorporales inanimales » ; *Iud.,* 1, 5 :

« prior maior populus » ; etc. Hoppe, *Beitr.*, p. 52. Autres
tours asyndétiques, cf. *supra*, 2, 3 ; 10, 5 ; 14, 2. *Probrosa* :
une seule autre occurrence (*Nat.*, I, 5, 1).

16, 2. in isto : = *in ista re.* Cf. *Nat.*, II, 6, 7 : « si in isto
erratur » ; *Apol.*, 28, 4 : « in isto inreligiosi... deprehendi-
mini » ; etc. Hoppe, *Synt.*, p. 97 s. – **diabolus aemularetur :**
cf. *supra*, 5, 4 ; 11, 3. – **plane :** fréquemment employé par
Tert. avec une valeur ironique (Schneider, p. 119). – **ex pari :**
déjà chez Sén., *Luc.*, 59, 14 : « Sapiens... cum dis ex pari
uiuit ». Cf. Hoppe, *Synt.*, p. 102. On rapprochera, pour le
syntagme et l'idée, *Vx.*, I, 6, 5 : « Prouocat (Diabolus)... Dei
seruos continentia suorum quasi ex aequo ». – **diuersitas :**
+ deux génit. de sens opposé. Cf. *Nat.*, II, 4, 8 : « ad diuersi-
ta*tem* occulti et manifesti » ; *Marc.*, I, 16, 2 : « diuersitatem
hanc uisibilium et inuisibilium » (Tac., *Hist.*, 4, 27, 7 ; Aul.
Gel., *Nuits*, 13, 7, 6 ; etc.). mais ici *mali et boni,* en facteur
commun sans doute, dépend aussi de *magnitudinis.* – **aequaliter... par :** m. à m. : « semblablement égale ». Sur ce type de
pléonasme (Pl., *Trin.*, 1008 : *propere celerem*), cf. L.H.S.,
p. 799. *Aequaliter :* seulement quatre occurrences chez Tert.,
dont deux dans le *De patientia* (ici et *supra*, 2, 2), les deux
autres en *Iud.*, 7, 9 et *Orat.*, 22, 4. – **magnitudinis :** nous
retenons la leçon de *MP*, déjà adoptée par Kroymann. Un
relevé exhaustif des constructions de *par* chez Tert. ne fait
apparaître (si l'on exclut les désinences indifférenciées de
dat.-abl.) qu'une seule construction sûre + abl. (de point de
vue), en *Idol.*, 14, 5 : « Pares anima sumus, non disciplina » ;
les autres constructions (hormis un emploi en *Val.*, 7, 5 où
par per omnia = *omnino par* ; *SC* 281, p. 227) se répartissent
à peu près également entre + dat. (*Marc.*, II, 2, 2 ; IV, 41, 2 ;
etc.) et + gén. (*Nat.*, I, 7, 16 ; *Cult.*, I, 5, 2 ; etc.). La parenthèse n'en est pas moins d'interprétation délicate, mais celle-ci
peut être facilitée par un rapprochement avec la remarque
qu'a faite Tert. *supra*, 1, 2 (« nisi quod bonorum... et malo-

rum... magnitudo ») : on ne saurait affirmer sérieusement que
Dieu et Satan luttent à armes égales (tant est grande la supériorité de Dieu) ; il y a toutefois, ajoute Tert. sur le mode ironique, un point commun entre eux : chacun représente, dans
son ordre, la grandeur maximale, opposée à l'autre, Dieu
étant le souverain bien, Satan le souverain mal. M. à m. :
« ... comme si le Diable était sans doute sur un pied d'égalité
avec le Seigneur (ce qui n'est d'aucune manière le cas), si
l'on excepte le fait que l'opposition même entre le bien et le
mal est semblablement égale à leur grandeur » (= celle du
bien et du mal, *i.e.* leur opposition établit, à égalité,
parité de grandeur). – **patientiam propriam :** sur cette
patience « satanique » ou « païenne », cf. *infra,* § 4 ; Fredouille, p. 383 s.

16, 3. dico : reprise oratoire relativement fréquente chez
Tert. Celui-ci va dénoncer quatre types de comportements en
réalité également fustigés par les moralistes et les satiriques
païens (cf. *supra,* 7, 12-13 ; Fredouille, p. 386). Aussi bien la
définition doxographique de la patience (citée p. 24), que
celle, également « classique », de Cicéron (*De Inu.,* 2, 163 :
« patientia est, honestatis aut utilitatis causa, rerum arduarum ac difficilium uoluntaria ac diuturna perpessio », où
naturellement l'*utile* véritable se confond avec l'*honestum*)
excluaient ce genre d'attitudes (cf. la condamnation de la
pseudo-patience par Cic., *Tusc.,* 5,79 : « Omitto quae perfe-
rant quaeque patiantur ambitiosi honoris causa, laudis
studiosi gloriae gratia, amore incensi cupiditatis. Plena uita
exemplorum est ». – **maritos dote uenales :** premier exemple
de patience coupable, celle du mari qui « se vend » pour une
dot (cf. Juv., *Sat.,* 6, 136-139 : « Optima set quare Censennia
teste marito ? – Biṣ quingens dedit... / Nec pharetris Veneris
macer est aut lampade feruet / inde faces ardent, ueniunt a
dote sagittae »). *Dote* : abl. de prix usuel avec *uenalis* (cf.
Cic., *Cael.,* 17 : « intellego P. Clodi insulam esse uenalem...

decem, ut opinor, milibus » ; L.H.S., p. 130). – **(maritos) lenociniis negotiantes :** second exemple, le mari complaisant par
intérêt (cf. Hor., *Serm.*, 2, 5, 75-76 : « ... ultro / Penelopam
facilis potiori trade » ; Apul., *Apol.*, 75, 1. 3-4 : « domus eius
tota lenonia... uxor lupa... Ita ei lecti sui contumelia uectigalis
est. Olim sollers suo, nunc coniugis corpore uulgo meret...
Hic iam illa inter uirum et uxorem nota collusio : qui
amplam stipem mulieri detulerunt, nemo eos obseruat ; ... qui
inaniores uenere, signo dato pro adulteris deprehenduntur ») :
il tombait d'ailleurs sous le coup de la *Lex Iulia de adulteriis
coercendis* (Ulp., *Dig.*, 47, 5, 2, 2, 3). Mais Tert. stigmatise
également l'époux complaisant même s'il ne tire pas profit de
sa patience, cf. *Apol.*, 39, 12 cité *infra*, 16, 4 s.u. *riualium*, et,
dans un autre contexte, *Nat.*, I, 4, 12 : « Scio maritum unum
atque alium, anxium retro de uxoris suae moribus, qui ne
mures quidem in cubiculum inrepentes sine gemitu suspicio-
nis sustinebat, comperta causa nouae sedulitatis et inusi-
tatae captiuitatis, omnem uxori patientiam obtulisse, ... ma-
luisse lupae quam Christianae maritum ». – **quae aucupandis... tolerat :** troisième conduite condamnable, celle du
captateur de testament (cf. Hor., *Serm.*, 2, 5 en particulier vv.
42-43 : « Nonne uides... / ... ut patiens, ut amicis aptus... ? » ;
93 : « obsequio grassare » ; 103-104 : « si paulum potes, inla-
crimare ; est / gaudia prodentem uoltum celare »). – **aucupandis orbitatibus :** sur ce dat. final « autonome », cf. *supra*,
12, 3. *Orbitatibus = orbis* (de même *Iei.*, 12, 3 *ebrietas =
ebrius* ; etc. Hoppe, *Synt.*, p. 91 s.). Noter, dans ce même §,
l'emploi moins inhabituel, de deux autres abstraits au pluriel
(*potestatibus, adfectationibus*), cf. Hoppe, *Synt.*, p. 88 s. –
omnem... (laborem) : cf. *supra*, p. 255. – **coacti :** très fréquent
chez Tert. et attesté en ce ce ens (= *inuitus, non naturalis*, etc.)
depuis Cicéron, cf. *SC* 281, p. 174 s.u. « coactae figurae ». Ce
coactum obsequium s'oppose à l'*obsequium* normalement dû
évoqué *supra*, 4. – **quae uentris... :** dernier exemple de
patience blâmable, celle dont fait preuve le parasite (cf. Hor.,
Serm., 2, 7, 37-38 : « fateor me... / duci uentre... » ;

83. 102-104 : « Quisnam igitur liber ?... ducor libo fumante ; tibi ingens / uirtus atque animus cenis responsat opimis ? / obsequium uentris mihi perniciosius est... » ; Juv., *Sat.*, 5, 161-162 : « Tu tibi liber homo et regis conuiua uideris : / captum te nidore suae putat ille culinae » ; 170-171 : « Ille sapit qui te sic utitur. Omnia ferre / si potes, et debes »). Tert. a déjà stigmatisé les parasites, dans un contexte différent, mais en termes voisins, *Apol.*, 39, 16 : « penes uos parasiti adfectant ad gloriam famulandae libertatis sub auctoramento uentris inter contumelias saginandi ». – **contumeliosis patrociniis :** = *contumeliis patronorum*. – **subiectione... gulae :** le subst. verbal est construit avec le dat. (*gulae*), d'après *subicere aliquem (-quid) alicui (-cui rei)*, ici : *subicere libertatem gulae*. Sur ce type de construction, cf. Pl., *Amph.*, 166 : *opulento homini seruitus ;* etc. Ernout-Thomas, *Synt. lat.*, § 80 ; L.H.S., p. 91. *Subiectio* : cf. *supra*, 4, 1 ; 11, 6. *Gula* : également associé à *uenter* en *Spec.*, 2, 10 : « Neque... sumpsimus... gulam ad gulae crimen et uentrem ad gulae societatem... ». Pour la tradition païenne, cf. Mart., 1, 20, 3 : « Quid dignum tanto tibi uentre gulaque precabor ? » ; etc.

16, 4. Talia nationes... : mouvement comparable *supra*, 3, 11 (cf. aussi *supra*, 2, 3 ; 6, 3 ; 9, 1). – **patientiae studia :** cf. *supra*, 1, 7. – **tanti boni nomen :** cf. *supra*, 1, 7 : « Bonum eius... appellatione... » – **operationibus :** sur ce terme, *supra*, 11, 1. – **riualium et diuitum et inuitatorum :** le second terme (*diuitum*) rappelle les trois premières situations évoquées *supra*, § 3 ; le dernier (*inuitatorum*) la quatrième de ces situations, également § 3 ; Tert. ajoute donc ici (*riualium*) un autre cas de patience critiquable, celle dont font preuve les maris complaisants, même s'ils ne tirent pas d'avantages pécuniaires de leur complaisance (cf. *Apol.*, 39, 12 : « qui (ceteri homines) non amicorum solummodo matrimonia usurpant, sed et sua amicis patientissime subministrant... »). *Inuitatorum* : apparaît chez Mart., 9, 91, 2, puis chez Tert.

(cf. *TLL* s.u. col. 226, 78). – **uiuunt** : pratiquement équivalent de *exsistunt, sunt* (cf. Bulhart, *Praef.*, § 121). – **uiderint** : cf. *supra*, 1, 9. – **sui praesidis** : cette pseudo-patience a Satan pour maître (cf. *supra*, § 2). Celui-ci est également qualifié de « praeses et artifex temptationis » (*Orat.*, 8, 4) ou de « praeses mali » (*Herm.*, 11, 3), par opposition à Dieu qui est, lui, « praeses et magister ueritatis » (*Cult.*, II, 1, 2). – **subter-raneus ignis.** : cf. *Apol.*, 47, 12 : « Et gehennam si commine-mur, quae est ignis arcani subterraneus ad poenam thesau-rus... » ; *An.*, 55, 2 : « habes et regionem inferum subter-raneam credere » (deux autres attestations de *subterraneus* en *Nat.*, I, 8, 1 et *An.*, 32, 3) ; H. Fine, *Die Terminologie der Jenseitsvorstellungen bei Tertullian,* Bonn 1958, p. 89 (sur ce feu mystérieux qui brûle sans consumer, cf. *Apol.*, 48, 13-15). Cf. *Herm.*, 11, 3 : « cum praeses eius (*sc.* mali), diabolus, abierit in ignem, quem praeparauit illi Deus et angelis eius (= *Matth.* 25, 41) ». Comme il est normal, Tert. termine sou-vent ses ouvrages sur une perspective eschatologique, et donc sur l'évocation du châtiment éternel (*Apol.*, 47, 12-14 ; *Paen.*, 12, 1-4 ; *Spec.*, 30, 1-5 ; etc.). Souci comparable chez les phi-losophes (Cic., *Rep.*, 6 ; *Sen.*, 77-85 ; Sén., *Cons. Marc.*, 25-26 ; etc.).

16, 5. Ceterum : cf. *supra,* 15, 5. – **patientiam Dei, patien-tiam Christi** : cf. *supra,* 3, 1. On observera que Tert. commence (*supra,* 1, 1) et achève ses traités en reprenant leur titre (cf. *Val.*, 1, 1 ; 39, 2 ; *SC* 281, p. 167). De même, la triple exhortation (*amemus... rependamus... offeramus...*) répond exactement à sa façon de conclure les ouvrages de cette époque (*Bapt.*, 20, 5 : *petite... petite ; Cult.*, II, 13, 7 : *subicite... occupate... figite... uestite...* ; *Vx.*, II, 8, 9 : *suggere... reflecte...* Cf. *supra*, p. 9). – **rependamus** : cf. *supra,* 4, 4 ; 10, 3 ; *Marc.*, V, 16, 1 : « ... apud quem (= creatorem) iustum sit adflictatoribus nostris rependi adflictationem » ; *Scorp.*, 9, 11 : « ... negationem negatione rependi a domino, quemadmodum confessione confessionem ». – **offeramus :** cf. *Pud.*, 2, 6 : « ... misericordiam postulantes, utique ex paenitentia flentes et ieiunantes et adflictationem suam offerentes Deo ». – **patientiam spiritus... carnis :** cf. Fredouille, p. 388. La coloration « chrétienne » ou « biblique » de l'expression est renforcée par le choix des mêmes termes (avec chiasme) dans l'expression qui suit immédiatement : « resurrectionem carnis et spiritus ». Cf. *supra*, 9, 2. – **credimus :** + *in*, cf. *supra*, 2, 3.

* *
*

INDICES

Nous avons suivi, pour établir ces *Indices*, les principes que nous avions adoptés dans notre édition de l'*Aduersus Valentinianos* (cf. *SC* 281, p. 371). En particulier, parmi les références textuelles signalées dans l'Introduction et le Commentaire, n'ont été retenues ici que celles qui sont accompagnées d'une citation explicite.

Les chiffres imprimés en caractères gras correspondent aux pages du *texte* de Tertullien.

I. – INDEX SCRIPTVRAE ET APOCRYPHORVM

APOCRYPHA VETERIS TESTAMENTI

NOVVM TESTAMENTVM

INDEX SCRIPTVRAE ET APOCRYPHORVM 287

II. – INDEX TERTVLLIANEVS

III. – INDEX SCRIPTORVM ANTIQVORVM

6, 136-139	278
13, 100-102	131
13, 113-115	131
13, 118-119	131
14, 176-178	184

LACTANTIVS

De ira Dei

17, 8-12	36

Epitome

38	26

Institutiones diuinae

I, 23, 8	149
V, 1, 23	35
V, 14, 18	203
V, 22, 2	26
V, 22, 2-3	35
VI, 18, 30	26

LIVIVS (TITVS)

Ab Vrbe condita

5, 6, 3	244
8, 28, 2	244
39, 40, 11	239

LVCRETIVS

De rerum natura

1, 900	129

4, 450	129
6, 1145-1146	187

MARTIALIS

Epigrammata

1, 20, 3	280

MINVCIVS FELIX

Octauius

19, 3	124

OVIDIVS

Ars amatoria

2, 367	164

Epistulae ex Ponto

1, 9, 41	242

Fasti

1, 348	137
2, 299	187

Heroides

5, 147	205
17, 9	217

IV. – INDEX RERVM NOTABILIORVM

TABLE DES MATIÈRES

SOURCES CHRÉTIENNES

LISTE COMPLÈTE DE TOUS LES VOLUMES PARUS

N.B. — L'ordre suivant est celui de la date de parution (n° 1 en 1942) et il n'est pas tenu compte ici du classement en séries : grecque, latine, byzantine, orientale, textes monastiques d'Occident ; et série annexe : textes para-chrétiens.

Sauf indication contraire, chaque volume comporte le texte original, grec ou latin, souvent avec un apparat critique inédit.

La mention *bis* indique une seconde édition. Quand cette seconde édition ne diffère de la première que par de menues corrections et des *Addenda et Corrigenda* ajoutés en appendice, la date est accompagnée de la mention « réimpression avec supplément ».

81. NICÉTAS STÉTHATOS : **Opuscules et lettres.** J. Darrouzès (1961).

82. GUILLAUME DE SAINT-THIERRY : **Exposé sur le Cantique des Cantiques.** J.-M. Déchanet (1962).

83. DIDYME L'AVEUGLE : **Sur Zacharie.** Texte inédit. L. Doutreleau. Tome I. Introduction et livre I (1962).

84. **Id.** — Tome II. Livres II et III (1962).

85. **Id.** — Tome III. Livres IV et V, Index (1962).

86. DEFENSOR DE LIGUGÉ : **Le livre d'étincelles,** t. II. H. Rochais (1962).

87. ORIGÈNE : **Homélies sur S. Luc.** H. Crouzel, F. Fournier, P. Périchon (1962).

88. **Lettres des premiers Chartreux,** tome I : S. BRUNO, GUIGUES, S. AN-THELME. Par un Chartreux (1962).

89. **Lettre d'Aristée à Philocrate.** A. Pelletier (1962).

90. **Vie de sainte Mélanie.** D. Gorce (1962).

91. ANSELME DE CANTORBÉRY : **Pourquoi Dieu s'est fait homme.** R. Roques (1963).

92. DOROTHÉE DE GAZA : **Œuvres spirituelles.** L. Regnault, J. de Préville (1963).

93. BAUDOUIN DE FORD : **Le sacrement de l'autel.** J. Morson, É. de Solms, J. Leclercq. Tome I (1963).

94. **Id.** — Tome II (1963).

95. MÉTHODE D'OLYMPE : **Le banquet.** H. Musurillo, V.-H. Debidour (1963).

96. SYMÉON LE NOUVEAU THÉOLOGIEN : **Catéchèses.** B. Krivochéine, J. Paramelle. Tome I. Introduction et Catéchèses 1-5 (1963).

97. CYRILLE D'ALEXANDRIE : **Deux dialogues christologiques.** G. M. de Durand (1964).

98. THÉODORET DE CYR : **Correspondance,** t. II. Y. Azéma (1964).

99. ROMANOS LE MÉLODE : **Hymnes.** J. Grosdidier de Matons. Tome I. Introduction et Hymnes I-VIII (1964).

100. IRÉNÉE DE LYON : **Contre les hérésies,** livre IV. A. Rousseau, B. Hemmerdinger, Ch. Mercier, L. Doutreleau. 2 vol. (1965).

101. QUODVULTDEUS : **Livre des promesses et des prédictions de Dieu,** R. Braun. Tome I (1964).

102. **Id.** — Tome II (1964).

103. JEAN CHRYSOSTOME : **Lettre d'exil.** A.-M. Malingrey (1964).

104. SYMÉON LE NOUVEAU THÉOLOGIEN : **Catéchèses.** B. Krivochéine, J. Paramelle. Tome II. Catéchèses 6-22 (1964).

105. **La Règle du Maître.** A. de Vogüé. Tome I. Introd. et chap. 1-10 (1964).

106. **Id.** — Tome II. Chap. 11-95 (1964).

107. **Id.** — Tome III. Concordance et Index orthographique. J.-M. Clément, J. Neufville, D. Demeslay (1965).

108. CLÉMENT D'ALEXANDRIE : **Le Pédagogue,** tome II. Cl. Mondésert, H.-I. Marrou (1965).

109. JEAN CASSIEN : **Institutions cénobitiques.** J.-C. Guy (1965).

110. ROMANOS LE MÉLODE : **Hymnes.** J. Grosdidier de Matons. Tome II. Hymnes IX-XX (1965).

111. THÉODORET DE CYR : **Correspondance,** t. III. Y. Azéma (1965).

112. CONSTANCE DE LYON : **Vie de S. Germain d'Auxerre.** R. Borius (1965).

234. THÉODORET DE CYR : **Histoire des moines de Syrie.** Tome I. Introduction et **Histoire philothée** I-XIII. P. Canivet et A. Leroy-Molinghen (1977).

235. HILAIRE D'ARLES : **Vie de S. Honorat.** M.-D. Valentin (1977).

236. **Rituel cathare.** C. Thouzellier (1977).

237. CYRILLE D'ALEXANDRIE : **Dialogues sur la Trinité.** Tome II. Dial. III-IV. G.-M. de Durand (1977).

238. ORIGÈNE : **Homélies sur Jérémie.** Tome II. Homélies XII-XX et homélies latines, index. P. Nautin et P. Husson (1977).

239. AMBROISE DE MILAN : **Apologie de David.** P. Hadot et M. Cordier (1977).

240. PIERRE DE CELLE : **L'école du cloître.** G. de Martel (1977).

241. **Conciles gaulois du IVᵉ siècle.** J. Gaudemet (1977).

242. S. JÉRÔME : **Commentaire sur S. Matthieu.** Tome I. Livres I et II. É. Bonnard (1978).

243. CÉSAIRE D'ARLES : **Sermons au peuple.** Tome II. Sermons 21-55. M.-J. Delage (1978).

244. DIDYME L'AVEUGLE : **Sur la Genèse.** Tome II (Sur Genèse V-XVII). Index. P. Nautin et L. Doutreleau (1978).

245. **Targum du Pentateuque.** Tome I : **Genèse.** R. Le Déaut et J. Robert. Trad. seule (1978).

246. CYRILLE D'ALEXANDRIE : **Dialogues sur la Trinité.** Tome III. Livres VI-VII, index. G.-M. de Durand (1978).

247. GRÉGOIRE DE NAZIANZE : **Discours** 1-3. J. Bernardi (1978).

248. **La doctrine des douze apôtres.** W. Rordorf et A. Tuilier (1978).

249. S. PATRICK : **Confession et Lettre à Coroticus.** R.P.C. Hanson et C. Blanc (1978).

250. GRÉGOIRE DE NAZIANZE : **Discours** 27-31 (Discours théologiques). P. Gallay (1978).

251. GRÉGOIRE LE GRAND : **Dialogues.** Tome I. Introduction, bibliographie et cartes. A. de Vogüé (1978).

252. ORIGÈNE : **Traité des principes.** Livres I et II. H. Crouzel et M. Simonetti. Tome I : Introduction, texte critique et traduction (1978).

253. **Id.** — Tome II : Commentaire et fragments. H. Crouzel et M. Simonetti (1978).

254. HILAIRE DE POITIERS : **Sur Matthieu,** t. I : Introduction et chap. 1-13. J. Doignon (1978).

255. GERTRUDE D'HELFTA : **Œuvres spirituelles.** Tome IV. **Le Héraut.** Livre IV. J.-M. Clément, B. de Vregille et les Moniales de Wisques (1978).

256. **Targum du Pentateuque.** Tome II : **Exode et Lévitique.** R. Le Déaut et J. Robert. Trad. seule (1979).

257. THÉODORET DE CYR : **Histoire des moines de Syrie.** Tome II, **Histoire Philothée** (XIV-XXX), **Traité sur la Charité** (XXXI) et Index. P. Canivet et A. Leroy-Molinghen (1979).

258. HILAIRE DE POITIERS : **Sur Matthieu.** Tome II. Chap. 14-33, appendice et index. J.Doignon (1979).

259. S. JÉRÔME : **Commentaire sur S. Matthieu.** Tome II. Livres III et IV, Index. É. Bonnard (1979).

260. GRÉGOIRE LE GRAND : **Dialogues.** Tome II. Livres I-III. A. de Vogüé et P. Antin (1979).

261. **Targum du Pentateuque.** Tome III : **Nombres.** R. Le Déaut et J. Robert. Trad. seule (1979).

262. Eusèbe de Césarée : **Préparation évangélique,** livres IV, 1 - V, 17. O. Zink et É. des Places (1979).

263. Irénée de Lyon : **Contre les hérésies,** livre I. A. Rousseau, L. Doutreleau. Tome I. Introduction, notes justificatives et tables (1979).

264. **Id.** — Tome II. Texte et traduction (1979).

265. Grégoire le Grand : **Dialogues.** Tome III. Livre IV, tables et index. A. de Vogüé et P. Antin (1980).

266. Eusèbe de Césarée : **Préparation évangélique,** livre V, 18-36 et VI. É. des Places (1980).

267. **Scolies ariennes sur le concile d'Aquilée.** R. Gryson (1980).

268. Origène : **Traité des principes.** Tome III. Livres III et IV : Texte critique et traduction. H. Crouzel et M. Simonetti (1980).

269. **Id.** — Tome IV. Livres III et IV : Commentaire et fragments. H. Crouzel et M. Simonetti (1980).

270. Grégoire de Nazianze : **Discours** 20-23. J. Mossay (1980).

271. **Targum du Pentateuque.** Tome IV. **Deutéronome,** bibliographie, glossaire et index des tomes I-IV. R. Le Déaut (1980).

272. Jean Chrysostome : **Sur le sacerdoce (dialogue et homélie).** A.-M. Malingrey (1980).

273. Tertullien : **A son épouse.** C. Munier (1980).

274. **Lettres des premiers Chartreux.** Tome II : Les moines de Portes. Par un Chartreux (1980).

275. Pseudo-Macaire : **Œuvres spirituelles.** Tome I. V. Desprez (1980).

276. Théodoret de Cyr : **Commentaire sur Isaïe,** Tome I : Introduction et sections 1-3. J.-N. Guinot (1980).

277. Jean Chrysostome : **Homélies sur Ozias.** J. Dumortier (1981).

278. Clément d'Alexandrie : **Stromate V.** Tome I : introduction, texte et index par A. Le Boulluec; traduction de P. Voulet (1981).

279. **Id.** — Tome II : commentaire, bibliographie et index par A. Le Boulluec (1981).

280. Tertullien : **Contre les Valentiniens.** Tome I : introduction, texte et traduction. J.-C. Fredouille (1980).

281. **Id.** — Tome II : commentaire et index. J.-C. Fredouille (1981).

282. **Targum du Pentateuque.** Tome V. Index analytique. R. Le Déaut (1981).

283. Romanos le Mélode : **Hymnes.** J. Grosdidier de Matons. Tome V. Hymnes XLVI-LVI (1981).

284. Grégoire de Nazianze : **Discours** 24-26. J. Mossay (1981).

285. François d'Assise : **Écrits.** Th. Desbonnets, Th. Matura, J.-F. Godet, D. Vorreux, o.f.m. (1981).

286. Origène : **Homélies sur le Lévitique.** M. Borret. Tome I : Introduction et Hom. I-VII (1981).

287. **Id.** — Tome II : Hom. VIII-XVI, Index (1981).

288. Guillaume de Bourges : **Livre des guerres du Seigneur.** G. Dahan (1981).

289. Lactance : **La colère de Dieu.** C. Ingremeau (1982).

290. Origène : **Commentaire sur S. Jean.** Tome IV. L. XIX-XX. C. Blanc (1982).

291. Cyprien de Carthage : **A Donat et La vertu de patience.** J. Molager (1982).

Hors série :

SOUS PRESSE

Origène : **Traité des principes.** Tome V. H. Crouzel.
Théodoret de Cyr : **Commentaire sur Isaïe.** Tome III. J.-N. Guinot.
Historia acephala Athanasii : M. Albert, A. Martin.
Palladios : **Dialogue sur la vie de Jean Chrysostome** (2 vol.). A.-M. Malingrey.

PROCHAINES PUBLICATIONS

Tertullien : **La pénitence.** Ch. Munier.
Jérôme : **Sur Jonas.** Y.-M. Duval.
Guigues Ier : **Les coutumes de Chartreuse.** Par un Chartreux.
Cyrille d'Alexandrie : **Contre Julien,** tome I. P. Burguière, P. Évieux.
Tertullien : **Exhortation à la chasteté.** C. Moreschini et J.-C. Fredouille.
Conciles mérovingiens : J. Gaudemet et B. Basdevant.
Grégoire de Nazianze : **Discours** 32-37. C. Moreschini et P. Gallay.
Grégoire le Grand : **Commentaires sur le Cantique** R. Bélanger.

SOURCES CHRÉTIENNES

(1-310)

LES ŒUVRES DE PHILON D'ALEXANDRIE
publiées sous la direction de
R. ARNALDEZ, C. MONDÉSERT, J. POUILLOUX.
Texte grec et traduction française.

1. **Introduction générale, De opificio mundi.** R. Arnaldez (1961).
2. **Legum allegoriae.** C. Mondésert (1962).
3. **De cherubim.** J. Gorez (1963).
4. **De sacrificiis Abelis et Caini.** A. Méasson (1966).
5. **Quod deterius potiori insidiari soleat.** I. Feuer (1965).
6. **De posteritate Caini.** R. Arnaldez (1972).
7-8. **De gigantibus. Quod Deus sit immutabilis.** A. Mosès (1963).
9. **De agricultura.** J. Pouilloux (1961).
10. **De plantatione.** J. Pouilloux (1963).
11-12. **De ebrietate. De sobrietate.** J. Gorez (1962).
13. **De confusione linguarum.** J.-C. Kahn (1963).
14. **De migratione Abrahami.** J. Cazeaux (1965).
15. **Quis rerum divinarum heres sit.** M. Harl (1966).
16. **De congressu eruditionis gratia.** M. Alexandre (1967).
17. **De fuga.** E. Starobinsky-Safran (1970).
18. **De mutatione nominum.** R. Arnaldez (1964).
19. **De somniis.** P. Savinel (1962).
20. **De Abrahamo.** J. Gorez (1966).
21. **De Iosepho.** J. Laporte (1964).
22. **De vita Mosis.** R. Arnaldez, C. Mondésert, J. Pouilloux, P. Savinel (1967).
23. **De Decalogo.** V. Nikiprowetzky (1965).
24. **De specialibus legibus.** Livres I-II. S. Daniel (1975).
25. **De specialibus legibus.** Livres III-IV. A. Mosès (1970).
26. **De virtutibus.** R. Arnaldez, A.-M. Vérilhac, M.-R. Servel, P. Delobre (1962).
27. **De praemiis et poenis. De exsecrationibus.** A. Beckaert (1961).
28. **Quod omnis probus liber sit.** M. Petit (1974).
29. **De vita contemplativa.** F. Daumas, P. Miquel (1964).
30. **De aeternitate mundi.** R. Arnaldez et J. Pouilloux (1969).
31. **In Flaccum.** A. Pelletier (1967).
32. **Legatio ad Caium.** A. Pelletier (1972).
33. **Quaestiones in Genesim et in Exodum. Fragments grecs.** F. Petit (1978).
34 A. **Quaestiones in Genesim,** I-II (e vers. armen.). C. Mercier (1979).
34 B. **Quaestiones in Genesim,** III-IV (e vers. armen.) (en préparation).
34 C. **Quaestiones in Exodum,** I-II (e vers. armen.) (en préparation).
35. **De Providentia,** I-II. M. Hadas-Lebel (1973).
36. **De animalibus.** A. Terian et J. Laporte (en préparation).

CET OUVRAGE A ÉTÉ ACHEVÉ
D'IMPRIMER EN FÉVRIER 1984
SUR LES PRESSES DE L'IMPRIMERIE
DE L'INDÉPENDANT A CHATEAU-GONTIER

DÉPOT LÉGAL - 1er TRIMESTRE 1984
N° ÉDITEUR : 7820

Imprimé en France